了解肝臟及肝臟疾病

肝臟的位置

肝臟

位置
大小
重量

肝臟位於右上腹部的肋骨內側，由一韌帶組織懸掛在橫膈膜下。呼吸時，會隨著橫隔膜的活動上下移動。肝臟是人體中最重的器官，成人約1.2~1.5kg，表面為鮮明的暗紅色。

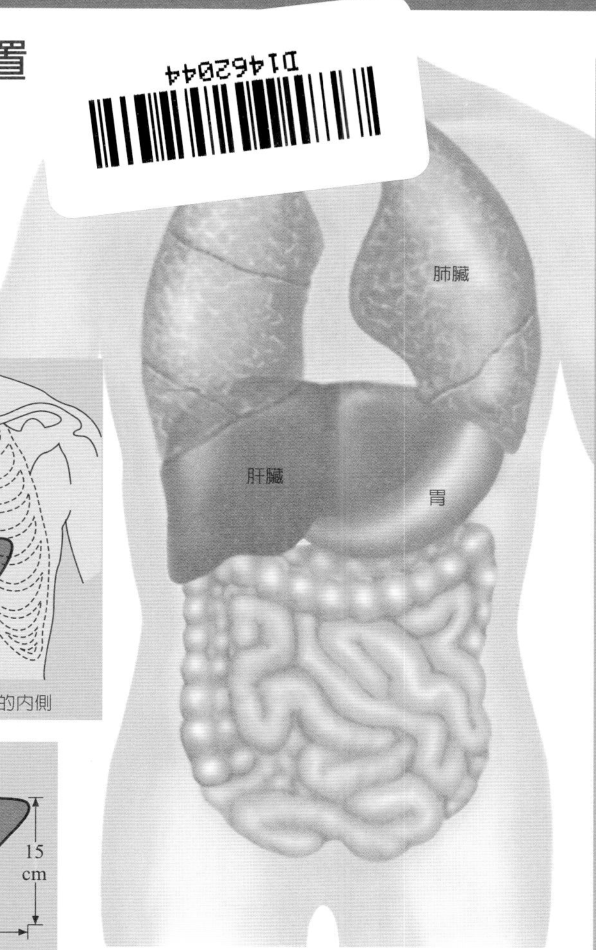

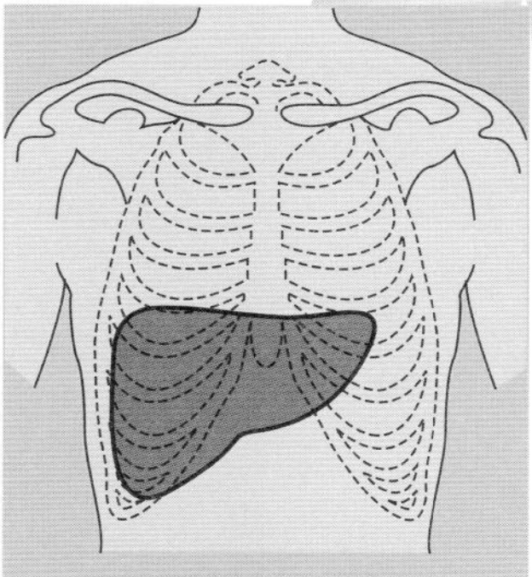

肝臟位於右側肋骨的內側

大小

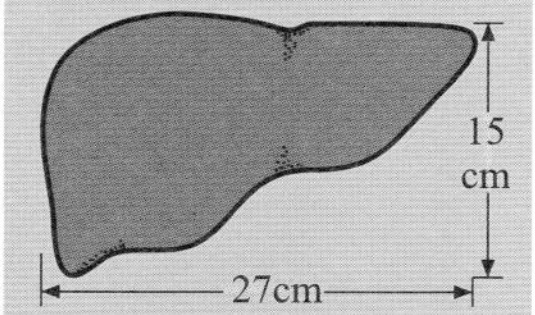

厚度7.5cm

重量

1.2~1.5kg（成人）

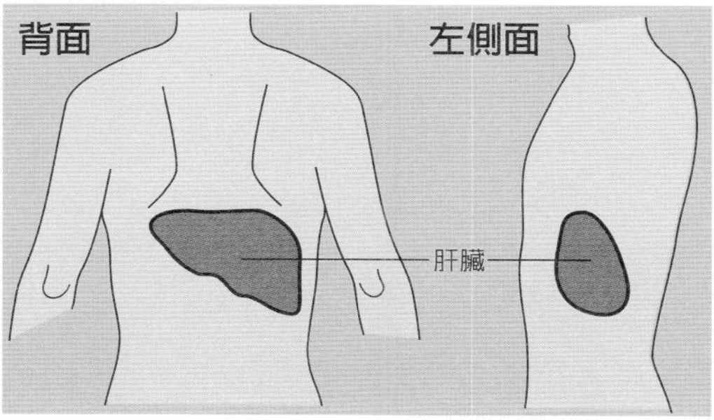

肝臟的功能

肝臟的功能是將從食物中攝取的營養素轉換成對身體有益的物質。可以說是一處化學工廠，大致上分為將營養素轉換成身體可以利用的型態、合成消化脂肪所需的膽汁、以及解毒有害物質等三種功能。

肝臟的代謝功能

食物中所攝取的營養素以這樣的方式被利用（左圖）。

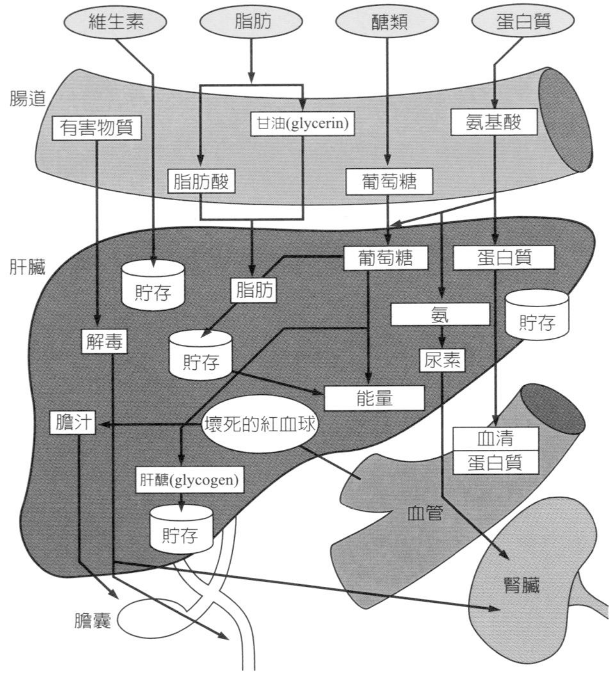

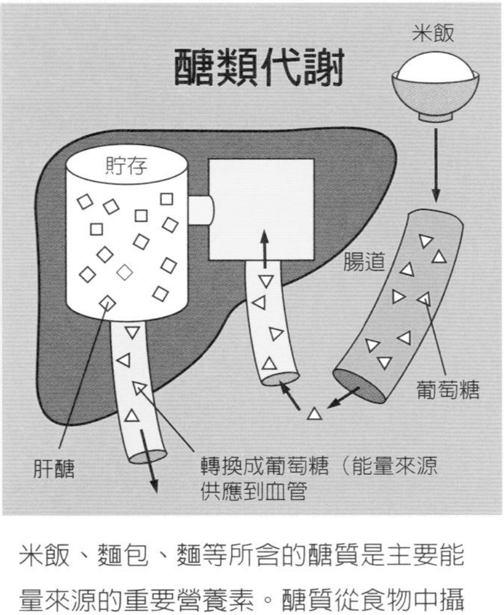

米飯、麵包、麵等所含的醣質是主要能量來源的重要營養素。醣質從食物中攝取被分解成葡萄糖之後，在腸道被吸收送往肝臟。肝臟在將葡萄糖轉換成肝醣貯存起來，必要時再釋放到血液中。

肝臟和血管系統

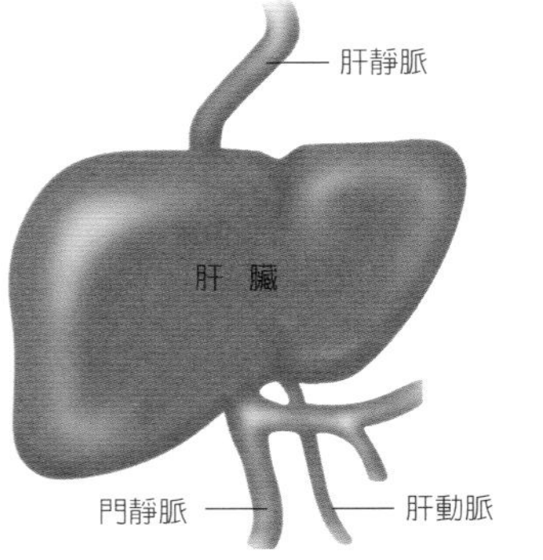

肝臟有門靜脈和肝動脈二條血管供應血液。肝動脈是由主動脈分支流進肝臟的血管，門靜脈是來自腸道的靜脈匯集流進肝臟的血管。肝臟將處理過的血液經過肝靜脈輸送到心臟。

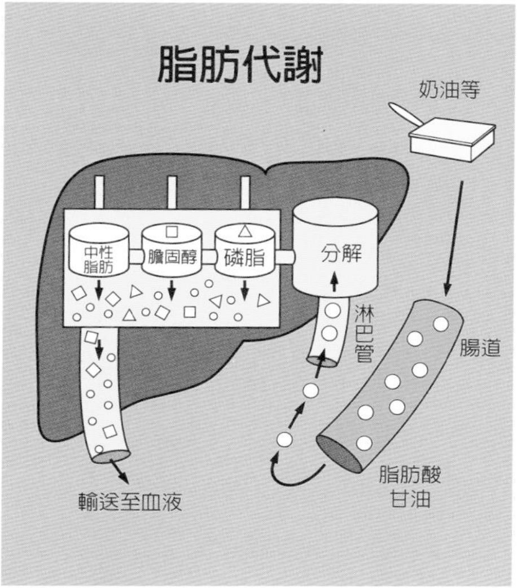

食物中的脂肪在胃和小腸進行分解於腸道被吸收。肝臟會將這些合成膽固醇、磷脂、中性脂肪（三酸甘油脂triglyceride）輸送到血液中。

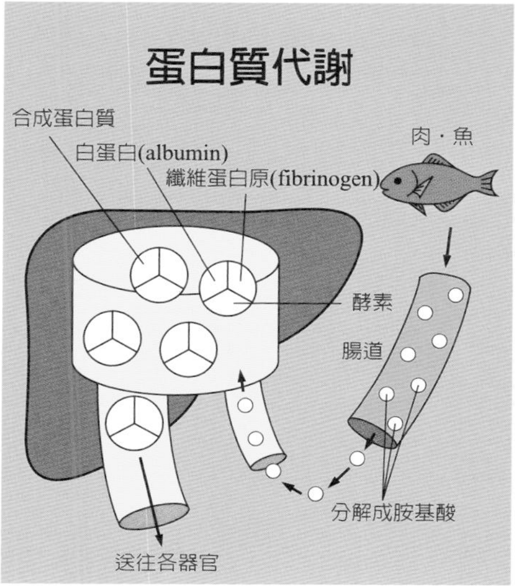

從食物中所攝取的蛋白質最後會被分解成胺基酸，由腸道吸收集合於肝臟。肝臟會將氨基酸還原成人體可用的蛋白質。

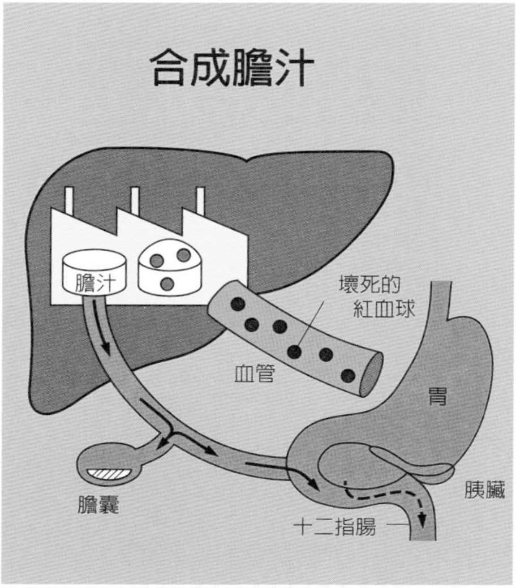

肝臟會利用壞死的紅血球製造膽汁送往膽囊。膽汁具有幫助脂肪消化、吸收的功能。

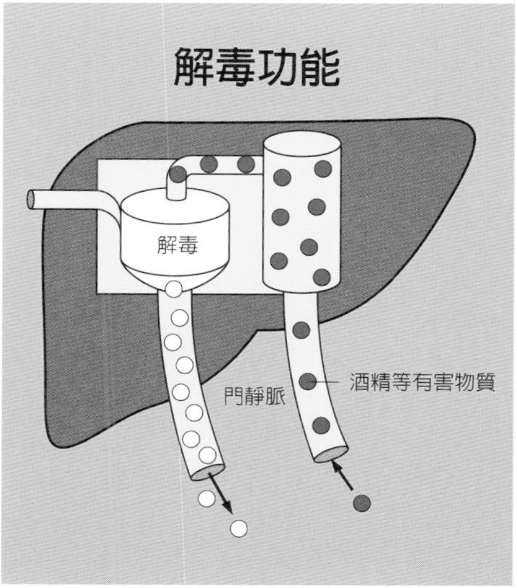

酒精和藥物等對身體而言是異物。肝臟具有分解這些異物、解除毒性後排出體外的功能。此功能稱為肝臟的解毒作用。

肝臟疾病的症狀

肝臟是沒有自覺症狀的器官，大多是在接受檢查後才發現的疾病，不過患病時也會出現黃疸、蜘蛛狀血管瘤等特徵的症狀。

黃疸

特別是眼白的部份會變黃。在太陽光下特別明顯。

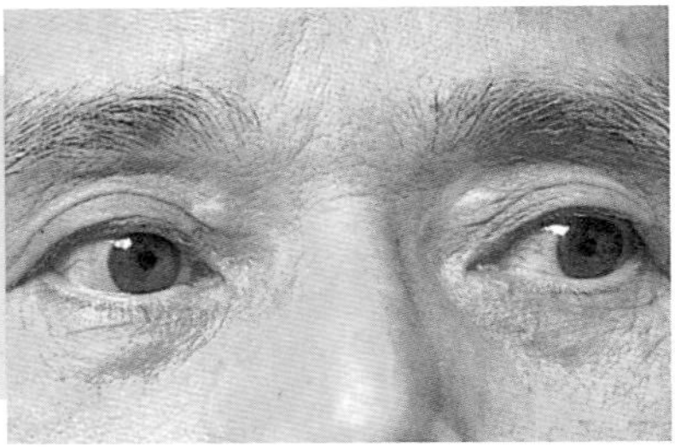

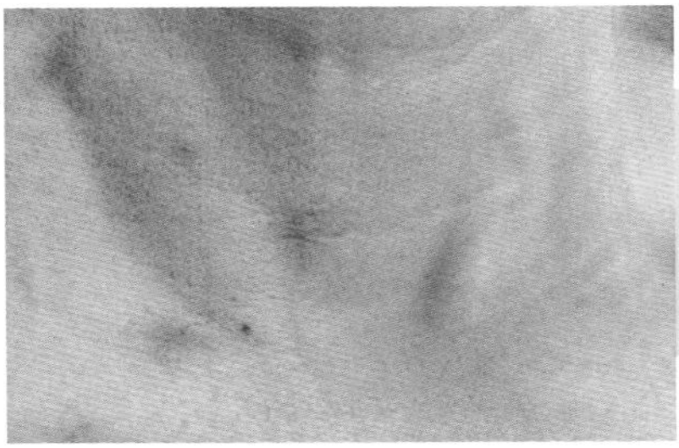

蜘蛛狀血管瘤

如線般的細小血管浮在皮膚表面。

男性女乳症

男性也呈現乳房變大。有時也會出現疼痛。

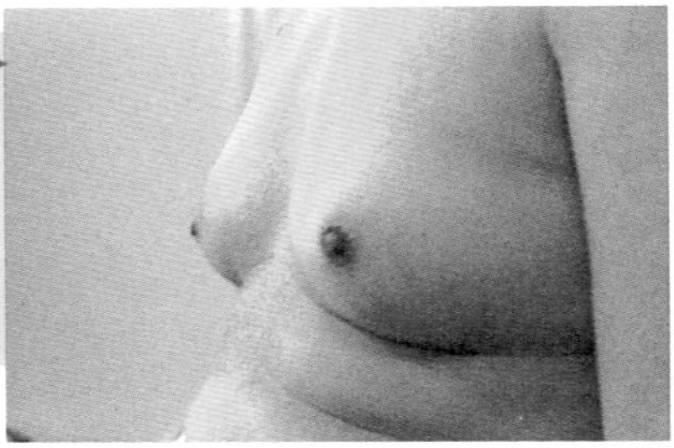

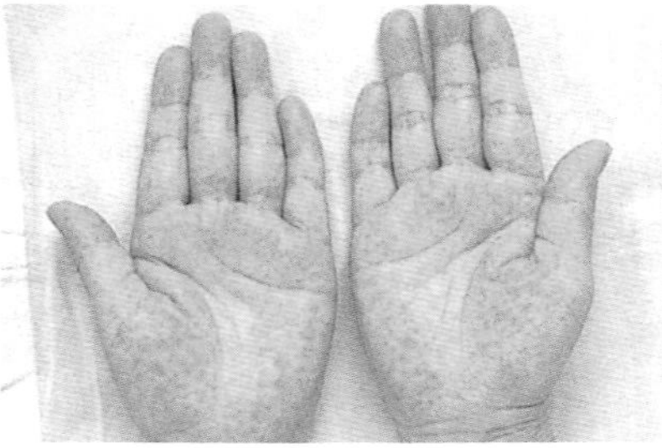

手掌紅斑

手掌的手指根部發紅。整個手掌發紅的話不是手掌紅斑。

腹水

腹部會有水份滯留。

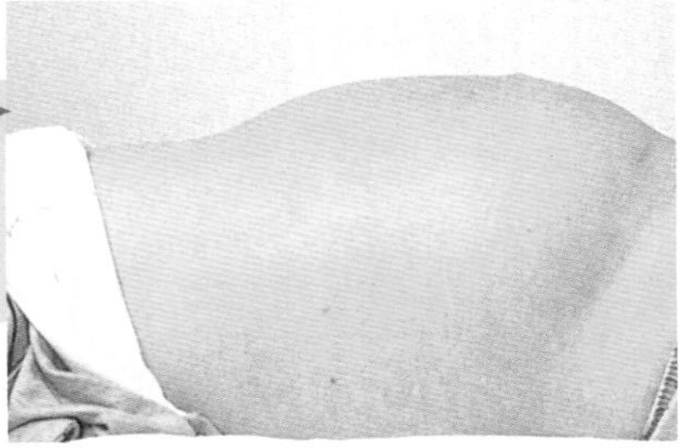

肝臟疾病的全身症狀

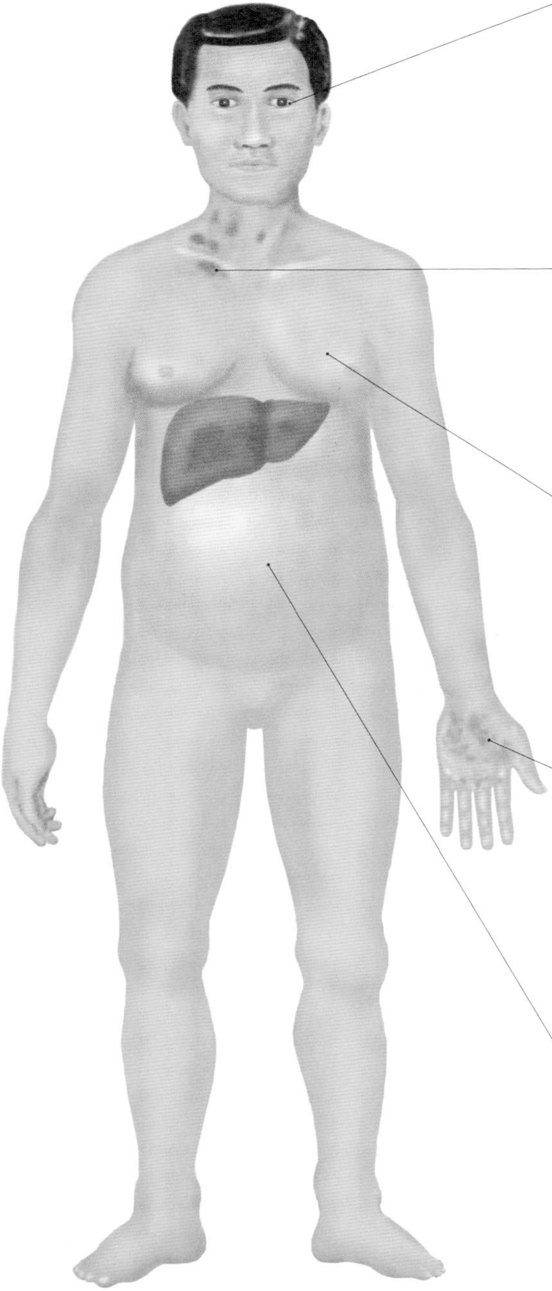

黃疸

肝臟損傷膽道阻塞時，血液中稱為膽紅素的黃色色素就會增加。此狀態稱為黃疸，皮膚及黏膜會偏黃，尤其是眼白的部份會變黃色。

蜘蛛狀血管瘤

肝臟受損時，脖子、胸部、手臂等部位會出現如蜘蛛張開腳的形狀的紅色斑點。大小約數毫米到2~3公分。

男性女乳症

肝功能變差時，肝臟無法分解女性荷爾蒙，荷爾蒙就會失去平衡，男性的乳房因而變大。

手掌紅斑

肝硬化時，手掌會變紅。尤其是手掌大拇指的指根和小指的指根下隆起的地方，指尖也會變紅。但是，出現此種症狀也有並非是屬於肝臟疾病的情形。

腹水

肝硬化時腹部會有水分滯留，腹部因而隆起。這就是腹水，腳也會有水腫的現象。

肝臟疾病的檢查

要正確診斷肝臟疾病，訂定治療方針，必須要進行各種檢查。在此向各位介紹肝臟疾病的主要檢查。

血液生化檢查·肝炎病毒檢查

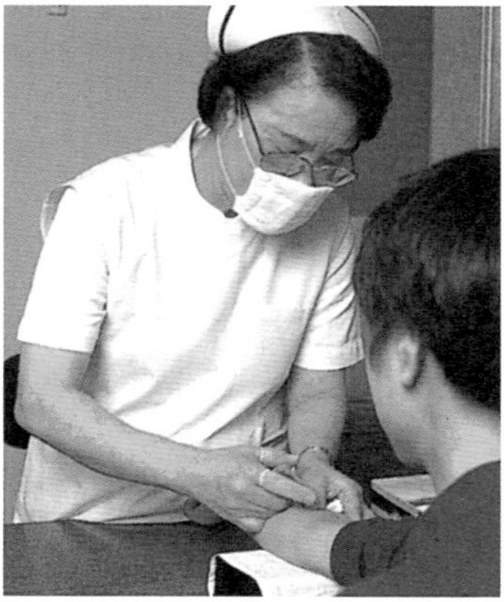

首先採集血液，檢查血清中的酵素和蛋白質的量。這也是一般健康檢查會進行的檢查。

採　血

一般是從手肘內側的靜脈採血。

全自動生化分析儀

所採集的血液利用離心器分離成固體成分(紅血球、白血球等)和液體成分。液體成分當中的血清在放到自動化學分析裝置，自動檢測酵素、蛋白質、膽固醇等多項項目。

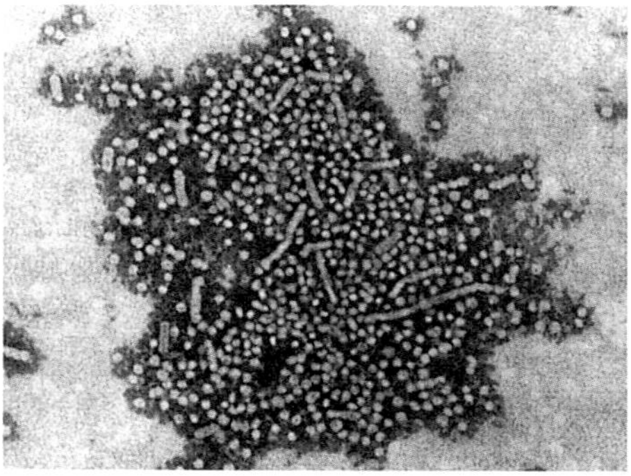

B型肝炎病毒

感染到肝炎病毒時，血液中會出現和病毒有關的抗原和抗體。採集血液檢查這些抗原·抗體(病毒標記)。

左邊的照片是在顯微鏡下所看到的B型肝炎病毒的HBs抗原。

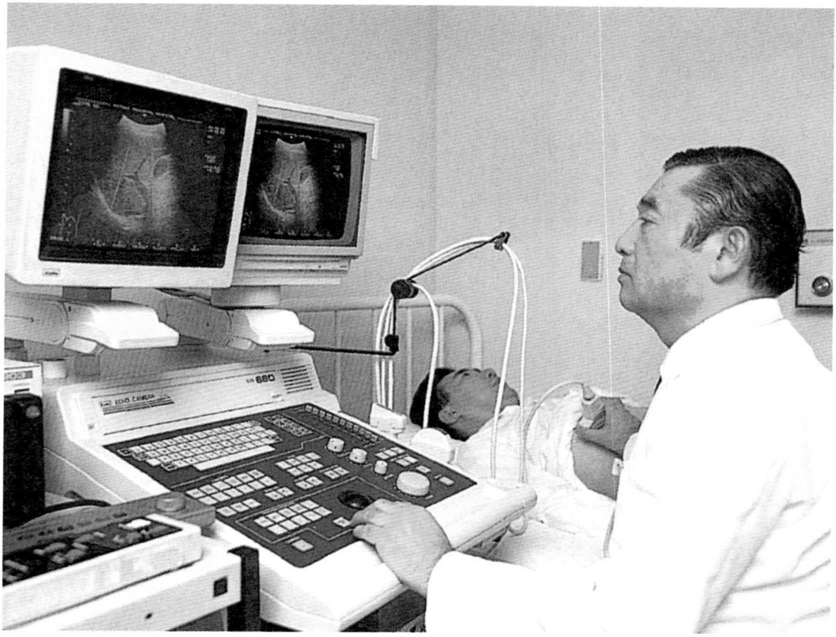

超音波診斷裝置

超音波是從體外貼著肝臟，將反彈回來的反射波轉換成影像的一種檢查，對人體無害，也不會感到不適。除了用來鑑別慢性肝炎和脂肪肝、診斷肝癌以外，也會用來診斷膽結石。

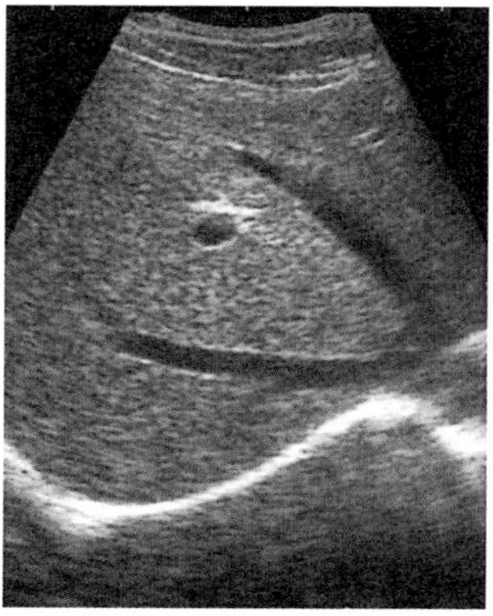

利用超音波診斷裝置所看到的正常肝臟

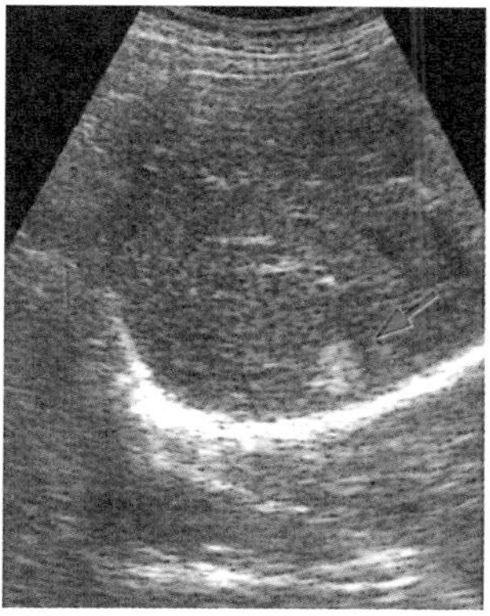

肝臟血管瘤(箭頭部份)的超音波圖

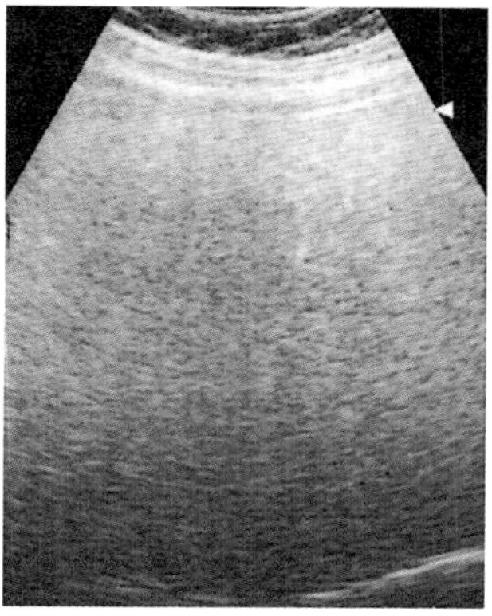

脂肪肝的超音波圖

CT・MRI

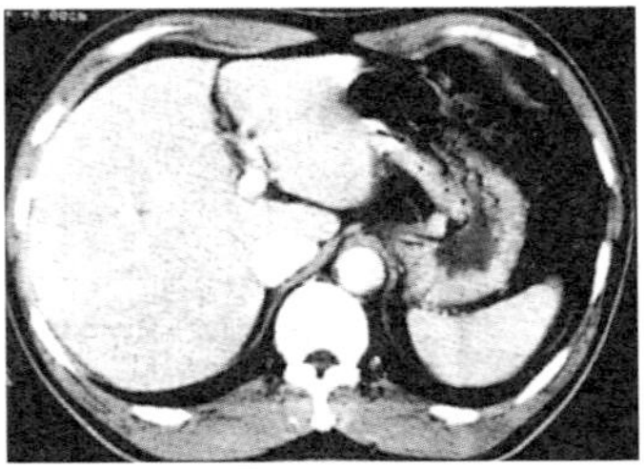

正常肝臟的CT影像

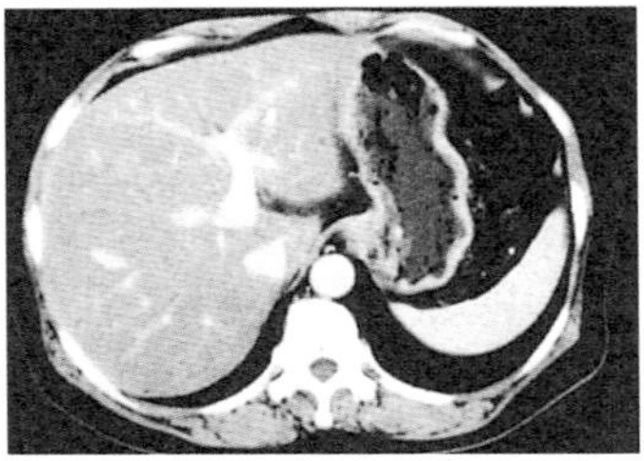

脂肪肝的CT影像

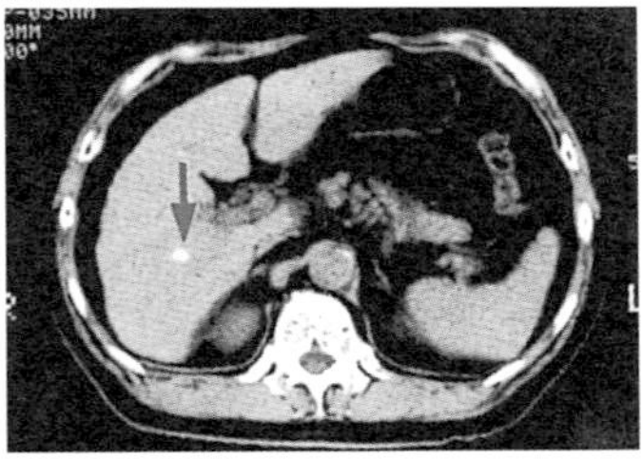

肝癌的CT影像
(箭頭白點部份為肝癌)

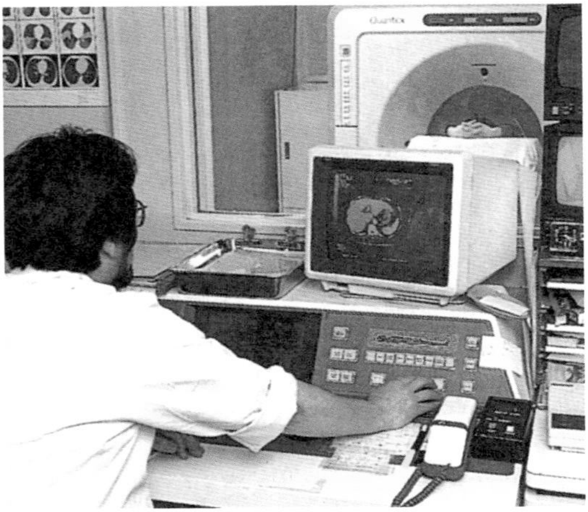

X線CT影像

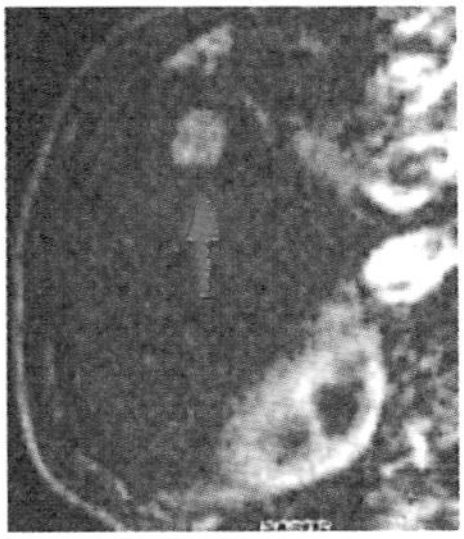

MRI的肝臟影像(箭頭部份為肝癌)

使用電腦的X光斷層攝影，可以獲得人體橫切面的影像。也可以發現一般X光攝影所看不到的肝臟微小變化。

也有從體外發出強力的電磁波可以從縱向、橫向、斜向等各個角度獲得斷層影像的MRI(核磁共振攝影，右下照片)。

血管攝影

從動脈插入導管，在從導管注入顯影劑用X光照射肝臟狀況的檢查。對肝硬化、肝癌、肝臟血管瘤的診斷特別有效。

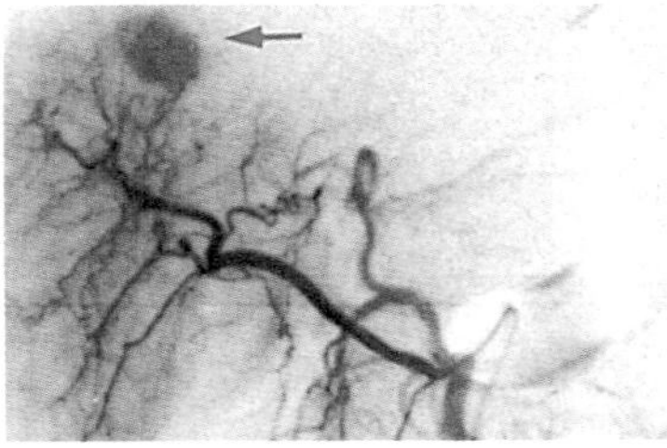

肝癌的血管攝影影像
(箭頭部份為肝癌)

肝臟血管攝影

★致讀者★

本書初次出版是在1991年，因爲受到諸多讀者愛用而再版，在此深深感謝。

配合醫學的進步每隔幾年修訂一次，今年又再修訂。修訂的主要重點如下。

首先是介紹平成20年（2009年）最新、最正確的診斷及治療方法。這不只是理論，其有效性已經實際經過證實。

本書將會向各位介紹，目前通行於國際，已經過驗證的正確治療。

例如，針對C型肝炎的干擾素（Interferon）治療方法對什麼人有效？在治療四週之後或十二週以後，就已經可以預測四十八週後病毒是否會消失。

慢性肝炎可能會轉變成肝硬化，所以一定要定期接受檢查，早期發現是很重要的，不過也有很多人在八十歲以後肝臟還很正常。所以因人而異，依個別狀況選擇最好的檢查和治療。

肝癌可以藉由定期檢查早期發現。有的個案利用內科的射頻燒灼術（RFA），有90%以上的人癌細胞完全壞死(東京大學消化系統內科等)。

另外也有惡化的癌症採用干擾素合併5-FU動脈注射化學治療後癌細胞消失的案例（杏雲堂醫院肝臟科等）。

過去肝硬化曾被稱爲是人生的終結者，不過隨著醫學的進步，這種說法已經不成立了。以酒精飲用過量爲例，有位出現腹水而被認爲是重症的肝硬化患者，在毅然決然的戒掉酒精之後，經過三十年依然健在。

本書和先前一樣，措辭上盡量淺顯易懂、不用專有名詞，採用口語化。

學到正確的知識，心理上就可以安心且穩定。而且，一想起已經克服疾病的人，就會產生多做好事不做壞事的堅強意志和執行力，這是很重要的。

鵜沼 直雄

目次

家庭醫學安心指南

安心面對肝病

保肝Q&A

肝炎、脂肪肝、肝癌……最新治療&飲食計畫

【彩色卷首插圖】了解肝臟及肝臟疾病

肝臟（位置・大小・重量）功能……1
肝臟的功能（代謝・解毒作用・合成膽汁）……2
肝臟疾病的症狀……4
肝臟疾病的檢查（血液生化檢查・肝炎病毒檢查、超音波檢查、CT・MRI、血管攝影）……6

第1章 肝臟疾病是什麼樣的疾病……17

肝臟疾病的檢查

1. 健康檢查被告知肝臟可能不好時……18
只根據AST值、ALT值不能充分了解肝臟功能／檢查數值會依檢查的方法及機構而有所不同
● 所謂肝臟功能檢查……18

2. 肝臟疾病的檢查有哪些？……20
不能只憑一項檢查，要綜合各種檢查進行診斷／第一階段從檢查血液和尿液開始／第二階段為影像檢查／為了保險起見，要進行血管攝影和肝臟組織切片檢查
● 肝臟功能檢查和血液檢查……20

調查肝臟功能狀態的血液檢查……22
■ AST（GOT）、ALT（GPT）……22
■ γ-GTP、ALP……23
■ LAP、LDH、ChE……24
● 酵素的話……24
■ 血清總蛋白（TP）、A/G比值、ZTT、TTT……25
■ 總膽固醇、PT（凝血酶原時間）……26
● 肝纖維化生物標記……26
■ 總膽紅素（血清膽紅素bilirubin）、ICG……27
■ 血中氨、病毒標記（Virus marker）（A型肝炎病毒檢查、B型肝炎病毒檢查、C型肝炎病毒檢查、D型肝炎病毒檢查、E型肝炎病毒檢查……28
● 抗原和抗體……28
● 尿膽紅素（bilirubin）檢查、尿膽素原（urobilinogen）檢查……30

■腫瘤標記（Tumor marker）（AFP、高感度PIVKA-II）……32
發現肝臟的細微變化的影像診斷及精密檢查……33
■超音波檢查（ECHO）、CT……34
●肝臟核子醫學攝影（Scintigraphy）、MDCT……34
■MRI、血管攝影、肝臟切片檢查……35
●腹腔鏡……35
檢查肝臟異常的方法（肝臟疾病的檢查表）……36

肝臟疾病的症狀

1. 肝臟不好會有何症狀？
少有自覺症狀但用心觀察就會發現症狀
■類似感冒的症狀、黃疸……38
●黃疸的種類……38
■手掌紅斑……40
●性荷爾蒙和肝臟……40
■蜘蛛狀血管瘤、男性女乳症……41
■膚色變黑、小腿抽筋、不易止血（出血傾向）……42
■皮膚搔癢、酒力變差、味覺變差、斑點和蕁麻疹是肝臟疾病的症狀嗎？……43

肝臟疾病的原因

1. 引起肝臟疾病的因素有哪些？……44
除了病毒感染以外，還有飲酒過量、藥物、肥胖等因素也會引起
●肝臟的感染疾病……44

2. 肝臟疾病會遺傳嗎？……46
詳細檢查全身的疾病
●肝臟疾病造成死亡的案例稍微減少……46

肝臟疾病的基本治療方法

1. 一定要住院時……48
需要住院的標準是什麼？／不需持續住院到AST恢復到基準值
●為何需要休息……48

2. 肝臟疾病的治療方法有哪些？……50
補充營養、保護肝臟的輸液療法／也會使用維他命、肝臟疾病治療藥物和中藥／最近也有取代外科療法不用切除的治療方法
●肝臟移植……50

3. 中藥和針刺、灸灼、指壓的效果如何？……52
肝臟疾病所使用的中藥有哪些？／對調整體質有效的針刺、灸灼、指壓

第2章 肝臟疾病如何治療

第2章 肝臟疾病如何治療 …… 55

肝臟疾病的種類

1. 急性肝炎和慢性肝炎的不同 …… 56
發炎、肝細胞受損為肝炎／持續六個月以上的肝炎為慢性肝炎
● 肝細胞為何會受損 …… 56

2. 病毒性肝炎的種類 …… 58
A型肝炎、B型肝炎、C型肝炎、D型肝炎、E型肝炎

3. A型肝炎 …… 60
到病毒蔓延地區旅行時，不要生吃食物或飲用生水／得過A型肝炎就終生免疫／A型肝炎不會變成慢性肝炎／A型肝炎疫苗
● 由井水感染A型肝炎 …… 60
● 必須施打A型肝炎疫苗的人 …… 61

4. B型肝炎 …… 62
B型肝炎是經由血液傳染／B型肝炎和垂直傳染／B型肝炎也會經由性行為傳染
● 誤解B形肝炎所引起的悲劇 …… 64

5. C型肝炎
已經減少的輸血後感染／C型肝炎的感染途徑及感染後的發展
● C型肝炎和性行為 …… 66

6. 猛爆性肝炎 …… 68
肝臟整體細胞急遽壞死／B型肝炎不等於猛爆性肝炎

肝臟疾病的治療

1. 急性肝炎的治療 …… 70
A型肝炎的治療／B型急性肝炎的治療／C型急性肝炎的治療／D型急性肝炎的治療／E型急性肝炎的治療／猛爆性肝炎的治療
● 血漿置換術 …… 72
● 猛爆性肝炎肝臟移植前的手續 …… 74

2. 急性肝炎的飲食療法 …… 76
急性期需要注射點滴所以要住院／恢復期要攝取充分的營養
● 急性肝炎急性期的飲食重點 …… 76
● 急性肝炎恢復期的飲食重點 …… 77

3. B型慢性肝炎及其治療 …… 78
肝功能異常持續六個月以上的病毒性肝炎／B型慢性肝炎的預後／促進肝功能的肝臟用藥／B型慢性肝炎的干

擾素（Interferon）治療
● 容易和慢性肝炎混淆的脂肪肝 …… 79
● 干擾素（Interferon）的副作用 …… 80
● Entecavir …… 81

4. C型慢性肝炎及其治療 …… 82
所謂C型慢性肝炎／C型慢性肝炎的干擾素治療
● C型肝炎和日常生活 …… 82
● 肝臟正常還需要做干擾素治療嗎？ …… 84
● C型肝炎的新藥 …… 85
● 接受干擾素治療病毒還是沒有消失時 …… 86

5. 慢性肝炎的飲食療法 …… 87
熱量要適量
● 慢性肝炎的飲食重點 …… 87

6. 肝臟疾病患者的心理準備
肝臟疾病是和時間的抗戰／人生因病而大不同
● 肝腎的重要性 …… 88
● 使用肝和膽的成語集 …… 90

7. 脂肪肝及其治療 …… 92
脂肪肝為脂肪堆積在肝臟所引起
● 脂肪肝的定義 …… 92
● 為何脂肪會堆積？ …… 93

8. 脂肪肝的飲食療法 …… 94
何謂標準體重？

9. 酒精性肝損傷及其治療 …… 96
酒精性肝損傷是何種疾病？／所謂酒精性脂肪肝／所謂酒精性肝纖維化／所謂酒精性肝炎／所謂酒精性肝硬化／酒精性肝損傷的治療
● 喝酒必須小心的症狀集 …… 96
● 酒精性肝炎的治療 …… 99
● 酒精消耗量的增加 …… 100

10. 藥物性肝損傷及其治療 …… 102
絕對不要使用和體質不合的藥物／肝臟會分解藥物讓藥物不會危害身體
● 所謂過敏症 …… 102

11. 肝硬化及其治療 …… 104
肝細胞受損，纖維增生肝臟變硬／肝硬化時的症狀／肝硬化的治療／肝硬化並不是人生的終點站
● 海蛇頭（Caput Medusae） …… 105
● 肝硬化的死亡率 …… 107
● 出現腹水時為何需要限制鹽分？ …… 108

12. 肝硬化的飲食療法 …… 111
飲食療法依病情而有所不同
● 肝硬化飲食的重點

13. 肝癌及其治療 …… 112
定期檢查早期發現肝癌／肝癌的治療
● 肝癌的種類 …… 112

● 干擾素併用5-FU動脈注射療法……114
14. 肝臟疾病所使用的代表性治療藥物……116
肝臟用藥／中藥／抗病毒藥物／免疫抑制劑（副腎皮質荷爾蒙製劑）／肝性腦病變治療藥物／低白蛋白血症的改善藥物
15. 其他肝臟疾病……118
自體免疫性肝炎／原發性膽汁性肝硬化（PBC）／血鐵沉積症（Hemochromatosis）／威爾森氏症（Wilson disease）／特發性門靜脈高壓症（IPH）／肝臟類澱粉沉著症（Hepatic Amyloidosis）／日本住血吸蟲症（Schistosoma Japonicum）／胞蟲症（Echinococcosis）／阿米巴性肝膿瘍（Ameobic liver abscess）
● 原發性膽汁性肝硬化及肝臟移植……118
● 兒童的肝臟疾病……120

第3章 肝臟疾病患者的日常生活……121

基本的日常生活
1. 肝臟疾病患者的基本日常作息……122
休息遠重於一切
2. 肝臟疾病治療藥物以外的藥物服用方法……124
肝臟疾病患者聰明的服藥方法
● 肝臟的功能和藥物……124
3. 便秘和肝臟的關係……126
便秘是肝臟的大敵
● 便秘及對策……126
4. 感冒會影響肝臟……128
對於肝臟疾病患者而言預防感冒也是一種治療
● 感冒的預防及口罩、漱口的效果……128
5. 如何工作不會疲累……130
疲累會促使肝炎復發
● 忙碌的人的三餐……130
6. 隨心所欲的休息對肝臟好嗎？……132
生活有規律才能真正的休息
● 飯後休息的方法……132
7. 洗澡、泡溫泉的方法……134
不要泡太久、要泡溫一點
● 慢性肝臟疾病患者泡溫泉及注意事項……134

其它日常生活

1. 嗜好品對肝臟有何影響？……136
●輕食的建議……136
2. 婚喪喜慶的出席……137
拿出勇氣拒絕參加非日常的活動
3. 傷病補助、重大疾病申請、治療費補助？……138
●患者之間的友情……137

第4章 肝臟疾病患者的飲食生活及飲食計畫……139

基本的飲食生活

1. 基本的飲食生活……140
每天三餐要定時／為什麼飲食很重要？
●黃綠色蔬菜合淺色蔬菜……140
●回鍋油很危險……141
●必需胺基酸……142
2. 舊式飲食療法、新式飲食療法……144
舊式錯誤的飲食療法／為什麼新式飲食療法比較好？
●合併糖尿病患者的飲食療法……144
3. 蛋白質為什麼對肝臟有益？……146
對肝臟再生相當重要的蛋白質
●醫院飲食的改善……146
4. 哪一種蛋白質比較好？……148
吃進去的肉並不是直接變成身體上的肌肉／蛋白質要如何搭配組合？
●醫院飲食才是模範飲食……148
●飽和脂肪酸、不飽和脂肪酸……150
5. 脂肪的攝取方法？……151
脂肪的攝取方法依病況而有所不同
●主食、副食所含的脂肪量……151
6. 醣類的功能是什麼？……152
醣類有如汽車的汽油
●便當的製作方法……152
●食物中的纖維對肝臟有益……153
7. 維他命要如何攝取？……154
肝臟疾病患者必需攝取二倍到三倍的維他命
●關於鈣質……154
8. 如何搭配食物？……156
選擇什麼樣的食品、如何搭配是很重要的
●口味的遺傳……156

9. 理想的肝臟飲食……158
以理想的肝臟飲食的六個原則做為參考指標
● 新的肝臟飲食—低鐵飲食……158

肝臟疾病的治療飲食

1. 慢性肝炎患者的治療飲食 春天的菜單範例・1……160
2. 慢性肝炎患者的治療飲食 春天的菜單範例・2……162
3. 慢性肝炎患者的治療飲食 春天得菜單範例・3……164
4. 慢性肝炎患者的治療飲食 夏天的菜單範例・1……166
5. 慢性肝炎患者的治療飲食 夏天的菜單範例・2……168
6. 慢性肝炎患者的治療飲食 夏天的菜單範例・3……170
7. 慢性肝炎患者的治療飲食 秋天的菜單範例・1……172
8. 慢性肝炎患者的治療飲食 秋天的菜單範例・2……174
9. 慢性肝炎患者的治療飲食 秋天的菜單範例・3……176
10. 慢性肝炎患者的治療飲食 冬天的菜單範例・1……178
11. 慢性肝炎患者的治療飲食 冬天的菜單範例・2……180
12. 慢性肝炎患者的治療飲食 冬天的菜單範例・3……182
13. 醫師吩咐須限制蛋白質攝取患者的治療飲食 春天的菜單範例……184
14. 醫師吩咐須限制蛋白質攝取患者的治療飲食 夏天的菜單範例……186
15. 醫師吩咐須限制蛋白質攝取患者的治療飲食 秋天的菜單範例……188
16. 醫師吩咐須限制蛋白質攝取患者的治療飲食 冬天的菜單範例……190
17. 脂肪肝患者的治療飲食 春天的菜單範例・1……192
18. 脂肪肝患者的治療飲食 春天的菜單範例・2……194
19. 脂肪肝患者的治療飲食 春天的菜單範例・3……196
20. 脂肪肝患者的治療飲食 夏天的菜單範例・1……198
21. 脂肪肝患者的治療飲食 夏天的菜單範例・2……200
22. 脂肪肝患者的治療飲食 夏天的菜單範例・3……202
23. 脂肪肝患者的治療飲食 秋天的菜單範例・1……204
24. 脂肪肝患者的治療飲食 秋天的菜單範例・2……206
25. 脂肪肝患者的治療飲食 冬天的菜單範例・1……208
26. 脂肪肝患者的治療飲食 冬天的菜單範例・2……210
27. 低鐵飲食 菜單範例・1~3……212

飲酒與肝臟 肝臟疾病患者不宜飲酒……216
肝臟不好的人永遠不能喝酒嗎？／為什麼喝酒對肝臟不好？／長時間大量飲酒會造成肝臟損傷
● Kitching Drinker廚房裡的飲酒者……219
● 紅葡萄酒對身體有益？……221
● 酒的作用……222
● 越來越多的酒精性肝損傷……223
索引……231

第 1 章

肝臟疾病是什麼樣的疾病

對疾病的誤解和錯誤的知識
會嚴重妨礙治療。
正確了解疾病是治療的第一步。

肝臟疾病的檢查 ① 健康檢查被告知肝臟可能不好時

健康檢查發現異常時，肝臟真的不好了嗎？

只根據AST值、ALT值不能充分了解肝臟功能

Q 診察後發現AST、ALT值偏高，醫師告知「肝臟可能不好」。也沒有自覺症狀，肝臟真的有問題嗎？

A 我們醫院有很多這類患者前來就診。在職場、學校接受健康檢查之後發現異常而大吃一驚。

不能因爲AST（GOT）、ALT（GPT）（請參考第22頁）值升高就立刻斷言說是罹患肝臟疾病。事實上很多情況並非眞的患病。但是也有根據診斷出來的數值而發現肝臟異常的情形。當時幸好有早期發現，所以只要早期治療就好。

不過，實際上明明沒事，卻被告知肝臟不好時著實讓人感到虛驚一場呢！那麼，在什麼情況之下才不用擔心呢？

● 感冒時AST、ALT也會升高

這是我本身的經驗，覺得有點感冒身體不舒服時曾抽血檢查。血液中的AST和ALT的數值是肝臟好壞的基準，但基準值是30，感冒時抽血檢查卻高到70。

當時我的腦海裡曾經閃過「難道是肝臟受損了嗎」的念頭。不過感冒痊癒身體也恢復之後，過了幾天再次抽血檢查，結果這次是恢復到基準值。

這種現象是因爲感冒時病毒侵犯全身，而出現暫時性肝功能異常。不過，終究是暫時性的，感冒痊癒之後數值就會恢復正常。這個時候要再次接受檢查。

● 持續喝酒的話檢查值也會上升

連續參加聚會飲酒機會多時，AST和γ-GTP（請參考第23頁）之檢查值會暫時稍微升高。

這是肝臟暫時受到酒精的影響所引起。此時要好好控制飲酒（減少喝酒次數約一週）再次接受檢查。肝臟如果恢復正

所謂肝臟功能檢查

肝臟具有代謝營養素、製造膽汁、有毒物質的解毒等各種功能。

此肝臟的功能稱為**肝功能**，檢查肝臟的功能維持在何種程度的檢查稱為**肝功能檢查**。

肝臟的功能是以處理血液送來的成分，再將處理好的成分送回血液當中的型態。

肝臟受損時，其功能指標的成分就會跑到血液中。

肝臟功能如果正常，和肝臟有關的血液中的成分的量就會一直維持在一定的範

圍內，但是肝臟一旦受損，肝功能降低，其含量就會有的高有的低。

因此，藉由採血檢查血液中所含成分的量就可以判斷肝臟的功能處於何種程度。因此，血液檢查成為肝功能檢查的核心。本書從第22頁到第33頁的各項檢查是檢查肝功能的血液檢查。

此外，肝臟功能異常時，有的成分也會跑到尿液中。檢查尿液中所含有的膽紅素（bilirubin）和尿膽素原（urobilinogen）的數量（第30頁），也是肝功能檢查的一種。

常，檢查值也會恢復到基準值。不過，如果一天約喝900CC以上的日本酒長達5~10年的話，即使戒酒數值也不會恢復正常。此時必須要接受更精密的檢查及治療。

● 肥胖會使AST、ALT值升高

有些人因爲有肥胖的問題，所以在健康檢查時會擔心，當他一踏進診察室立刻就被診斷出異常。事實上因肥胖而導致肝功能檢查值偏高的情況是最多的。此時如果進行超音波檢查（請參考第34頁）可立即確認。因爲可以發現肝臟有脂肪包覆。

如同身體肥胖時肚子和手腳會囤積脂肪般地，肝臟也會附著脂肪。此稱爲**脂肪肝**（請參考第92頁），AST、ALT值會因爲脂肪肝而升高。因此，罹患脂肪肝的患者只要解決肥胖問題即可。如果體重超過平均體重10公斤的話，不用太勉強，至少要減輕2~3公斤。如此一來脂肪就會消除，立刻就會恢復到基準值。

檢查數值會依檢查的方法及機構而有所不同

最後要注意的是，檢查的數值會因爲檢查方法而有所不同。將某人的血液分別送到十間醫院檢查，結果每間醫院都有不同的檢查數值。某醫院和其他醫院或大學的基準值也會不同。此時，一定要看和該醫院的基準值有何不同。

另外，檢測時會有20%左右的誤差，所以不能說基準值是30以下，40就是異常。此時也必須要仔細看檢查數值。

（詳細檢查的解說從下一頁開始）

肝臟疾病的檢查 ②　肝臟疾病的檢查有哪些？

肝臟的檢查除了AST、ALT以外，還有其他各項檢查。

不能只憑一項檢查，要綜合各種檢查進行診斷

Q 想要知道肝臟是否不好必須做何種檢查？

A 肝臟幾乎沒有自覺症狀，所以被稱爲「沉默的器官」。

不管是脂肪肝、慢性肝炎或肝硬化初期當事者通常完全不自覺。心臟會感到心悸、胃會出現胃痛，但是肝臟通常不會感到疼痛、無疲累感，在接受健康檢查的各種檢查之後才發現肝臟不好。

因此，要發現肝臟疾病必須要接受檢查，該檢查一定要做正確的判斷。但是，只是一項檢查結果不能診斷出肝臟疾病。當醫師指示要做檢查時，不要覺得麻煩，一定要接受檢查。

第一階段從檢查血液和尿液開始

想要了解肝臟的狀況，首先必須要做血液及尿液的檢查。

●血液的檢查

肝功能的檢查首先爲利用血液檢查肝臟功能的方法。這種方法也廣泛利用於一般的定期檢查。

雖然統稱爲血液檢查，光是和肝臟有關的檢查就有20種以上。其中最近被一般的人廣爲熟知的是**AST（GOT）**、**ALT（GPT）**、**ALP**、**γ-GTP**、**LDH**等檢測血液中酵素的量的檢查。

不過，除了基準值會因爲檢測方法而有所不同之外，檢查前所攝取的食物、藥劑以及運動等也會影響檢查值，基準值也會因爲檢查設備的不同和所使用的單位而不同。

●尿液檢查

尿液檢查是檢測尿液之中的**膽紅素**

肝臟功能檢查和血液檢查

將血液放到離心器內迴轉，血液中的固體成分和液體成分就會分離，固體成分往下沉，清澈的液體成分就會浮在上面。

當中的液體成分稱爲**血漿**，去除血漿中的纖維蛋白（fibrin）所剩下的稱爲**血清**。

檢查此血清中所含成分的量稱爲**血液生化檢查**（臨床化學檢查），血清中含有肝臟處理過的營養素、從肝細胞釋放出來的酵素等和肝臟有關的成分，所以被用來檢查肝功能。本書第22~27頁所解說的檢查

項目及第32~33頁所解說的**腫瘤標記**都是血液生化檢查。

另外血清中還含有抗原、抗體（第28頁）等免疫相關物質。調查此免疫相關物質的種類和量的檢查稱為**血清學檢查**，檢查是否有肝炎病毒感染的檢查稱為**病毒標記**（virus marker）的檢查（第28頁）。

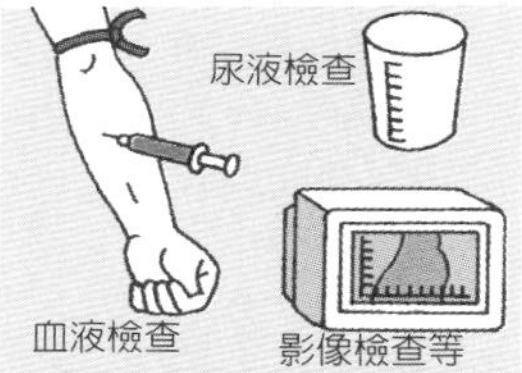

肝臟疾病要綜合各項檢查進行診斷。

（bilirubin）和尿膽素原（urobilinogen）的檢查。尿液檢查的結果呈陽性時，有可能有罹患肝臟疾病，不過也有因爲服用某些藥物或感冒也會出現陽性的情形。

所以檢查結果呈現陽性時，隔幾天必須再檢查一次。

無論如何，不能只憑尿液檢查就斷定肝臟功能不好。尿液檢查的數值只能做爲參考的依據。

（詳細資料請參考30頁上段）

第二階段為影像檢查

接下來的檢查階段爲利用儀器拍攝出肝臟的影像檢查。代表性檢查有超音波檢查（ECHO）、CT、MRI等。

目前要做出正確的診斷，影像檢查是不可或缺的。其重要性和血液檢查是不相上下的。

特別是超音波檢查（ECHO），檢查時既不會疼痛，對人體又無害，短時間就可以檢查完畢，其診斷率也很高，所以也經常在門診進行。

CT是將X線的斷層影像利用電腦清楚地解析出來，可以得到人體橫切面的影像。利用此項檢查可以得知肝臟內部的細小變化。

（詳細資料請參考33~35頁）

為了保險起見，要進行血管攝影和肝臟組織切片檢查

血管攝影是在超音波檢查、CT、MRI等無法診斷時所進行的精密檢查，可以找出肝臟內的細微變化，因此可以做出正確的診斷。

最後是利用肝臟組織切片採取肝臟的極小部份組織，用顯微鏡觀察進行診斷。特別是疑似肝癌時，爲確定診斷而進行的檢查。

（詳細資料請參考35頁）

病例

●AST（GOT）高達2000以上恢復到基準值後可以出院的A型肝炎

我到東南亞旅行回國二個禮拜後發燒到38度，原本以為是感冒在家休息，但之後卻出現腹痛、腹瀉等症狀，家人也發現我的眼白泛黃。

這才驚覺是否肝臟出問題而就醫。立即接受血液檢查之後發現基準值在30左右的AST和ALT都超過2000以上，醫生診斷出我被感染A型肝炎之後當天立刻住院。

醫生說凝血酶原時間（Prothrombin Time）（第26頁）在100%以上病情恢復得很快。

調查肝臟功能狀態的血液檢查

肝細胞內有200種以上的酵素。肝細胞因爲疾病受損時，酵素會跑到血液中，血液中蛋白質的量就會異常。

因此，藉由血液檢查可以診斷出肝臟疾病。此外，每個機構的基準值會因爲檢測方法而有所不同。

【肝細胞損傷越嚴重數值越高】

AST（GOT）（aspartate transaminase 天門冬氨酸轉氨酶）

ALT（GPT）（alanine transaminase 丙氨酸轉氨酶）

■基準值
AST＝13～30U
ALT＝6～30U

最近AST改稱GOT、ALT改稱GPT。**AST**、**ALT**都是存在於肝細胞內的酵素，其功能和身體氨基酸的代謝有關。

平常血液中AST、ALT的含量都極少。但是一旦肝細胞遭到破壞，就會從肝細胞大量跑到血液中（請參考第24頁上段）。

因此，根據AST、ALT的含量多寡可以了解肝細胞損傷的程度。

A型肝炎、B型肝炎等肝炎病毒所引起的**急性肝炎**，AST、ALT都會升高，有時甚至高達500～3000U，不過發病後二個月內AST、ALT都會恢復到基準值，大約90%的人會完全痊癒。不過C型肝炎尤其是輸血後感染，大約50%會拖很久或慢性化。

慢性肝炎則爲比較容易治癒的非活動性或是不易治癒的活動性的檢查值不同。非活動性慢性肝炎其AST、ALT都會上升到50～60U左右，活動性則大多會超過200U。

猛爆性肝炎發病初期AST、ALT都會超過1000U以上，然後急速下降。這是因爲肝細胞大範圍壞死，流到血液中的酵素變少之故。

住院二週之後AST降到300，三週後降到100，四週後已恢復到基準值就辦理出院。

出院後在家休息一個月，之後的三個禮拜上半天班，因為AST一直維持在基準值所以就恢復正常班。黃疸是暫時性的，血清膽紅素高到10mg／dl（基準值為1．3mg以下），不過AST恢復到基準值時就恢復正常。

之後的五年為了保險起見每年回診一次，檢查數值都維持在基準值。因為體內產生免疫性，因此不會再罹患A型肝炎。

肝硬化的AST、ALT都會比基準值稍微偏高，其特徵是AST會比較高。**酒精性肝損傷**則AST比ALT還高，**脂肪肝**則ALT比一般的高。

【對酒精對肝臟所造成的影響敏感】

γ-GTP（gama-glutamyltranspeptidase 伽瑪麩氨酸轉移酶）

■基準值　40U/L以下（或74U/L以下）

γ-GTP是將麩氨酸基（glutamyl）連結到其他胜肽（peptide）和氨基酸（amino acid）的酵素。貯存在肝細胞中，當肝細胞因爲肝硬化、藥物性肝損傷、酒精性肝損傷、慢性肝炎活動期等而損傷時，就會跑到血液中。此時ALP（次項）及LAP（下一頁）的值也會升高。

γ-GTP特別在酒精引起的肝細胞損傷時會上升，所以飲酒過量時會升高到100單位以上，甚至高達數百到1000單位。

被告戒禁酒的患者就算偷喝酒，只要抽血檢查醫師一看數值就知道。因爲γGTP的數值會突然飆高，所以一目瞭然。

健康的人，γ-GTP的數值會因爲喝酒暫時升高，只要不喝酒的話數值就會逐漸下降恢復到基準值。

【發現肝臟及膽道的異常】

ALP（alkaline phosphatase鹼性磷酸酶）

■基準值　115~350U/L（對硝基苯磷酸二鈉鹽法 PNPP）

ALP是一種分解磷酸化合物的酵素。膽汁會因爲急性肝炎、慢性肝炎、肝充血、脂肪肝等肝臟疾病，以及膽結石等膽道系統疾病而阻塞時，血液中就會出現大量的ALP，檢查值因而偏高。

檢查值會因爲不同血型或骨骼疾病、年齡等條件而改變，所以要和其他檢查值一併作爲參考。

酵素的話

從食物中所攝取的當養素先被胃及腸子分解吸收，然後在肝臟合成為身體可以利用的型態送到血液。肝臟的此一功能稱為**代謝**。讓代謝順利進行的中間物質存在於肝細胞內。此物質稱為**酵素**。

肝細胞所含的酵素有AST（GOT、第22頁）、ALT（GPT、第22頁）、γ-GTP、ALP（第23頁）、LAP、LDH、ChE（下段）等。

當肝臟受損肝細胞遭到破壞時，細胞內所含的酵素就會跑出來，其在血液中的含量就會增加。因此，檢測血液中這些酵素的含量就被用

【出現黃疸時數值會變高】

LAP（Leucine Aminopeptidease 白胺酸氨基胜肽酵素）

■基準值　52~86U/L（L-leucyl-3-carboxy-4-hydroxy anilide法）

LAP是分解蛋白質的酵素。

當LAP在肝炎、肝硬化、肝癌、或阻塞性黃疸等引起膽道阻塞、膽汁鬱積時在血液中的含量會上升。此時會高達基準值的2~5倍。當LAP上升時γ-GTP和ALP通常也會跟著上升，所以這三種合稱爲**膽道系酵素**。

【不只是肝臟，全身異常時也會有反應】

LDH（乳酸脫氫酵素）

■基準值　251~400U/L（紫外線吸收法）

LDH是存在於肝臟、心臟以及全身細胞的酵素。

LDH在肝細胞損傷壞死時就會跑到血液中，檢查值因而上升。但是，肝臟以外的細胞受損時也會跑到血液中，所以LDH值偏高無法立刻判斷就是肝臟疾病。也有可能是心臟病或血液疾病。如果是肝臟疾病，AST（GOT）、ALT（GPT）、ALP等其他檢查的結果也會異常，所以要綜合判斷。

最近ALP和LDH已經都可以細分出同功異構（Isozyme化學結構不同的酵素群）進行診斷。

【肝功能降低會有反應】

ChE（Cholinesterase 膽素脂酵素）

■基準值　186~490U/L（P–hydroxybenzoyl法）

ChE（Cholinesterase 膽素脂酵素）是在肝臟製造分泌到血液中的酵素。

因罹患慢性肝炎、肝硬化等疾病導致肝臟製造蛋白質的功能降低時，製造ChE的量就會跟著減少，造成血液中的含量偏

來檢查肝功能。

膽道內的膽汁受阻時，血液中有些酵素也會升高。這類酵素稱為膽道系酵素，其代表性酵素有γ-GTP、ALP、LAP。

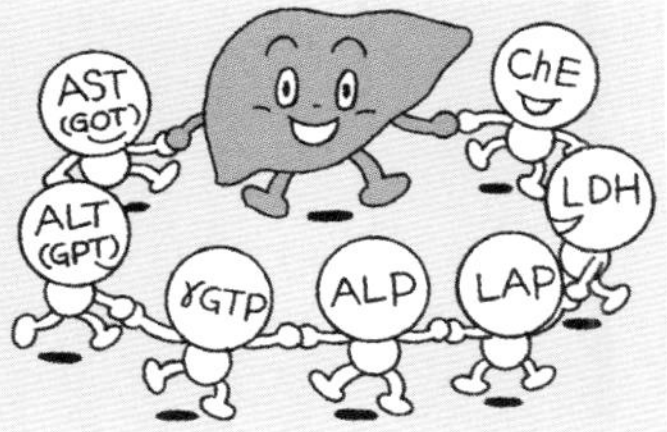

酵素具有幫助肝臟機能的功能。AST、ALT等酵素在肝功能降低時會跑到血液中，所以被用來檢查肝功能。

低。

罹患脂肪肝時此酵素的數值會上升。

【肝硬化時會偏低】

血清總蛋白（總蛋白、TP）

■基準值　6.5~8.0 g/dl

血液中的蛋白質統稱**總蛋白**。從食物中所攝取的蛋白質在胃腸中被分解成氨基酸之後，在肝臟裡合成各種蛋白質，然後釋放到血液中被身體利用。

總蛋白主要分成**白蛋白**（albumin）和**球蛋白**（globulin）二大類。占總蛋白約55％的白蛋白，由於是在肝臟製造，當肝硬化導致肝功能降低時，血液中白蛋白的含量就會降低。另外此時球蛋白的含量變多爲其特徵。

【肝功能降低時會偏低】

A/G比值（白蛋白/球蛋白比值）

■基準值　1.5~2.4

檢查血液中的主要蛋白質的白蛋白（A）和球蛋白（G）的比值的檢查。

白蛋白在肝臟的功能因爲肝臟疾病而降低時在血液中的含量會減少。反之**球蛋白**會增加。當肝臟受損時，血液中的白蛋白的含量會減少而球蛋白增加，因此A/G比值會降低。

【肝功能降低時會偏高】

ZTT、TTT（血清膠質反應）

■基準值　**ZTT**=4~10單位　**TTT**=0~5.5單位

目前廣泛實施的有**硫酸鋅混濁試驗**（ZTT、Kunkel test）和**麝香草酚濁度試驗**（TTT）二種。

ZTT是將試劑加入血清混合，檢測其混濁程度的方法，血液中球蛋白增加時混濁程度就會較高。

檢查數值是表示混濁程度。當肝臟功能降低時，因爲血液中的球蛋白增加，而導致檢查數值偏高。

TTT是將試劑加入血清，檢查其混濁

肝纖維化生物標記

纖維化標記是檢查肝臟纖維化程度的血液檢查。此數值偏高時，代表肝臟纖維增加，也就是說了解慢性肝炎惡化到某種程度。如果治療後可以恢復到接近基準值的話，代表肝臟狀況逐漸的在恢復。

檢查方面有第四型膠原蛋白（Type IV collagen）（基準值150ng／ml）和玻尿酸（hyaluronic acid）（基準值50ng／ml）。

程度的檢查。意義和ZTT相同，也就是罹患肝臟疾病時血液中球蛋白的含量增加，檢查數值就會偏高。

【肝功能降低時會偏低】
總膽固醇
（血清總膽固醇total cholesterol）
■基準值　120~220mg／dl

膽固醇是一種脂肪，除了是全身細胞的主要成分之外，也是合成性荷爾蒙和副腎皮質荷爾蒙、製造膽汁酸的原料、細胞膜的組成成分等，具有維持生命的重要功能，是人體中不可或缺的物質。

膽固醇大部分在肝臟製造。肝臟功能降低時，血液中膽固醇的量就會減少，進而引起各種毛病。

膽固醇也可以從食物中攝取，不過因為大部分是在肝臟裡合成，因罹患慢性肝炎、猛爆性肝炎、肝硬化等因素而導致肝臟功能降低時，血液中膽固醇的值就會偏低。

血液中膽固醇的值偏高時，會引起動脈硬化等生活習慣病（成人病），但是患有肝臟疾病時，膽固醇的值大多會偏低。

【低於40%以下時也有可能重度肝功能損傷】
PT（**凝血酶原時間prothrombin time**）
■基準值　70~100%　10~12秒

凝血酶原是具有止血功能的蛋白質，在肝臟製造。

凝血酶原時間是檢測血液凝固的時間（秒數），有直接用秒數表示以及將凝血酶的功能狀況和健康者做比較後用百分比表示。

急性肝炎、肝硬化、猛爆性肝炎等造成肝功能降低時，凝血酶原的功能也會變差，基準值低於40%以下（15秒以上）

時，有可能是嚴重的肝功能損傷。

【診斷黃疸的方法】

總膽紅素（血清膽紅素bilirubin）

■基準值　0．2~1．3 mg/dl

膽紅素是紅血球壞死時所產生的一種黃色的色素。紅血球在骨髓裡被製造出來，只有120天左右的壽命就會壞死，由紅血球釋放出來的膽紅素稱爲**間接膽紅素**，當它經由血液輸送到肝臟之後，就會轉變成爲**直接膽紅素**。此**間接膽紅素**和**直接膽紅素**統稱爲**總膽紅素**。

總膽紅素通常在血液中只存在著微量。

當血液中含量超過2mg/dl以上時，就會出現黃疸。也就是眼球結膜（眼白）會變黃。

直接膽紅素在肝臟細胞受損或壞死時會跑到血液中，當血液中含量增加時就會造成黃疸。

此外，患有妨礙膽汁流動的膽道疾病時，血液中的直接膽紅素的值也會偏高，造成黃疸，膚色因而變黃。

【了解肝臟的解毒功能狀態的線索】

ICG（Indocyanine green test靛氰綠排除試驗）

■基準值　15分鐘後的值　10%以下

ICG是用來做爲肝功能檢查時所使用的色素。從靜脈注入此色素，經過一段時間檢測後沒有排出體外殘留在體內的量，來了解肝臟的色素排泄功能、解毒功能的狀態。肝臟功能正常時，ICG會在肝臟被除去排泄出來，經過一定時間後從血液中被消除，但是當肝臟功能異常時，就不會被排除而暫時殘留在血液中。注射ICG後十五分鐘的值在10%以下者爲正常，超過10%以上則可能是罹患了肝臟疾病。

【檢查肝昏迷】

血中氨（amonia）

■基準值　3~39μmol/L

氨是飲食中所攝取的蛋白質經過腸內細菌作用所產生的。正常時數值不會增加，但因爲肝硬化等疾病導致肝臟功能降低時，數值上升而引起肝昏迷。

【檢查有無感染肝炎病毒】

病毒標記（Virus marker）

感染肝炎病毒時，和病毒有關的抗原．抗體（請參考上段）和病毒基因會出現在血液中。採集血液檢查這些物質的檢查稱爲**病毒標記**，有助於判斷病毒的存在和其感染力、病程。

●A型肝炎病毒（HAV）的檢查

A型肝炎病毒抗體（HA抗體）當中的**IgM型HA抗體呈陽性**時，代表目前感染到A型肝炎。

所謂HA即爲Hepatitis A，也就是A型肝炎的意思。

最近藉由利用**PCR法檢查A型肝炎病毒基因RNA（HAV．RNA）**，已經可以早期診斷出A型肝炎。

IgG型HA抗體呈陽性時，表示曾經感染過A型肝炎，目前已經免疫，而且終生不會再感染A型肝炎。

●B型肝炎病毒（HBV）的檢查

B型肝炎病毒直徑42奈米（nm，一奈米爲100萬分之一毫米），外側（表面）爲**HBs抗原**，核心部分是由**HBc抗原**、**HBe抗原**所構成。

感染到B型肝炎病毒時，HBs抗原和HBe抗原會在血液中釋放出來。

HBs抗原呈陽性時，表示現在血液內有B型肝炎病毒，代表已感染到B型肝炎。HBs抗原陽性的血液不能用來輸血。

不過，光憑HBs抗原的有無，無法評估會傳染給他人的危險性及疾病的預後的判斷。

爲了更進一步做詳細的檢查，必須要

抗原和抗體

有害物質侵入體內時人體會產生相對應的**抗體**。造成此抗體產生的物質稱為抗原。當下一次同樣的抗原再次侵入體內時，體內就會產生大量相對應的抗體，和抗原結合使其毒性無法發揮。此現象稱為**免疫反應（抗原抗體反應）**。

抗體是由**球蛋白**所產生，因為和免疫有關所以稱為**免疫球蛋白**（Immuno-globulin，簡稱Ig）。免疫球蛋白有**IgE**、**IgG**、**IgM**、**IgA**、**IgD**五種，感染肝炎病毒時，雖然會產生抗體，不過主要是IgM和IgG。

抗體一般只要感染過一次就不會再感染第二

次的防禦功能，不過也用來代表現在體內有病毒存在的意思。

IgM型HA抗體陽性代表體內存在著A型肝炎病毒。

檢查HBe抗原和HBe抗體的有無。**HBs抗原呈陽性而且HBe抗原也呈陽性**的時候，代表血液中含有大量的B型肝炎病毒，繁殖力也強，有很強的傳染力。

此時即使是一億分之一毫升也會將病毒傳染給對方。也就是說即使是一滴血也會傳染。所以幫患者採集血液時，不小心將被沾有其血液的針頭誤扎到自己的手的話也會被感染。此外，性行爲也會感染。

不過，如果自己帶有HBs抗體的話就不會感染。

另外，還有帶有病毒的女性生產時將病毒傳染給胎兒的**垂直傳染**。這種情況也被認爲是產道血液所造成的感染。

肝炎病毒的抗原及抗體

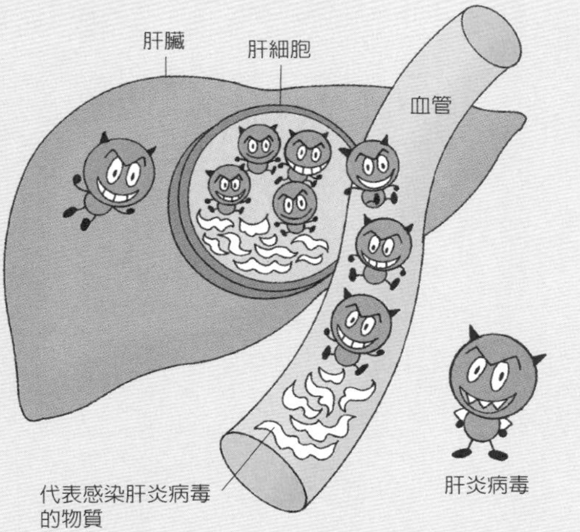

肝細胞感染到肝炎病毒時，代表感染的以下物質會跑到血液中。
藉由檢測血液中的這些物質來了解感染到何種肝炎病毒。

病毒類型	帶有病毒的抗原	感染後所產生的抗體
A型病毒	HA抗原	HA抗體
B型病毒	HBs抗原 HBe抗原	HBs抗體 HBe抗體 HBc抗體
C型病毒	—	HCV抗體
D型病毒	HDV抗原	HDV抗體
E型病毒	HEV抗原	HEV抗體

尿膽紅素（bilirubin）檢查

■基準值－（陰性）

這是一項利用沾有尿液的試紙，觀察藥劑顏色的變化檢查尿中是否有膽紅素排出的檢查。

膽紅素是膽汁中的色素，平常不會排到尿液中。當肝細胞因為急性肝炎而嚴重受損、膽汁通道的膽道阻塞，膽汁鬱積等情況發生時，血液中的膽紅素就會跑到血液中。此時試紙的顏色就會改變。不過，不能只依此項檢查就診斷為肝臟疾病。

尿膽素原（urobilinogen）檢查

■基準值±（0．1）（弱陽性）

將試紙放入所採集的尿液中，觀察試紙的藥

不過即使**HBs抗原呈陽性**，但有**HBe抗原呈陰性**，也就是說血液中沒有HBe抗原，**HBe抗體呈陽性**時，代表病毒量少，幾乎沒有被感染的危險性。

因此，此時不需擔心會因爲注射針筒的意外、性行爲或母子間的垂直傳染。不過，爲了安全起見還是要採取預防措施。

帶有B型肝炎病毒但不發病的**無症狀性帶原者**（carrier），**HBe抗原呈陽性者**，將來有可能會發病，**HBe抗原呈陰性**、**HBe抗體呈陽性者**，將來幾乎都不會發病。

另外，帶有病毒已經演變成慢性肝炎時，如果**HBe抗原呈陽性**的話，繼續持續下去疾病有可能會惡化，**HBe抗原呈陰性而HBe抗體呈陽性**時，病情不會惡化，且進入不活動期。

想要了解病毒是否持續繁殖增生可以檢查血液中的**DNA聚合酶**（DNA polymerase）。如果檢查值偏高的話，代表病毒還在繁殖增生，低於30以下或者是0的話，代表病毒並沒有在進行繁殖增生。

想要知道有沒有病毒存在，可以利用即時定量PCR（real time PCR法）檢測**B型肝炎病毒DNA基因（HBV-DNA）**確定診斷。

其次，**HBs抗體呈陽性**代表雖然曾經感染過B型肝炎病毒，但現在體內沒有病毒且產生抗體，所以將來不會再罹患B型肝炎，也就是說可以安心且安全不再受到感染。

因此，HBs抗體呈陽性時，就認爲以前曾經罹患B型肝炎所以有傳染的危險，這是錯誤的想法。

●C型肝炎病毒（HCV）的檢查

C型肝炎是輸血等經由血液傳染的肝炎。

診斷是否罹患C型肝炎首先要檢查**HCV抗體**。H是肝炎的縮寫、C是C型、V是病毒的縮寫。如果**HCV抗體呈陰性**的話，代表沒有感染C型肝炎病毒。

HCV抗體呈陽性時，通常會認爲已劑是否變色，用來測量尿液中尿膽素原的量的一項檢查。

尿膽素原是膽汁中的膽紅素被腸內細菌分解所產生的物質，一部分被腸道再吸收回去，再次合成膽紅素，一部分排到尿液中。因此檢查呈弱陽性者為正常，此時試紙的顏色變化較不明顯。

肝細胞受損時，因為不經由肝臟處理而由腎臟排到尿液中的尿膽素原的量增加，所以尿膽素原呈陽性，此時試紙的藥劑顏色會變深。但是，無法只憑此檢查就診斷為肝臟疾病，只能供做參考之用。

經感染病毒，但是有時並沒有病毒，所以必須要注意。

為了慎重起見，確認到底有沒有病毒，我們會進行HCV・RNA amplicor定性檢驗之精密檢查。在進行了這項精密檢查之後，HCV抗體陽性的人當中有90%的人確實是呈陽性，代表有病毒存在，另外的10%呈陰性，代表沒有病毒，因此不須擔心。

這是因為抗體呈陽性代表現在有病毒存在，以及以前曾經感染病毒但現在沒有病毒這二種狀況。

因此，不要只檢查HCV抗體判斷是否有病毒，一定要接受RNA的檢查（健康保險給付）。所以不用過度擔心。

也曾有過患者來醫院提出「HCV抗體呈陽性想要做干擾素（Interferon）治療」的要求，經過檢查之後並沒有病毒，診斷結果不須要做干擾素治療的例子。

●HCV・RNA定量法

判斷是否有C型肝炎病毒（HCV）的最後方法，就是有無病毒基因的檢查。因此，現在都使用**HCV・RNA定量法（Real Time PCR法）**。

這種檢查比以前的HCV・RNA定量法敏感度更高。利用這種檢查方法，如果檢查出有病毒的話代表病毒存在；沒有病毒則代表病毒不存在，甚至可以知道病毒濃度的多寡。

因此，要開始進行干擾素等治療之前，會先利用此方法檢測確認是否真有病毒存在之後再進行。

●HCV基因類型的檢查

HCV（C型肝炎病毒）的基因有第一型和第二型等幾種類型。這和干擾素的作用有關（詳情請參考第83頁）。

干擾素對第一型基因效果較差，對第二型基因效果較佳。

基因類型是用**HCV基因分型（Grouping）**之方法進行檢查。這是使用患者的血清進行檢查，判斷病毒基因類型的方法。

血清型（grouping）爲第一型時，基因類型（genotype）爲1b型，結果爲第二型時，爲2a型（詳細資料請參考第85頁）。

●D型肝炎病毒（HDV）的檢查

D型肝炎病毒多發生於包含南義大利的歐洲，日本幾乎沒有病例發生。這是經由血液傳染的病毒。

檢查**HDV抗體**如果呈陽性的話就表示有受到感染。也可以檢測HDV・RNA。

日本首位通報感染此病毒的病例的是本書的作者（鵜沼）。

●E型肝炎病毒（HEV）的檢查

E型肝炎病毒多發生於印度、尼泊爾等地區，經由生水的經口傳染。在日本雖然沒有此病毒，不過偶爾會有在當地旅行的人感染此病毒。

檢測**HEV抗體**。也可以檢測**HEV・RNA**。

【檢查罹患癌症的機率】

腫瘤標記（Tumor marker）

健康者幾乎不會出現，一旦罹患癌症血液中含量就會增加的物質稱爲**腫瘤標記**。

有的情況是罹患慢性肝炎和肝硬化等沒有自覺症狀，雖然覺得自己沒有罹患任何癌症，但是爲求慎重起見而接受檢查。此外，還有因爲確實罹患癌症導致腫瘤標記的檢查值偏高，經過治療之後癌症改善，檢查值就會開始逐漸下降。因此，腫瘤標記也用來做爲評估治療的效果。

和肝臟有關的腫瘤標記有關於肝癌的**AFP**和**PIVKA-II**二項。

●AFP（alpha fetal protein甲型胎兒蛋白）

罹患原發性肝癌時，血液中的AFP此物質會上升。正常值爲20ng／ml以下，患病時數值會上升到100~1000。此時要進行精密檢查確定是否罹患肝癌。

說到檢查此AFP可以早期發現微小癌症的機率究竟有多高呢？對於直徑2cm以下的癌症而言其陽性率爲49%。也就是說，只會有一半的人被發現，其餘一半的人雖然罹患癌症卻未被發現。

因此更進一步經過改良之後，進行所謂的**AFPL3**檢查。此項檢查的陽性率約爲65%。

但是，這些檢查還是不夠。我們認爲肝癌的早期發現終究還是要定期作影像檢查。對於罹患B型・C型慢性肝炎的人，覺得即使認爲不會罹患癌症，但尚有活動性病毒殘留時，所有患者每三個月必須做一次超音波檢查，必要時進行CT、MRI的檢查。

如此一來就可以早期在一公分左右發現不知何時會罹患的肝癌。然而腫瘤標記雖然有用，但重要的是不要過度仰賴它。

●高感度PIVKA-II

PIVKA-II也是肝癌的腫瘤標記，最近使用精密度更高的**高感度PIVKA-II**，40mAU/ml以上爲陽性。不過，即使使用高感度**PIVKA**-II，在細小（2公分以下）的癌症的早期發現還是有限。

因此趁此數值尚未升高之前就進行進行影像檢查。早期發現及早治療才是正確的做法。

發現肝臟的細微變化的影像診斷及精密檢查

只做血液檢查無法得知肝臟的所有狀況。有的時後即使肝臟有一小部份發生變化，血液檢查卻完全正常。也有既沒有任何自覺症狀、不痛也不癢，覺得自己很健康，但一照肝臟，卻發現異常的情形。

尤其是平常常喝酒的人或以前曾有肝臟病的人，不僅要接受血液檢查，也必須接受影像診斷。其中也必須要做超音波檢查（ECHO）。

肝臟核子醫學攝影（Scintigraphy）

將容易集中在肝臟的放射性同位素（radioisotope）靜脈注射入體內，抵達肝臟。利用伽瑪攝影儀將該放射線顯示在電腦上，檢查肝臟組織的變化和機能。

放射線於短時間內就會消失，所以對人體無害。

此檢查只在特殊狀況之下進行。

MDCT

多排偵測器電腦斷層（multi-detector row computed tomography）的簡稱，短時間內可以獲得比CT更多的切面影像和三次元影像的裝置。

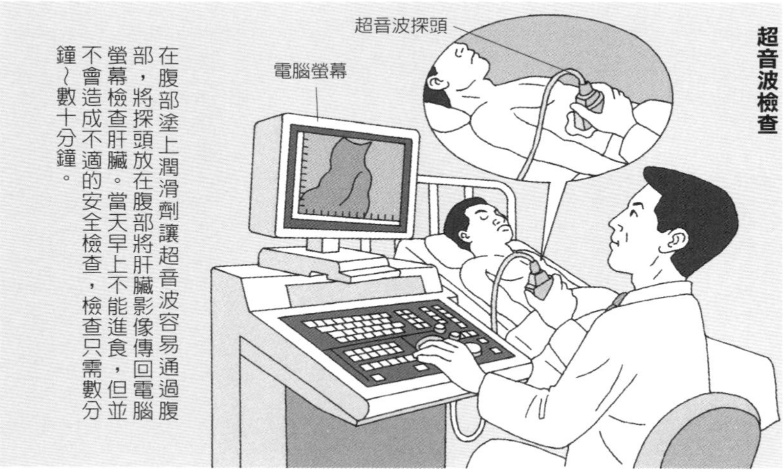

在腹部塗上潤滑劑讓超音波容易通過腹部，將探頭放在腹部將肝臟影像傳回電腦螢幕檢查肝臟。當天早上不能進食，但並不會造成不適的安全檢查，檢查只需數分鐘～數十分鐘。

【了解肝損傷程度】

超音波檢查（ECHO）

因爲是將超音波從體外進入，將反射出來的超音波轉換成影像進行診斷，和捕捉魚群的魚群探測器的原理相同。

除了對人體無害、無痛、檢查時間短之外，也可以鑑別慢性肝炎和脂肪肝、知道有無膽結石和腹水、也可以發現直徑一公分的肝癌這些優點，在醫學進步上很有貢獻。

健康檢查發現肝功能不好時，一眼就可看出究竟是慢性肝炎還是不太需要擔心的脂肪肝。

肝臟出現癌細胞或血管瘤時，直徑一公分也可以診斷出來。此外，也可以診斷出膽結石和直徑二公分的膽囊息肉（polyp）。

【也可以發現X光檢查察覺不到的細微變化】

CT

CT、MDCT（請參考上段）是將人體的X光線橫切面利用電腦呈現出影像

腹腔鏡

在左上腹的腹壁切開約一公分左右的小開口，從該處放入一根如鉛筆粗的管子，前端裝置攝影機，從體外觀察肝臟狀況的是腹腔鏡檢查。

灌少許空氣進入體內讓腹部鼓起後插入。可以了解慢性肝炎和肝硬化的惡化程度，不過最近只在特殊狀況下進行。

的檢查。可以照出看起來像是將人體橫切般的鮮明影像，也可以發現一般的X光線檢查無法查出的肝臟細微變化。

同時也可以清楚的照出胰臟和腎臟的關係、身體的最深處、也就是脊柱周圍的淋巴結等超音波不易照出的部份。

除了可以確定肝癌的診斷以外，也可以判斷經過治療後的肝癌是否眞的治癒或尚未治癒，這是在治療上非常有用的檢查。

【可以得到身體的縱、橫、斜切面】

MRI（核磁共振攝影）

從體外發射電磁波，可以從縱、橫、斜等各個方向取得人體的橫切面的影像。

用於診斷肝臟疾病、尤其是肝臟極小部份的變化、也就是判斷是肝癌還是血管瘤、以及CT無法判斷的腫瘤的診斷。對血管瘤的診斷特別有用。檢查時不會造成不適。

【對肝癌的診斷有效】

血管攝影

將導管插入血管，注入顯影劑之後即可診斷肝臟一部份小變化的檢查。超音波或CT發現肝臟內有腫瘤時，可以確定其診斷以及判斷是否還有更小的腫瘤，如果當場判斷需要治療時，也可以立即注入抗癌藥物進行治療。

【直接檢查肝細胞】

肝臟切片檢查

肝臟切片檢查是將細針插入肝臟，採取直徑1㎜左右極小的組織進行的檢查，要在超音波下進行。

肝臟切片檢查是用來判斷究竟是慢性肝炎或者是肝硬化，如果是慢性肝炎的話，就用來進行判斷是活動型還是非活動型。切片檢查可以說是現代醫學上用來確定肝癌的最終方法。經過切片檢查確定是肝癌細胞之後，就可以百分之百確定是肝癌。

檢查肝臟異常的方法

①先檢查血液和尿液

■血液生化檢查■

檢查項目	基準值	檢查目的
AST (aspartate transaminase 天門冬氨酸轉氨酶) **(GOT)**	13~30U	越比基準值高代表肝細胞損傷程度越嚴重。損傷恢復會越接近基準值，所以是觀察病程變化的一項重要檢查
ALT (alanine transaminase 丙氨酸轉氨酶) **(GPT)**	6~30U	
γ-GTP (gama-glutamiltranspeptidase 伽瑪麩氨酸轉移酶)	40U/L以下(或74U/L以下)	異常高時可能是肝臟損傷。也是適合用來了解酒精對肝臟所造成影響的檢查。
ALP (alkaline phosphatase鹼性磷酸酶)	115~350U/L (對硝基苯磷酸二鈉鹽法PNPP)	高於基準值除了是肝臟疾病以外，也有可能是因爲膽道疾病造成膽汁鬱積。
LAP (Leucine Aminopeptidease 白胺酸氨基胜肽酵素酶)	52~86U/L (L-leucyl-3-carboxy-4-hydroxy anilide法)	高於基準值有可能是肝臟疾病或引起阻塞性黃疸的膽道疾病。
LDH (乳酸脫氫酶)	251~400U/L (紫外線吸收法)	肝臟疾病以外的疾病也會上升。
ChE (Cholinesterase 膽素脂酵素)	186~490U/L (P –hydroxybenzoyl法)	低於基準值爲肝功能降低。脂肪肝也會高於基準值
血清總蛋白 (總蛋白、TP)	6.5~8.0g/dl	數值偏低爲蛋白質合成較差。
A/G比值 (白蛋白/球蛋白比值)	1.5~2.4	數值偏低爲蛋白質合成較差。
ZTT、TTT (血清膠質反應)	ZTT=4~10單位 TTT=0~5.5單位	高於基準值爲肝細胞損傷。
總膽固醇 (血清總膽固醇total cholesterol)	120~220mg/dl	數值偏低代表膽固醇合成較差。
PT (凝血酶原時間prothrobin time)	70~100%　10~12秒	數值低於40%以下時可能爲重症肝功能差。
總膽紅素 (血清膽紅素bilirubin)	0.2~1.3mg/dl	高於基準值爲黃疸。
ICG(Indocyanine green test靛氰綠排除試驗)	15分鐘後的值 10%以下	數值上升代表解毒功能降低。
血中氨(amonia)	3~39μmol/L	高於基準值爲氨的分解能力降低(檢測肝昏迷)

■尿液檢查■

檢查項目	基準值	檢查目的
尿膽紅素(bilirubin)	–(陰性)	呈陽性時即使皮膚黏膜沒有偏黃，也是罹患黃膽的證據。
尿膽素原(urobilinogen)	±(0.1) (弱陽性)	強陽性代表肝細胞受損，尿膽素原的處理能力降低。

②病毒標記…檢測肝炎病毒的檢查

(可以和①的血液化學檢查一起檢查)

檢查項目	檢查目的
A型肝炎病毒 **(HAV)的檢查**	IgM型HA抗體陽性爲A型肝炎病毒感染中，IgG型HA抗體陽性爲已經免疫不會再發病。
B型肝炎病毒 **(HBV)的檢查**	HBs抗原陽性、HBe抗原也陽性時，將來有可能引發肝炎，也會傳染給他人。HBs抗原陽性、但HBe抗體陽性的話，肝炎的發病率及傳染性都低。HBs抗體陽性則已免疫不須擔心。
C型肝炎病毒 **(HCV)的檢查**	依HCV抗體陽性、HCV-RNA抗體陽性判定
D型肝炎病毒 **(HDV)的檢查**	依HDV抗體陽性判定
E型肝炎病毒 **(HEV)的檢查**	依HEV抗體陽性判定

②檢測癌症發生率…檢查腫瘤標記

檢查項目	基準值	檢查目的
●AFP (alpha fetal protein甲型胎兒蛋白)	20ng/ml以下	了解肝癌的可能性
高感度PIVKA-II	40mAU/ml以下	了解肝癌的可能性

③利用影像檢查肝臟實際模樣

檢查項目	檢查目的
超音波檢查 (ECHO)	使用超音波在螢幕上呈現出肝臟的影像觀察內部。
CT	可以拍出肝臟的橫切面，對觀察內部的病變很有幫助。
MRI (核磁共振攝影)	從縱、橫、斜等各角度了解病變的詳細狀況。
血管攝影	將動脈等呈現出影像的檢查，有助於發現細小病變。

④更精準了解肝臟的狀況的檢查

檢查項目	檢查目的
肝臟切片檢查	進行超音波的同時用細針採取肝細胞進行細胞檢查。

肝臟疾病的症狀 ① 肝臟不好時會有何症狀？

少有自覺症狀但用心觀察就會發現症狀

Q 有聽過「手掌發紅是肝臟不好的症狀」、「眼白或皮膚發黃是因為肝臟不好」，這是真的嗎？

A 一般來說肝臟疾病沒有症狀，當惡化到某種程度肝臟才會出現疼痛，所以肝臟被稱為「沉默的器官」。不過，用心去注意還是會發現一些症狀。關於肝臟疾病的症狀也有一部分被誤解，以下向各位詳細解說。

【急性肝炎初期症狀】類似感冒的症狀

感染到A型、B型、C型肝炎引起急性肝炎時，身體會虛弱無力，有發燒現象，並且完全沒有食慾，覺得噁心想吐……等。與感冒或腸胃病的症狀非常類似。

會出現什麼症狀呢？有前兆嗎？

例如「老是覺得全身慵懶無力」、「站不起來」、「走起路來搖搖晃晃四肢無力」、「噁心吃不下」、「對油炸食物感到特別反胃，光只是聽到廚房那一端油煎的聲音就想吐」等。

因爲如此，所以初期很多人以爲只是合併腸胃症狀的感冒，沒有發現是肝臟病。很多人類似感冒的症狀持續一週之後出現黃疸，這時才警覺到肝臟異常。

【眼白皮膚變黃】黃疸

肝臟受損、膽結石等膽道受阻時，血液中的膽紅素此種黃色色素就會增加。這樣的症狀稱爲黃疸。出現黃疸時皮膚和黏膜會開始帶點黃色。

黃疸症狀最明顯的地方就是眼白（眼球結膜）變黃，在電燈或螢光燈下比較不明顯，所以一定要在窗邊等太陽光線下確認眼白有沒有變黃。

黃疸的種類

黃疸依原因分為下列幾種。

●**溶血性黃疸**　紅血球因為溶血性貧血等疾病遭到破壞，導致血液中的膽紅素含量增加所引起的黃疸。

●**肝細胞性黃疸**　肝細胞受損功能降低，肝細胞無法處理膽紅素，造成血液中膽紅素含量增加所引起的黃疸。有急性肝炎、慢性肝炎、肝硬化等疾病。

●**阻塞性黃疸**　排出膽汁的膽管受到阻塞，膽汁無法排到十二指腸，血液中膽紅素量增加所引起的黃疸。

會引發膽管癌、胰臟癌、膽管結石等疾病。

●肝內膽汁鬱積性黃疸　膽管沒有阻塞但膽汁鬱積在肝內，血液中膽紅素量增加所引起的黃疸，原因為藥物性肝損傷等。

●體質性黃疸　非常罕見，有的一生下來就黃疸。查不出病因的黃疸稱為體質性黃疸。此為肝臟功能正常、對身體無害的黃疸。

就醫檢查確定病因就不用多操心。

要確實診斷就是採集血液檢測血液中膽紅素的量。

膽紅素是紅血球結束１２０天的壽命時所產生的物質。此時所產生的膽紅素稱爲**間接膽紅素**。間接膽紅素隨著血液在體內循環，進入肝細胞變成**直接膽紅素**，成爲膽汁的主要成分由膽管排到十二指腸。糞便之所以會呈褐色就是因爲含有膽汁的緣故。

但是，當肝臟受損或膽道阻塞，導致膽汁無法送往十二指腸時，因爲膽紅素無法順利排出，造成血液中含量增加，滯留在皮膚和黏膜而變黃。以及膽紅素沒有排到腸道，所以糞便顏色也會偏白。而血液中的膽紅素因爲在高濃度下通過腎臟排到尿液中，所以尿液會變深茶色。

黃疸的分辨方法

黃疸症狀最明顯的地方就是眼白變黃。其他也會出現像是糞便顏色偏白、尿液呈深茶色的症狀。發現這類症狀時應立即就醫診察。

出現黃疸時絕對不可以等閒視之。因爲有可能是肝炎，也有可能是膽結石等膽汁通道受阻（請參考上段）。

出現類似黃疸的症狀時，即使不痛不癢，一定要到醫院接受檢查，查明引起黃疸的原因。有時會聽到有人出現黃疸但因爲沒有疼痛感，覺得不要緊而置之不理，這是非常危險的。

食用過多含有胡蘿蔔素（carotene）黃色色素的柑橘和南瓜等食物時，皮膚也會變黃，所以經常被誤認爲是黃疸。

此時手掌雖然會變黃，但眼白並無異狀。而且血液中的膽紅素值也不會上升。這種情形稱爲胡蘿蔔素血症（carotenemia）（柑皮症），和肝臟疾病完全沒有關係。只要停止食用柑橘的話，膚色就會恢復正常。

性荷爾蒙和肝臟

肝臟具有分解性荷爾蒙特別是女性荷爾蒙的功能。

肝臟會減少過多的荷爾蒙，維持荷爾蒙的平衡。

但是當肝臟罹患肝臟疾病功能減弱時，分解荷爾蒙的功能也會減弱。因此，造成體內女性荷爾蒙過多，而出現男性女性化的症狀（男性女乳症　請參考下頁上段）。

【手掌發紅】
手掌紅斑

肝臟因爲肝硬化等疾病受損時，手掌的周圍會變成鮮紅色。手指指根、指尖等尤其是大拇指的指根、其對側的小指指根下的隆起處會變紅（下圖）。

此現象稱爲手掌紅斑，40％慢性肝臟損傷的人會出現，並不是整個手掌發紅，只有手掌周圍會出現。而且，界線分明，看起來像是塗上口紅。這是因爲肝臟的功能變差，荷爾蒙失去平衡，女性荷爾蒙增加，該部位的血管擴張所以看起來紅紅的（請參考上段）。

但是相對的，並不是有手掌紅斑的人都是肝臟功能不好。也有人在妊娠過程中出現，肝臟正常完全沒有問題。因此，最好不要看別人的手之後就隨便下斷言說「啊！你的肝臟不好喔！」。

容易出現手掌紅斑的部位

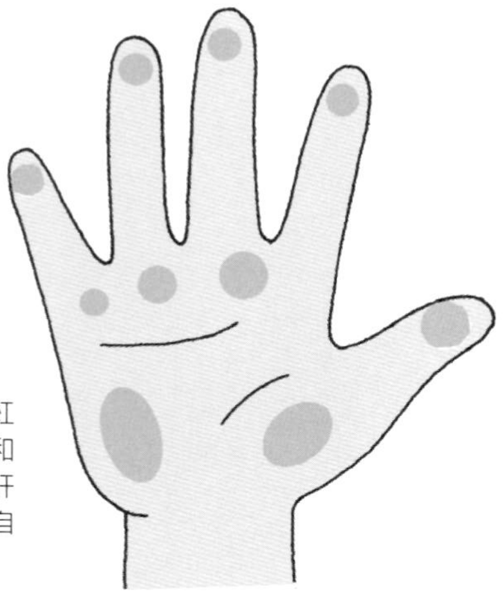

手掌周圍的部位發紅為手掌紅斑。特別容易出現在大拇指和小指指根處。有時沒有罹患肝臟疾病也會出現，所以不要自行下診斷。

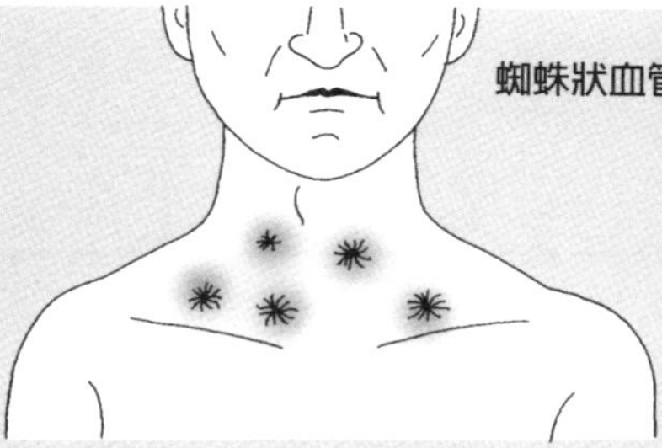

肝功能低下的代表性症狀，是微血管擴張所形成的。有的肝功能恢復正常之後顏色會變淡。

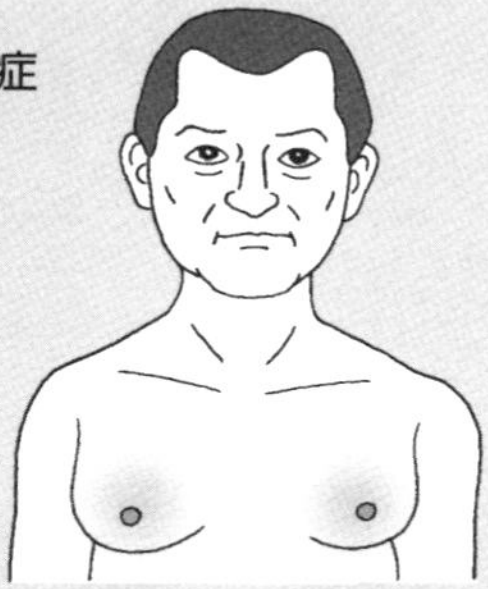

肝硬化惡化時會出現。不是所有患有肝臟疾病的男性都會出現，所以需要接受醫師的診察。

【皮膚出現紅色斑點】

蜘蛛狀血管瘤

肝臟不好的時候，皮膚會出現紅色斑點。這不是膿皰，沒有鼓起。這是如細線般的細小血管在皮膚表面擴張開來所形成的。這也是肝臟功能變差導致荷爾蒙不平衡所引起的。大小由數毫米到2~3公分左右，會出現在頸部、胸部、肩膀、手臂等多處。

皮膚上所看到斑點的形狀就好像是一蜘蛛張開腳，所以被稱爲**蜘蛛狀血管瘤**。

這種蜘蛛狀血管瘤有的在肝臟恢復健康之後，顏色就會變淡。

此症狀會出現在慢性肝炎和肝硬化患者，也會出現在孕婦身上。

【男性乳房隆起】

男性女乳症

男性也會出現好像女性乳房一般，乳房稍微隆起。隆起像乒乓球一般，有的會有疼痛感。這是因爲肝硬化等疾病導致肝臟功能變差，男性荷爾蒙和女性荷爾蒙不平衡所造成的（請參考上頁上段）。

不過，服用治療腹水和水腫的藥物也會引起此症狀。此時，如果停止服用藥物的話就會消失。

其他還會出現以下症狀。

●膚色變黑

沒有去海邊玩但全身皮膚變成像是曬過太陽一般的顏色，而且沒有光澤，膚色暗沉時，可能是肝臟功能變差。這是因爲肝臟疾病導致黑色素（Melanin）沉澱所引起。

接受肝臟治療恢復健康之後，膚色就會恢復原本健康的顏色。

●小腿抽筋

慢性肝臟疾病在行走或稍微用力時腳會產生劇痛、僵硬、又硬又痛等症狀。和游泳時腿部痙攣是一像的情形。

因爲罹患肝臟疾病而導致體內的鈣質減少，造成肌肉容易痙攣的情況發生。

要注意腳部保暖、不要突然用力、營養均衡的飲食，尤其是要攝取鈣質。

小腿抽筋時，將腳尖往膝蓋方向彎曲，保暖腳部有助於改善疼痛的狀況。另外，也可以服用Myonal等藥物預防抽筋。

●不易止血（出血傾向）

罹患肝臟疾病的時候，會出現刷牙容易出血、出血不易止血、容易流鼻血、沒有遭到碰撞但出現皮下出血的瘀青……等症狀。

這是因爲肝臟功能降低導致止血的能力（止血力）多少變差所引起，所以不是身體有罹患什麼重症。多補充維生素K和維生素C等藥劑提高肝臟整體功能就會改善。

另外，有些人眼白的地方會出血（眼結膜下出血），肝臟健康的人也會發生，所以不須擔心。大約一週左右就會恢復正常。

病例

●肝硬化合併糖尿病，會出現小腿抽筋的案例。

罹患肝硬化52歲的男性。某天打電話到醫院。他說昨天晚上腳開始抽筋痛得受不了，小腿抽筋，痛得無法動彈，無法移動全身，痛苦得呻吟了一整晚。

好可憐！沒有小腿抽筋的經驗的人無法體會抽筋的痛楚。健康的人也會小腿抽筋。相信也有不少人在游泳的時候發生腿部痙攣。所謂的腿部痙攣就是小腿抽筋。

小腿抽筋通常會發生在不當的活動腳部時、天冷時、開始急速快步行走時。

有人教過發生小腿抽筋時，要立刻將腳趾往

膝蓋方向彎曲，保暖小腿肚。不知是否因為有效，過沒多久就恢復了。

預防小腿抽筋，要多攝取牛奶或魚類等含鈣量多的食物、整隻蝦子一起吃、服用鈣劑、以及服用治療小腿抽筋的藥物（Myonal等）。

曾經發生有些人因為小腿抽筋經過詳細檢查之後發現是罹患肝臟疾病的案例。

也有些人被診斷出罹患糖尿病。糖尿病也會引發小腿抽筋。

這位患者除了肝臟病以外還患有糖尿病。

●皮膚搔癢

皮膚若是出現黃疸的症狀，身體就會搔癢。尤其是中年女性罹患原發性膽汁性肝硬化（請參考第119頁）這種肝硬化當中特殊的疾病時，此時難纏的搔癢會持續好幾年。尤其是在肝臟變差之前皮膚開始搔癢時，也有可能是此疾病所引起。

不過，也有的搔癢和肝臟疾病完全無關，而是到了某個年紀之後因爲身體油脂減少而引起騷癢。

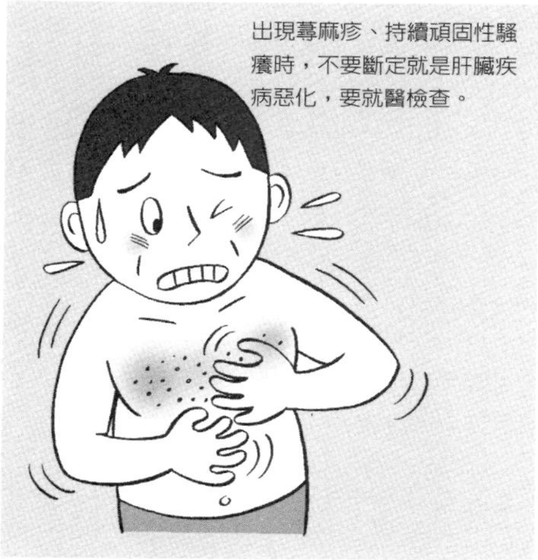

出現蕁麻疹、持續頑固性騷癢時，不要斷定就是肝臟疾病惡化，要就醫檢查。

此時，洗澡的時候不要過度使用肥皂就可以改善。

●酒力變差、味道變差

有的患者本來每天晚上都有喝酒的習慣，但是某一天突然變得沒有酒興，酒力也變差了，當他感覺事有蹊蹺前往醫院就診之後，才發現已是病毒肝炎初期。

這是因爲肝炎導治肝臟分解酒精的功能減弱所引起。

●斑點和蕁麻疹是肝臟疾病的症狀嗎？

斑點和蕁麻疹大多和肝臟疾病無關。中年女性在臉部尤其是額頭周圍會出現黑色斑點。醫學用語稱此爲肝斑，會使用「肝」這個字眼並不是因爲肝臟變差，純粹是因爲斑點的顏色和肝臟的顏色相似而已。

也有人出現蕁麻疹時擔心是否肝臟不好，這大多是食物或藥物、其他因素所引起的過敏反應。不過，有的肝臟疾病和過敏有關，所以最好是就醫接受檢查。

肝臟疾病的原因 ① 引起肝臟疾病的因素有哪些？

有衆所皆知的喝酒，也有想像不到的因素。

除了病毒感染以外，還有飲酒過量、藥物、肥胖等因素也會引起肝臟疾病

Q 因為感冒一直好不了而就醫診斷，結果為「肝臟不好」。我幾乎不喝酒，會是什麼原因造成的呢？

A 引起肝臟疾病的原因有下列幾種，不過當中也有原因不明所導致的肝臟疾病。

●飲酒過量的酒精性肝損傷

最淺顯易懂的原因就是酒精（喝酒）。每天喝300CC以上長達五年十年的話，大部份的人肝臟都會變差。這是飲酒過量的**酒精性肝損傷**（詳情請參考第96頁）。

這種情況，自己也很清楚原因，所以要一定做到「遠離酒精、不喝酒」。因爲酒精是患病唯一的因素，所以只要戒酒就會改善，肝臟也會恢復正常。

●病毒感染引起的病毒性肝炎

到A型肝炎流行的東南亞喝生水或吃生食會感染肝炎。這就是感染A型肝炎病毒的**A型肝炎**（詳情請參考第60頁）。

輸血引起的**輸血後肝炎**大多是感染到C型肝炎病毒所造成（**C型肝炎** 請參考第66頁），不過輸血引起的感染現在幾乎是零。

在東南亞和帶有B型肝炎病毒的人發生性行爲、被沾有B型肝炎病毒陽性的血液的注射針頭扎到手指頭等所引起的是**B型肝炎**（請參考第62頁）。

也有常在不知不覺中受到肝炎病毒感染的案例。

其他尙有**D型**、**E型**等肝炎病毒所引起的肝炎。

肝臟的感染疾病

感染細菌或病毒所引起的疾病稱為感染性疾病。

肝臟的感染性疾病的代表為感染肝炎病毒的病毒性肝炎，其他還有下列感染性疾病。

■化膿性肝膿瘍

感染大腸菌等細菌在肝臟內蓄膿的疾病。

有使用抗生素的治療法，也有插入導管將膿液排出體外的引流術（drainage）。

■阿米巴性肝膿瘍

肝臟感染痢疾阿米巴原蟲的疾病，也會積膿。

多發生於熱帶、亞熱帶的疾病，如有海外旅行時受到感染的案例。

使用服立治兒錠（Metronidazole）藥物治療。

■肝吸蟲症

肝臟感染到肝吸蟲的寄生蟲的疾病，為生吃有肝吸蟲寄生的淡水魚所引起。

使用Praziquantel藥物治療。

■威爾氏疾病（Weil病）

感染到黃疸出血性鉤端螺旋體（Leptospira）病原體的疾病，經由老鼠的尿液感染。

會出現發高燒、黃疸、出血、肌肉疼痛等症狀。

使用抗生素進行治療。

●也有藥物、肥胖引起的肝臟疾病

曾經發生過服用不合體質的藥物引起肝炎的案例。這就是**藥物性肝損傷**（請參考第102頁）。也有只服用一次感冒藥引發持續六個月的黃疸症狀的案例。

也有因爲過胖造成脂肪囤積在肝臟的**脂肪肝**（詳情請參考第92頁）。此時只要減輕體重就可以改善，肝脂肪或許稱不上是疾病。

●其他原因引起的肝臟疾病

自體免疫性肝炎是自體免疫所引起的肝炎。通常免疫是攻擊並排除外來病原體，而自體免疫是對抗自身，此時會對自己的肝細胞產生免疫反應。多發生於中年女性的疾病，可使用特效藥抑制（詳情請參考第118頁）。

原發性膽汁性肝硬化的原因不明。有可能是自體免疫所引起。有的中年女性長期嚴重皮膚搔癢，檢查後才發現是此疾病。

曾經發生過完全沒有任何症狀，雖然肝臟不好但是並沒有發現病毒等，直到檢查之後才發現罹患肝硬化的案例。盡早服用特效藥的話效果不錯（請參考第119頁）。

原發性硬化性膽管炎是發生於年輕男性肝臟內外的膽管變窄的疾病。黃疸會持續很久。

血鐵沉積症（Hemochromatosis）是鐵質沉積在肝臟的疾病，發生於大量輸血之後。常演變成肝硬化、合併糖尿病（請參考第120頁）。

威爾森氏症（Wilson's Disease）是一種遺傳性疾病。銅堆積在肝臟造成肝硬化。會出現痲痺、神經症狀、雙手顫抖、無法順利抓取物體等症狀（請參考第120頁）。

肝臟類澱粉沉著症（Hepatic Amyloidosis）是一種叫做類澱粉的蛋白質沉積在肝臟的疾病，會出現腹水或黃疸（請參考第120頁）。

肝臟疾病的原因 ②

肝臟疾病會遺傳嗎？

肝炎和肝硬化是否會遺傳尚不明確，不過也有和遺傳有關的肝臟疾病。

肝臟疾病造成的死亡的案例稍微減少

根據日本『國民衛生的動向』（厚生勞働省 2007年發行）肝臟疾病患者在死亡排行上，1979年以前是第八名，1997年以後下降一名到第九名維持到現在。

這些是早期發現早期治療的成效。

詳細檢查全身的疾病

Q 我父親是死於肝臟疾病，哥哥現在也因為肝臟疾病就醫中。醫生說現在我的肝臟沒有問題，但是將來是否有可能會變差？

A 在我這裡曾有這麼一位患者。

「我爺爺死於直腸癌，爸爸也罹患直腸癌。到目前爲止我並沒有任何自覺症狀，不過我怕自己也會罹患直腸癌所以前來就診。」。

儘速幫患者檢查腸道之後發現直腸息肉，切除即將演變成癌細胞的息肉就完全治癒。

像這樣因爲家人罹患疾病而擔心自己是否也會患病的情形時有所見。

大部份的肝臟疾病不會遺傳，但因爲是家人所以不管是遺傳因素或生活環境都很相近，因此也要注意肝臟疾病，接受詳細的檢查比較好。

其他疾病也是如此，最好就醫詳細進行有關家人罹患的疾病或造成死亡原因的疾病的檢查。

●和遺傳有關的肝臟疾病

這方面的疾病有很多。一般非常罕見，在此只向各位介紹主要的疾病。

■威爾森氏症（Wilson's Disease）

此爲遺傳性疾病，是銅囤積在肝臟和神經，造成肝臟和神經損傷。

■血鐵沉積症（Hemochromatosis）

鐵質沉積在肝臟的疾病，因而造成肝硬化、糖尿病、皮膚色素沉著等。幸而國內很少見。

■吉伯特氏症候群（Gilbert's Syndrome）

會出現先天性黃疸（間接膽紅素所引起），終生存在但不影響壽命。先天性黃疸對人體無害。

■杜賓-強森症候群（Dubin-Johnson Syndrome）

也是會終生持續黃疸（此疾病爲直接膽紅素），但不會危害性命。

●不是遺傳病但容易罹患疾病的體質的肝臟疾病

■自體免疫性肝炎

據說帶有遺傳因子時容易罹患此疾病。在日本容易罹患此疾病的遺傳因子爲HLA的DR4以及DR2。

■酒精性肝臟損傷

這是因爲飲酒過量所引起的肝臟疾病，如果不喝酒的話就不會罹患此疾病。

但是，有天生酒量好與酒量差的人。這是指喝再多都不會醉以及一喝就醉的人，這和遺傳因子有關。不管有沒有醉肝臟的能耐都是一樣的，因爲海量而一直猛喝的人，也就是酒量好的人，肝臟的損傷也相對嚴重，會演變成肝硬化的就是這種人。酒量差的人，一喝就醉因此不太能喝酒。所以肝臟損傷較輕，也較少罹患肝臟疾病。

不管酒量好不好，男生女生都一樣。許多女生並不太喜歡喝酒，所以喝酒的機會比較少。有統計指出如果女生和男生一樣喝的話，喝的量不比男生少的話，短期間內也會演變成肝硬化。

不管是酒量好或不好，對肝臟的能耐都一樣。酒量越好的人喝的酒越多，肝臟所受的損傷也相對的越多。

肝臟疾病的基本治療方法①

一定要住院時

即使AST或ALT異常也不一定要住院。

需要住院的標準是什麼？

Q 因為慢性肝炎定期回診。AST（GOT）、ALT（GPT）的檢查值還在100～200之間上下浮動。AST的基準值為30以下，ALT也是30以下，檢查值還是很高。一定要住院治療嗎？

A 即使AST和ALT的值（詳情請參考第22頁）比基準值高，也不一定要住院治療。

一定要住院治療的肝臟疾病情況如下：

●慢性肝炎需要住院的情況

慢性肝炎AST急速上升高達500～1000、出現黃疸時必須住院治療。

這是代表原本穩定的慢性肝炎急速惡化或復發，住院之後要休息進行治療。

住院之後最重要的是要充分休息。首先是除了用餐、如廁以外，其餘時間都要躺在床上休息。不過，臥床休息也有其意義存在。那是因爲躺著會比站著增加流向肝臟的血液量。

接著是飲食療法。如果沒有食慾，一定要想辦法促進食慾。出現黃疸時，要採低油、容易消化、高蛋白、高維生素、高礦物質的飲食。如果攝取量還是不夠的話，就要注射點滴補充營養。

再接下來是每天靜脈注射SNMC（stronger neo-minophagen C）40～100ml。改善之後再減少次數。另外，自體免疫性肝炎等特殊肝炎，經過肝臟切片檢查確定之後使用副腎皮質荷爾蒙等特效藥進行治療。

為何需要休息

罹患肝臟疾病臥床休息是很重要的。休息可以增加送往肝臟的血液量，也可以幫助恢復肝臟功能。

沒有休息活動身體時，較多的血液會流到四肢，相對的流到肝臟的血液就會減少，肝臟疾病也會較慢治癒。

有時候醫師會建議住院治療肝臟疾病，這是表示除了接受肝臟疾病的治療之外還需要休息。很多人在家療養總是會忍不住動來動去，沒有好好休息。

但是，黃疸改善、

臥床休息
躺下來休息流往肝臟的血液量會比站著多。

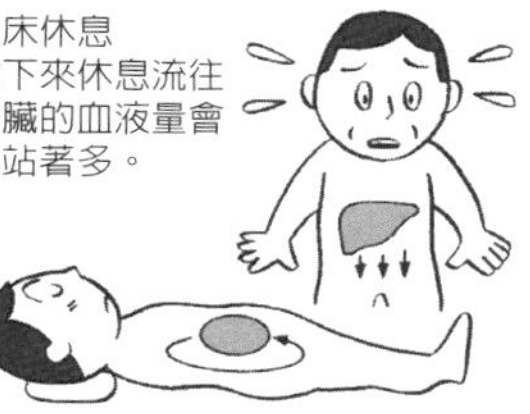

AST、ALT也降到100以下的話，只要飯後休息三十分鐘，然後散步三十分鐘即可。

不太活動的話肌肉也會變得較無力，所以需要保持體力的運動。

●急性肝炎需要住院的情況

急性肝炎初期全身慵懶無力、完全沒有食慾、嚴重黃疸時必須住院治療。也有極罕見的猛爆性肝炎（詳情請參考第68頁）的重症肝炎，所以早期檢查，早期發現很重要。

此時要檢查凝血酶原時間（請參考第26頁）等檢查。此檢查值結果不好的話，即使自覺症狀輕微也一定要住院。相反的，如果檢查值接近基準值的話，即使有自覺症狀，不用住院定期返診也會改善。

●肝硬化需要住院的情況

肝硬化如果穩定的話也可以上班，定期門診追蹤檢查，但是一旦出現下列症狀就要住院治療。

需要治療大量腹水、嚴重黃疸、手部顫抖、不知道廁所在哪裡（肝性腦病變請參考第104頁）、食道靜脈瘤（請參考第107頁）、疑似肝臟有一部分變化需要做血管攝影等情況的時候就需要住院。

不需持續住院到AST恢復到基準值

慢性肝炎AST和ALT會長期持續偏高。300或400等會特別快速降低，降到100或200，但之後就很難下降。

因爲是慢性病所以需要數年到十年左右，不過並不一定100%完全恢復到基準值。基準值終究是健康者的檢查數值，所以只要生過病，治癒之後的穩定檢查值還是會稍微偏高。問題在於疾病沒有惡化成肝硬化就好，AST並不一定要恢復到正常人的數值。

因此，AST維持在100~200或100以下穩定的話也可以上班，不需住院。不需因爲沒有恢復到基準值而住院長達二或三年。

肝臟疾病的基本治療方法 2

肝臟疾病的治療方法有哪些？

依疾病的種類、症狀、病情進行輸液、藥物及外科療法等。

補充營養、保護肝臟的輸液療法

Q 肝臟疾病的治療方法有哪些？

A 肝臟疾病的治療方法有**輸液療法**、**服用肝臟用藥**、**外科治療**等方法。

治療方法依症狀及病情而有所不同。

在急性肝炎的高峰期食慾不佳、無法攝取足夠的營養、要保護肝臟時會進行輸液療法。

此時首先持續輸注身體能量來源的葡萄糖點滴。有時候一天要輸注5%葡萄糖500～1000ml以上。輸液也可以補充水分，治療因無法進食所造成脫水，同時也提供肝臟組織充分的氧氣及營養。

也會使用維他命、肝臟疾病治療藥物和中藥

治療肝臟疾病的藥物有很多種，各家醫院的醫師會根據患者的症狀及病情選擇用藥物。

主要的藥物如下（請也參考第116頁）。

肝臟受損時，由於肝臟裡面缺乏維他命，所以必須攝取健康者數倍的量，因此需要補充**綜合維他命**。

特別是容易出血時要補充**維他命K**、**維他命C**。罹患慢性肝炎時，補充和熊膽（膽囊）相同成分的**熊去氧膽酸製劑**（Ursodeoxycholic acid）有助於改善AST、ALT（GOT、GPT），以及使用**Proheparum**、**EPL**、**Glutachione**、**Glycyron**等。

中藥有**小柴胡湯**、**十全大補湯**等用於治療慢性肝炎，而AST、ALT值偏高不易治癒時，需要每天或每週靜脈注射二至三次SNMC（Stronger Neo-Minophagen C複方甘草甜素）。自體免疫性肝炎等特殊疾病時，會使用副腎**皮質荷爾蒙**（類固醇荷爾蒙）製劑，慢

肝臟移植

各種治療方法都無法治療的一部分肝臟疾病會進行肝臟移植。

這是切除疾病的肝臟組織，移植健康肝臟的治療方法，適合進行肝臟移植的疾病為幼兒的膽道閉鎖、原發性膽汁鬱積性肝硬化、猛爆性肝炎等。

移植方法有幾種，第一種是**腦死肝臟移植**（台灣稱為屍體肝臟移植），將腦死的人整個肝臟移植。1968年美國科羅拉多大學的Thomas E.Starzl報告第一個成功案例之後，現在全世界一年大約進行

800個移植個案。

活體肝臟移植是從活人身上取一部分肝臟移植的手術，在不易取得腦死的器官的日本大多進行此種移植，已經進行4200個案例以上。其一年的存活率為82.2%，五年的存活率為76.0%，十年的活率為72.4%的優異成績（2008年日本肝臟移植研究會）。

在什麼情況下考慮移植、可行性高不高、器官捐贈者要符合什麼條件才能移植等有著各種規範。首先要和主治醫師商量，請教器官移植的專家。

另外，關於屍體肝臟移植在日本至今已經進行過52個案例。

性肝炎則會使用**消除肝炎病毒的干擾素**（Interferon）（請參考第80・83頁）。

最近也有取代外科療法不用切除的治療方法

肝硬化等合併食道靜脈曲張（詳情請參考第107頁），而且有破裂出血的危險性時，有時會採用外科療法，不過最近廣泛使用**食道靜脈結紮術**、**硬化劑注射治療**（詳情請參考第107頁），不須手術直接用內視鏡治療的方法。此方法是用纖維鏡（fiberscope）將橡皮圈套在曲張的食道靜脈上面，插上針注入栓塞物質破壞靜脈曲張的治療方法，可以安全的進行。

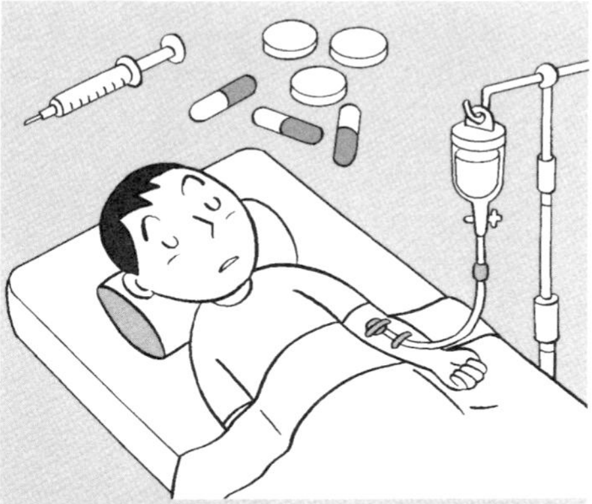

肝臟疾病的治療依照各種病症及病況進行休息、輸液、藥物、射頻腫瘤滅除術等療法。

肝臟一部分罹患癌症，或疑似肝癌時，必須立刻進行治療時有下列治療方法：

射頻腫瘤滅除術（RFA:radiofrequency ablation）是現在最為廣泛使用的方法。射頻是一種電磁波，在局部麻醉下將針直接刺進肝臟對著病變部位通電用熱讓癌細胞凝固壞死（請參考第114頁）。

癌組織在二公分左右的話，治療一次就可痊癒，住院也只要2~3天即可。大於二公分的癌症也可以配合其他治療方法治癒。

外科手術是在高週波燒灼術不易治療、一處大範圍的癌組織時考慮進行。**肝動脈栓塞術**對血流量多、或癌細胞分散多處有效。

肝臟疾病的基本治療方法③ 中藥和針刺、灸灼、指壓的效果如何？

與其說是治療疾病，應該說是改善全身的症狀。

肝臟疾病所使用的中藥有哪些？

Q 曾聽過有對肝臟有效的中藥，但是到底要服用哪一種中藥才能對症下藥呢？

A 中藥對慢性肝炎有效。隨時記得醫師不管是西醫或中醫，只要有需要都要採用。有「我是學西醫的所以不相信中醫。」或「不使用中藥」，應該沒有人會有這種想法吧？日本的地理位置剛好位於西洋和東洋之間，是處於可以自由學習東西洋優點的環境。

總之，讓病情好轉，患者感到身心愉悅才是最重要的。現在任何一家醫院在健康保險給付下都可以使用一百種以上的中藥。

與其說中藥只治療一種疾病，不如說有助於改善全身症狀。「任何原因都行、疾病的種類也是肝臟病以外也可以，這類不適、這種身體狀況要用這種藥物」是情形如此使用。身體所呈現的症狀稱為「證據」，根據「證據」來服用中藥。

●慢性肝炎的代表性中藥為小柴胡湯

最具代表性的應該是**小柴胡湯**。

此藥用於慢性肝炎，包含七種生藥。尤其是裡面的甘草、柴胡有助於改善肝臟的功能，治療炎症。

此藥對右肋骨下方的腹脹，用手指壓肋骨最下方也就是肋骨弓會有阻力，一壓就會痛的**胸脇苦滿**的症狀非常有效。

這樣的阻力和疼痛與肝臟異常有關。

病例

●服用中藥而改善的慢性肝炎

E先生因為慢性肝炎而接受治療。服用過各種藥物但都不見好轉。有人告訴他「慢性肝炎是一種無法治癒的疾病。」，讓他感到相當沮喪。

E先生想到「最近也有在使用中藥，要不要試試看？」，每天餐前服用三包小柴胡湯。餐前服用有時容易忘記，不過就算忘記了也可以在餐後服用。實際上效用沒有差別。但是空腹時吸收效果較好。

以前的中藥一定要熬煮，現在有加工成

顆粒狀或錠劑方便服用，健康保險也有給付，很方便。不管是熬煮後飲用或加工過的成藥效果都一樣。

不過必須要視個別情況使用。右邊腹部硬的人要服用小柴胡湯，有便祕情形的人要服用大柴胡湯，容易疲累的人要服用六君子湯。

E先生開始飲用小柴胡湯之後，疲勞消除，食慾也恢復。AST、ALT等檢查值也終於開始下降，一年後降到100以下，病情穩定下來。

對E先生而言，中藥適合他的體質。

●對症下藥

十全大補湯也很常使用。此中藥用於體力衰退、容易疲倦的人，提高免疫力的功能是被認可的。**柴胡桂枝湯**也用於肝炎。尤其是腸胃不好、體質虛弱稍微神經質的人很好。

補中益氣湯對於身心虛弱的人、病後衰弱有效。**六君子湯**對於對體力沒有自信、消化系統或心臟衰弱的人、冷底體質、貧血的人有幫助，也有改善肝炎的報告。**桂枝茯苓丸**對下腹脹、疼痛的人，**大柴胡湯**對下腹部脹、便秘的人很有效。

上述搭配病症服用中藥的療法而言，中藥對治療慢性肝炎的效果也很好。以前是將每一種生藥混充分混合之後，用陶壺熬煮後飲用，現在則是購買萃取物做成的眞空冷凍乾燥製劑，服用相當方便。

此外，中藥幾乎都是「飯前服用」，常常有患者抱怨「飯前服用容易忘記」，之所以要在飯前服用是因爲在空腹的時候藥效吸收比較好的緣故，如果飯前忘記服用，飯後服用也完全沒關係。

對調整體質有效的針刺、灸灼、指壓

Q 有聽說針刺、灸灼、指壓等對肝臟疾病有效，究竟是有什麼效果呢？

A 不管是針刺或灸灼或指壓究，其根本是壓迫穴道，藉由刺激穴道調整體質，做法不同但效果一樣。

針刺、灸灼、指壓並不是直接對肝臟疾病有效，而是利用刺激調整全身的體質，其結果就變成對肝臟有治療效果。

人體內有五臟六腑，供給這些部位能量的路徑在中醫稱爲**經絡**。也就是說這些路徑佈滿全身。分散在路徑上的就是穴道。

就像「抓住要點」或「深得要領」，穴道是重要的點、要點，按壓該處就會有效，其他地方則沒有意義的意思。因此尋找穴道、知道穴道在哪裡最爲重要，這就是專家最拿手的地方。

內臟生病時，經由經絡身體表面穴道會

有異常的感覺。比如說沉重、疼痛、僵硬、發熱等。治療方法是反向的刺激該穴道進而調整內臟，讓器官恢復正常。刺激的方法有的用針刺、有的用灸灼、有的用指壓、有的用按摩，各式各樣的方法都有。

肝臟生病時，在中醫該穴道稱為**期門穴**，據說位於右肋骨最下方的肋骨弓的1／3內側。而剛好在其背側部位也有一個穴道，稱為**肝俞穴**。

實際上該怎麼做才好呢？首先要決定是要針刺、灸灼還是指壓，因為要依當事者的身體狀況來進行，所以只能交給專家進行治療。至於效果會有多好？肝臟會改善到什麼程度？我並沒有親自到一般的中醫診所去了解，所以無法給讀者正確的資訊。

如果說中醫療法對患者有所幫助的話，或許我應該跑一趟中醫診所親自體會它的療效。

中醫全盤而言是將身體視為一個整體，將疾病視為全身的一部分進行治療。而西醫是問題在肝臟就只治療肝臟，只治療身體的一部分，所以也有人認為西醫有缺點。

●診察全身進行治療

疾病看起來確實就像是身體的一部分，但事實上全身都會產生反應。因此，不要只看一部分，診察全身後進行治療對中醫、西醫都很重要。特別是講到全身，統一全身的是神經、是精神、是心。高興的時候食慾大增精神飽滿，傷心、難過的時候就會沒有食慾提不起精神，光是考量這樣的生理反應，就可以了解心對身體有多麼重要。

第 2 章

肝臟疾病
如何治療

根據近年來有著飛躍式進步的
肝臟疾病研究的成果
詳細解說各種肝臟疾病及最新治療方法。

肝臟疾病的種類 ① 急性肝炎和慢性肝炎的不同

病毒性肝炎有暫時性的急性肝炎以及長期性的慢性肝炎。

肝細胞為何會受損

受到病毒肝炎感染時，為何會演變成肝炎呢？當病毒侵入肝細胞時，會直接破壞細胞嗎？

其實不然。各種研究報告的結果，證實了肝炎病毒並不是直接破壞肝細胞。而是因為免疫反應造成肝細胞受損。

當病毒侵入人體之後，身體為了驅除病毒而產生反應(免疫反應)。因此會導致身體引起發炎的症狀，破壞侵入肝細胞的病毒，將病毒逐出人體。

因此，對身體而言

發炎、肝細胞受損為肝炎

Q 所謂肝炎是肝臟演變成怎樣的疾病呢？以及是什麼原因引起肝炎的呢？

A 肝臟具有代謝營養素、合成膽汁、解毒有毒物質等各種功能（請參考第2頁）。負責這些功能的主要成分就是構成肝臟的**肝細胞**。

肝臟發炎，肝細胞受損就是所謂的**肝炎**。這是因為構成肝臟最主要成分的肝細胞受損，依受損程度肝臟的功能也隨著降低。

造成肝炎的最大原因是病毒的感染。有一群稱為肝炎病毒會造成肝臟感染的病毒，感染到此病毒時，有的人會罹患肝炎。

肝炎病毒所引起的肝炎稱為**病毒性肝炎**（58頁）。

肝炎病毒已經證實有A、B、C、D、E型五種病毒，所以不僅僅稱為病毒性肝炎，依照被感染病毒的種類稱為A型（病毒）肝炎、B型（病毒）肝炎、C型（病毒）肝炎、D型（病毒）肝炎、E型（病毒）肝炎。

其中在日本以A型肝炎（60頁）、B型肝炎（62頁）、C型肝炎（66頁）這三種為主，D型肝炎是出現在南義大利，E型肝炎則出現在尼泊爾、緬甸等極小部份地區的肝炎，如果不生吃野豬肉、鹿肉、豬肉等肉的話，在日本應該不會發生。

除了感染病毒以外，也有因為服用藥物和飲酒所引起的肝臟損傷，分別稱為藥物性肝臟損傷（102頁）、酒精性肝臟損傷（96頁），請記得只稱肝炎時是指病毒性肝炎。

持續六個月以上的肝炎為慢性肝炎

Q 經常聽到急性肝炎和慢性肝炎的疾

會產生好的結果，但是長期抗戰下來就會演變成慢性肝炎。

如果沒有此免疫反應，就不會導致肝炎。因此，沒有必要因為感染B型或是C型病毒，就斬釘截鐵地說得到了肝炎，因此必須立刻住院、接受治療。如果肝臟完全正常，尚未發病時，就不需要治療，也不需要服藥。肝臟如果一直維持在正常的狀態之下，就不必擔心會發病。

B型病毒帶原者（長年帶有B型肝炎病毒的人）的發病率不超過一成，九成的人並不會發病。如果是C型病毒，定期檢查AST、ALT是否升高是很重要的。

病名稱，這二種有什麼不同呢？

A 原則上不管是急性肝炎或慢性肝炎都是指病毒性肝炎。

急性肝炎初期會出現類似感冒的症狀（發燒、倦怠等）、腸胃道症狀（食慾不振、噁心、嘔吐等），之後會開始出現肝炎病症的黃疸（眼白變黃）。接下來後大部份的人在1～2個月之後症狀就會改善痊癒。

相對的，**慢性肝炎**是罹患急性肝炎之後肝臟持續損傷或是沒有明顯的急性肝炎的症狀，也不知何時發病。完全不會讓人聯想到是肝炎的症狀，或即使有也只是讓人覺得是身體不舒服的非常輕微的症狀。

不過，進行血液檢查之後，AST（GOT）、ALT（GPT）值出現異常，此爲發現肝炎的證據。此狀態持續六個月以上時稱爲慢性肝炎。

慢性肝炎也有繼急性肝炎之後慢性化的情形，不過也有不少情形並不是因爲急性肝炎所引起，而是一開始就以慢性肝炎的型態發病。因此，也有人在健康檢查時發現慢性肝炎而感到驚訝。

●沒有A型的慢性肝炎

在日本出現的病毒性肝炎當中，B型肝炎、C型肝炎這二種都有急性肝炎和慢性肝炎。以急性肝炎型態發病時，容易轉變成慢性肝炎的是C型肝炎，據說大約有五成會慢性化。在成年之後罹患B型肝炎時，不會變成慢性肝炎。幼兒時期發病而變成病毒帶原者（請參考下一頁）時，其中約一成的帶原者會轉變成爲慢性化。

A型肝炎不會以慢性肝炎的型態發病，一定是以急性肝炎的型態發生，不會轉變成慢性肝炎。

肝臟疾病的種類 ②　病毒性肝炎的種類

引起肝炎的病毒有五種，其中最重要的是B型和C型。

病例

●健康檢查發現慢性肝炎

A女士51歲，接受地方政府的健康檢查被告知可能是C型肝炎，在醫院接受精密檢查，結果診斷出為慢性肝炎。

A女士平常滴酒不沾，也沒輸過血，家中沒有人罹患肝臟病，也沒有服用過特別的藥物，所以完全不知為什麼會被感染。

如果說有喝酒的習慣，或是年輕時就有肝臟方面的疾病的話，還有些蛛絲馬跡可尋，但是也有像這樣毫無徵兆，也沒有

所謂**病毒性肝炎**是指感染到病毒所引起的肝炎。最近的新觀念是根據病毒種類分爲A型肝炎、B型肝炎、C型肝炎、D型肝炎、E型肝炎五種。

●A型肝炎（詳情請參考第60頁）

A型肝炎病毒所引起的肝炎，生飲帶有此病毒的水、生魚肉或貝類等經口傳染。

日本幾乎沒有此種肝炎，在東南亞地區爲地方疾病，病毒四處蔓延。如果是沒有免疫力的年輕人到此地區旅行的話很容易受到感染。A型肝炎會引起急性肝炎，但是容易治癒，不會變成慢性肝炎。

●B型肝炎（詳情請參考第62頁）

B型肝炎病毒所引起的肝炎，經血液感染。輸血或性行爲、其他行爲感染。不過，現在捐血時都會檢查B型肝炎病毒，所以幾乎沒有因爲輸血而感染。

成年人感染B型肝炎時會引起急性肝炎，但不會變成慢性肝炎。常有罹患B型肝炎會轉變成肝硬化或肝癌的說法，不過，成年人也就是變成大人之後感染的話，只會引起急性肝炎。和肝硬化及肝癌完全沒有關係，所以不用擔心。

病毒帶原者（virus carrier）四歲以下感染時，此年齡免疫能力還不夠健全，所以無法驅除病毒，未來數十年來將一直帶有病毒。這樣的人稱爲病毒帶原者。可以說是健康帶菌者。

要判斷是否會發病、將來會演變成如何，要檢測HBe抗原、抗體（病毒標記）。

HBe抗體陽性肝功能正常——這樣的人最多，占病毒帶原者整體將近七成。以後不會發病，也不會傳染給別人，一輩子都不用擔心。

接著是**HBe抗體陽性肝功能異常**——肝功能不會再惡化下去，也不會復

任何自覺症狀卻被診斷出罹患慢性肝炎的案例。

不過，像A女士這樣在沒有自覺症狀的初期發現，如果接受治療可以很快治癒。

C型肝炎現在幾乎不會因為輸血而感染。也幾乎沒有母子之間的垂直感染或性行為的感染。

發。

然後是**HBe抗原陽性肝功能正常**，在HBe抗體呈陽性前，每三個月做一次定期檢查。如果肝功能一直維持正常，HBe抗體呈陽性的話，終生不用擔心。

另外，有的在**HBe抗原陽性時期肝功能會異常**，這種情形實際上大約十人當中有一人。此時必須接受充分的治療。

所有的病毒帶原者會變成慢性肝炎的大約有一成。在這一成中的九成有的痊癒有的還是帶原者，剩下的一成則會轉變成肝硬化。

再者，轉變成肝癌的是其中的一小部份。

●C型肝炎（詳情請參考第66頁）

1989年4月美國的凱倫（Chiron）公司發現此病毒，也製造出診斷藥劑。這是取凱倫公司的C以及發現者的朱（Choo）而命名爲C型肝炎。

據說此種急性肝炎的五成會慢性化。

●D型肝炎

此病毒和B型肝炎病毒共存。又稱爲**Delta肝炎**。

日本幾乎沒有D型肝炎，只出現在南義大利等極小部份的地區。

●E型肝炎

生吃野豬肉、鹿肉、豬肉等會引起E型肝炎。是感染到存在於這些肉裡面的E型肝炎病毒所引起的。

不只在海外旅行會感染，在國內也會感染。

E型肝炎通常爲暫時性的，很快就會恢復，但是有時也會演變成重症。

要預防E型肝炎就是野豬肉、鹿肉、豬肉等一定要煮熟後再吃，避免生吃豬肝。

肝臟疾病的種類 ③ A型肝炎

攝取帶有A型肝炎病毒的生水或生食經口感染。

到病毒蔓延地區旅行時，不要生吃食物或飲用生水

Q 我預定到東南亞出差，但同事告訴我「要小心A型肝炎」。到底該注意什麼事情呢？

A **A型肝炎**是感染到**A型肝炎病毒**的肝炎，經由口攝取汙染到A型肝炎患者糞便的水或食物時就會感染。

例如：患有A型肝炎的人手沒洗乾淨去觸摸食物，吃了該食物的人就會罹患A型肝炎。

曾有到某小吃店用餐的人們當中，有2人或3人罹患A型肝炎。冬天A型肝炎盛行，有可能是在當地吃的貝類不乾淨的緣故。

不只是貝類，日本人因爲很喜歡吃生魚片等生的魚肉，所以大多不知道被感染的原因是哪一個。

因爲東南亞罹患率很高，所以有人擔心從國外進口的魚、蝦等是否爲感染源。不過因爲進口食品會進行檢疫，所以不需擔心，煮熟後再吃會更加安心。

到這類國家旅行的話，記得不要喝生水。一定要喝煮過或自己從日本帶水也可以。

曾經發生過連續幾天的旅行將接近尾聲，「啊！還好有小心生水，今天是最後一晚了，乾杯！」說完便喝下加冰的威士忌，結果得到A型肝炎的例子。事實上冰塊是用生水結成的。如果是用煮熟的開水結成的冰的話就不會被感染了……。

由井水感染A型肝炎

某團體搭巴士旅行到觀光地區，在當地想要喝水而喝了該地的井水。

但是廁所和水井相隔不到十公尺，也沒有下水道。所以，廁所的水滲透到地底下流到井水之中，團員之中有好幾十個人都被感染A型肝炎。

如果設有下水道的話，就不會得到A型肝炎。髒水流到井水這種情形是非常糟糕的。

必須施打A型肝炎疫苗的人

要到東南亞、非洲以及中南美、大洋洲、地中海沿岸的部份地區滯留的人。患有A型肝炎患者的家人、衛生管理不足的機構的居住者和職員等。

On The Rock飲法（加冰飲用）所用的冰當中，有的是用生水結成的冰。

得過A型肝炎就終生免疫

Q 得到A型肝炎還好治好了，不過不知道還會不會再得A型肝炎而感到不安。這種疾病是會一得再得的疾病嗎？

A 大部份60歲以上的日本人對A型肝炎都已經免疫。和痲疹一樣一輩子只會得一次。如果得過A型肝炎就終生免疫。就算不記得有得過，血液檢查出有抗體的話就不用擔心。

A型肝炎是容易治癒的疾病。初期會出現發燒、倦怠感等類似感冒的症狀，覺得好像好了之後會出現黃疸，但只要接受醫師的治療，等逐漸恢復食慾，一個月後就會改善。

A型肝炎不會變成慢性肝炎

Q 我先生因為A型肝炎住院了。聽說肝臟病是很難治好的疾病，會變成慢性肝炎嗎？

A 此疾病幾乎不會危害生命。也很少變成猛爆性肝炎（請參考第68頁），大概占全部的1％而已。而且不會變成慢性肝炎，當然也不會變成肝硬化。換言之，A型肝炎是較不具危險性的肝炎。

A型肝炎的潛伏期約二週到六週。因此，從東南亞旅行回國後六週，沒有得到肝炎的話就可以安心了。（關於治療請參考第70頁）

A型肝炎疫苗

Q 要如何預防A型肝炎？

A 60歲以下的人到東南亞或非洲地區等長期居留時，要先注射**A型肝炎疫苗**（請參考上段）。

間隔2～4週打二劑，由皮下或肌肉注射，然後六個月後接種第三次就可以預防五年以上。緊急時注射**免疫球蛋白**，不過要4～5天後才有效。

肝臟疾病的種類 ④ B型肝炎

很多人誤以為B型肝炎是可怕的疾病

B型肝炎是經由血液傳染

●不是所有的病毒帶原者都會發病

Q 我女兒在醫院工作，我擔心院內感染會感染到B型肝炎，注射疫苗可以預防嗎？

A **B型肝炎**是感染到**B型肝炎病毒**所引起的肝炎。此病毒是經由血液傳染。

也就是說，只要注意不被血液感染即可。病毒不會經由空氣傳染，即使身體接觸也不會被傳染。親吻也不會傳染。

在日本帶有B型肝炎病毒的人（病毒帶原者 請參考第58頁），因爲沒有新的帶原者出現所以逐年減少，以前據說有200萬人，現在則不到一半。

這些人是會傳染給別人的傳染源，並不是所有帶有病毒反應（HBs抗原）的帶原者傳染力都很強。只有HBs抗原及HBe抗原的帶原者傳染力才強（詳情請參考病毒標記 第28頁）。不過，這些人約占所有病毒帶原者的25%。

●30%的日本人已經有抗體

在醫院護理人員採集患者的血液，而患者帶有B型肝炎，如果沾有其血液的注射針頭誤扎到自己的手指頭的話，就會感染B型肝炎。

此時必須注射含有大量B型肝炎抗體的**免疫球蛋白**（HBIG），有時候也注射**B型肝炎的疫苗**可以完全預防發病。

所有在醫院工作的人，並不一定都要注射疫苗或免疫球蛋白。這是因爲**30%**的日本人已經帶有HBs抗體，具有免疫力，即使接觸到B型肝炎也不會罹患肝炎。

帶有HBs抗體的人就算不小心被針扎到也不會發病。

病例

●遵守醫師的指示，已恢復的B型肝炎

B先生是一位40歲貿易公司的職員，到東南亞出差有和當地的女性發生性行為。回國二個月之後，身體開始感到倦怠，出現黃疸，就醫之後診斷為B型肝炎。

B型肝炎的潛伏期為1~6個月，所以感染後六個月內不知何時會發病，因此不可疏忽大意。

立即住院後臥床休息，接受點滴、服藥等治療。住院時血液中的AST、ALT值高達3500~4000，二週後降到800，一個月後降到100以下，之後出院在家休息。

剛開始完全沒有食慾，後來逐漸恢復，出院時食慾旺盛而擔心會發胖。但是，肥胖會讓脂肪囤積在肝臟，所以三餐必須清淡，米飯的量控制在一碗以內。另外詢問感染途徑，也問到性行為，患者沒有老實回答而是要求不要告訴他太太。尊重患者的隱私保守秘密是醫師的首要義務，所以沒有告訴他太太。

病毒消除後就出院，所以家庭方面應該沒有任何問題。

沒有抗體的人，可以先注射疫苗產生抗體。通常注射2~3次就會產生抗體，不用擔心。

在醫院裡，全面落實預防B型肝炎病毒的措施。沾有血液的針頭不直接丟棄，要放到大的瓶子裡蓋上蓋子後進行處理。針筒也都是用後即棄，只使用一次就丟棄。紗布也一樣。由於B型肝炎病毒怕熱，因此醫療器材會以高溫殺菌之後再使用。

有了這些措施才能讓在醫院工作的醫護人員們安心的工作。

也讓患者在醫院不會罹患B型肝炎。因此，不需要擔心這一點。

也有人擔心看牙齒時會不會被傳染，基於以上的理由因爲滅菌做得很完善，所以不會傳染。而牙醫本身也會注意避免被患者傳染。因爲將手指放到幼兒口中進行治療，有時會不小心被咬到。

B型肝炎和垂直傳染

●擔心垂直傳染之前檢查HB病毒

Q 聽說帶有B肝炎病毒的母親會將病毒傳染給小孩，這是真的嗎？

A 母親帶有B型肝炎病毒（又稱爲HB病毒）生產時會將病毒傳染給小孩，稱爲**垂直傳染**。

垂直感染最重要的觀念是，並不是所有HBs抗原陽性的母親（詳細情形請參考病毒標記 第28頁）都會傳染給小孩。

也就是說，母親HBs抗原陽性而且HBe抗原陽性的話，所產下嬰兒的90%會受到病毒感染，但是，即使母親HBs抗原陽性，如果有HBe抗體的話，所產下的嬰兒不會被病毒感染。

因此，有HBe抗體的母親可以安心產下胎兒。

●垂直傳染的預防

舉例來說，即使母親是HBe抗體陽

性而直接生下疑似被垂直感染的嬰兒，或者是最近被檢驗出是HBe抗體陰性等，依照上述的情況可施打含有B型肝炎抗體的免疫球蛋白（HBIG）和B型肝炎疫苗就可以完全預防垂直傳染。

因此，母親帶有B型肝炎病毒，都會傳染給嬰兒的觀念是錯誤的。

B型肝炎也會經由性行為傳染

●蜜月傳染

Q 聽說B型肝炎也會經由性行為傳染，是真的嗎？

還有其他什麼行為會傳染呢？

A B型肝炎是經由血液傳染，但是性行爲也會傳染。

以前又稱爲**蜜月肝炎**。也就是說，結婚時不知道男女其中一方帶有B型肝炎，在蜜月期間感染。

雖然說是性行爲所傳染，起因是有出血而感染。因此，親吻不會傳染B型肝炎。因爲唾液中的病毒含量極少不足以造成傳染。

說一下題外話，最近蜜月肝炎已經顯著減少。這是因爲婚前就已做好該做的措施的人越來越多。相反的，經由男朋友或女朋友之間的性行爲而感染的案例反而增加了。

●即將要結婚的人

即使有一方是HBs抗原陽性，另一方是HBs抗體陽性的話就不會傳染。如果，HBs抗體爲陰性時，事先施打疫苗就沒關係。如此一來就可以終生預防感染。

●東南亞地區個案多的病毒帶原者

東南亞地區B型肝炎病毒帶原者高達日本的5～7倍之多。因此，旅行時發生性行爲時就有可能會感染。

但是，此時也是如果自己已經帶有HBs抗體的話就會免疫不會發病。

B型肝炎病毒絕對不會因爲握手、坐在隔壁工作、用同一台洗衣機洗內衣褲、

誤解B形肝炎所引起的悲劇

某位女性因為是B形肝炎病毒帶原者而被要求離婚。

這是婆婆在某本書上看到上面寫著「帶有B形肝炎病毒的母親會將病毒傳染給所生的小孩」，所以對兒子說「這種老婆不好」要求兒子和媳婦離婚。

女性就算HBs抗原陽性但HBe抗原陰性，HBe抗體陽性的話，就不會傳染給小孩，就算有可能會傳染，只要施打免疫球蛋白就可以完全預防，實在是很遺憾。

另外還有其他個案是先生提出「因為你帶有病毒」而要求離婚。

不過這種情況已經不

再發生了。就算有一方是ＨＢ帶原者，其結婚對象也很高興的前來接種疫苗。小倆口帶著笑容來到醫院。

一起用筷子吃火鍋、用同一個茶杯喝茶、一起泡澡而傳染。

（關於Ｂ型肝炎的治療請參考第71頁、Ｂ型慢性肝炎的治療請參考第78頁）

●找工作時

有些人找工作時會因爲自己是Ｂ型肝炎病毒帶原者而感到擔心，就業指導原則上有規定不准以有無ＨＢＶ爲採用條件，所以不用擔心就業問題。而且健康檢查發現爲ＨＢＶ陽性時，一定嚴禁對外宣揚「此人是陽性」。這件事只有當事者和主治醫師知道即可，也不需向主管報告。

母子傳直傳染可以預防

母親為B型肝炎就一定會傳染給嬰兒的觀念是錯誤的。即使母親有感染到B型肝炎注射疫苗或免疫球蛋白就可以預防。

已經減少的輸血後感染

肝臟疾病的種類 5 C型肝炎

輸血引起的C型肝炎的發生率幾乎為零

Q 我在二十年前手術時有輸過血，前一陣子健康檢查的血液檢查診斷出有C型慢性肝炎。輸血後已經過了二十年，還會發病嗎？

A **C型肝炎**會因爲輸血而感染。即使健康檢查發現慢性肝炎，被診斷爲C型肝炎，當事者常不記得在什麼情況下受到感染。

仔細想想會突然想起「對了，我在十年前還是二十年前手術時有輸過血」。

很難直接證明是否眞爲此所引起，只能說是可能的因素之一。

Q 無法預防輸血後的C型肝炎嗎？

A 現在已經開發出佔輸血後感染的大部份的C型肝炎病毒的檢查方法，

從1989年11月日本領先全世界輸血時不使用捐血者C型肝炎病毒抗體陽性者的血液，此外，從1999年開始不使用病毒基因爲陽性者的血液。

自此之後，**輸血後肝炎**幾乎不再發生。

但是，捐血者剛感染到病毒時，病毒檢查還不會呈陽性。

此類空窗期C型肝炎病毒爲23天，B型肝炎病毒爲34天，必須要小心。

另外，手術時如果一定要輸血時，可以輸自己的血液。

這是事先將自己的血取出冷凍，必要時使用。如此一來就不需擔心得到肝炎，也不用擔心會得到其他疾病。

C型肝炎和性行為

這是大約十年前的事情，某位太太為了以防萬一進行血液檢查，結果發現HCV抗體呈陽性。

剛好在那個時候某周刊雜誌刊登一個「性行為感染的C型肝炎的恐怖」大標題的文章。看到這篇文章的太太大吃一驚，陷入半瘋狂狀態。

「我除了我先生以外沒有和其他男人發生或性行為，為什麼我會得到C型肝炎呢？我先生懷疑我讓我覺得無地自容。」

當時我告訴她「HCV抗體陽性不

一定就帶有病毒。為了保險起見我們來檢查病毒好不好？」，檢查結果為陰性。我告訴她沒有病毒就不用擔心，她才平靜下來。

現在透過病毒基因的分子生物學檢查已經證實性行為不會引起C型肝炎。

疾病尚未查明之前會有各種臆測所產生的訊息四處流傳。被這一類的訊息牽著鼻子走的話，自己也會陷入不幸，也會影響到另一半。

關於疾病一定要請教專家，這才是最重要的。

C型肝炎的感染途徑及感染後的發展

Q 請告訴我關於C型肝炎的感染途徑及其預防的最新情報

A **輸血** 關於輸血前面已經提過。

透析治療 腎臟功能不好進行透析治療感染率多達23％，不過不能說這是唯一因素。

針扎意外 醫療人員被沾有病毒血液的針扎到會造成感染。但是這樣的機率不高，雖然有報告指出針扎意外的10％血液中帶有病毒，不過幾乎都是暫時性發病，經過治療已有痊癒的個案。不過，如果AST（GOT）、ALT（GPT）如果持續上升的話，爲了安全起見必須使用干擾素（83頁）治療。

另外，根據統計和從事一般工作的人相較之下，醫療人員C型肝炎病毒抗體陽性者不會比較多。

母子垂直傳染 有報告指出帶有C型肝炎病毒的母親生產時，傳染給嬰兒的機率爲2％。

而且有的嬰兒體內的病毒會自然消失，所以不用太擔心垂直傳染。

性行為 幾乎不會由性行爲傳染。就算夫妻都有C型肝炎，也不能證明是夫妻間傳染。需要確認是否爲同一型的病毒。經過嚴密的檢查發現夫妻間的感染也只不過幾個百分比而已。

民間療法、針灸 不會引起出血的針灸不會成爲感染源。當然如果器材經過煮沸消毒就不會有問題。

蚊子等昆蟲 此病毒在昆蟲的體內不會繁殖，不會成爲感染源。

原因不明 也有找不出確切的原因。

那感染到C型肝炎病毒會經過哪些病程？因爲針扎意外感染到病毒又發病的爲當中的一成。

（關於C型急性肝炎的治療請參考第71頁，C型慢性肝炎的治療請參考第82頁）

肝臟疾病的種類 ⑥ 猛爆性肝炎

肝臟疾病當中死亡率最高的疾病。發病後需要充分的治療。

肝臟整體細胞急遽壞死

Q 在報紙上看到死於猛爆性肝炎的新聞。好像是相當可怕的疾病，究竟是什麼疾病呢？

A 1987年7月報紙上刊登了一則在日本三重大學附屬醫院有二位年輕的實習醫生和一位護理人員相繼罹患B型肝炎，其中二位死於猛爆性肝炎的新聞。「什麼是猛爆性肝炎？有那麼可怕嗎？B型肝炎也會變成猛爆性肝炎的話，那它也是可怕的疾病嗎？」每個人都感到震驚。

沒錯，猛爆性肝炎確實是個可怕的疾病。**猛爆性肝炎**是非常嚴重的肝炎，肝臟整體急遽嚴重壞死，造成消化道、肺、腦等部位出血，罹患肺炎等感染疾病，造成腦水腫等危及生命。

發病數日後即昏睡，現在即使進行所有最完善的治療也有70％的人會死亡。也就是說，罹患猛爆性肝炎時當中有七人以上會死亡，十人當中只有2、3人獲救。猛爆性肝炎可以說肝臟幾乎沒有功能，肝臟機能近乎零。

此猛爆性肝炎的發病率占急性肝炎的5％以下。

●大部份原因是病毒性肝炎所引起

罹患猛爆性肝炎90％的原因爲A型、B型、C型、D型、E型等肝炎病毒所引起的。這可能是身體對病毒所產生的免疫反應過強的結果所引起。

●其特徵為會先出現精神神經症狀

猛爆性肝炎在初期會出現發燒、頭痛等症狀，但較具特徵性的是數日內會出現精神神經症狀。

剛開始會沒有精神、精神恍惚頭腦不清楚、目光無神雙眼發睏，之後就出現嘔

病例

●罹患猛爆性肝炎進行血漿置換術復原的個案

現今猛爆性肝臟還是很可怕的疾病。急性肝炎的5％會轉變成猛爆性肝炎，原因不明。發病初期肝功能變差沒有食慾，進而感到十分倦怠，所以要盡快開始治療。

這一位是64歲的家庭主婦罹患猛爆性肝炎。診斷之後立刻進行血漿置換術。先採集患者的血液，持續送進機器內，將血液分成血漿和血球（紅血球等血液的紅色部份）。此時只處理血漿，血球送回患

者體內。然後將血庫送來的血漿注入患者體內。每次交換多達3～5L的血漿，也就是幾乎更換了體內所有的血漿。

肝臟不好時，有毒物質會積聚在血漿中傷害腦部功能，引起肝性腦病變或肝昏迷，不過藉由將不好的血漿換成健康的血漿之後，意識就會恢復正常。

這位女士在經過四次的血漿置換術之後，肝臟和意識都恢復正常而出院。

吐、無法計算、雙手顫抖、對外呼叫沒有反應。

此時為重症的肝炎，一定要密切注意不可掉以輕心。此外，在完全昏迷之前，必須要盡早進行特別治療。

在醫院日夜密切觀察患者，夜裡如果發現意識有變化時，就算是半夜也要進行血液交換（血漿置換術 請參考第72頁上段）的治療。

（關於猛爆性肝炎的治療請參考第73頁）

B型肝炎不等於猛爆性肝炎

Q 聽說在各種肝炎當中B型肝炎會轉患變成猛爆性肝炎所以是個可怕的疾病，這是真的嗎？

A 在三重大學曾發生過B型肝炎變成猛爆性肝炎。所以有人懷疑B型肝炎是否是個可怕的疾病，但事實上，不是只有B型肝炎會引起猛爆性肝炎。

A型肝炎也會引起猛爆性肝炎，也有其他原因引起猛爆性肝炎。

B型肝炎病毒只不過是導致猛爆性肝炎發病的原因之一。

病毒性肝炎造成猛爆性肝炎極為罕見，但如果出現上述症狀要立即就醫。

① 急性肝炎的治療

最好住院臥床休息並接受充分的治療

A型肝炎的治療

●為了獲得足夠的營養、絕對臥床休息最好是住院治療

Q 被診斷為急性肝炎，醫師建議住院治療。為什麼一定要住院呢？以及用什麼方法治療呢？

A A型肝炎病毒引起的急性肝炎的初期症狀爲全身倦怠，也無法進食。因此，必須盡可能住院接受充分的治療。

●利用點滴補充不足的葡萄糖

首先除了充分臥床休息之外，還要注射點滴補充葡萄糖。每天注射5～10％的葡萄糖約500～1000ml，並添加大量的維他命製劑。例如維他命B_1、B_2、B_6、B_{12}等。利用此方法補充肝臟營養素，供給能量，增加肝臟血流量。

葡萄糖在體內主要是用來做爲能量來源的營養素，從肝臟供應到血液。罹患急性肝炎時肝臟功能急速衰退，造成由肝臟供應的葡萄量減少，血液中含量就會不足。結果，身體分解體內的蛋白質製造葡萄糖，用來做爲能量來源（醣質新生作用）。蛋白質是構成身體的基本營養素，逐漸被分解之後體力就會變差。因此，注射葡萄糖身體的蛋白質就不會被分解，所攝取的蛋白質可以立刻就被利用。

服用的藥物以促進消化、綜合維他命製劑等就足夠了。A型肝炎是容易治癒的肝炎，也不會變成慢性肝炎。有時會使用Urso、Proheparum等藥物。（關於飲食療法請參考第76頁）

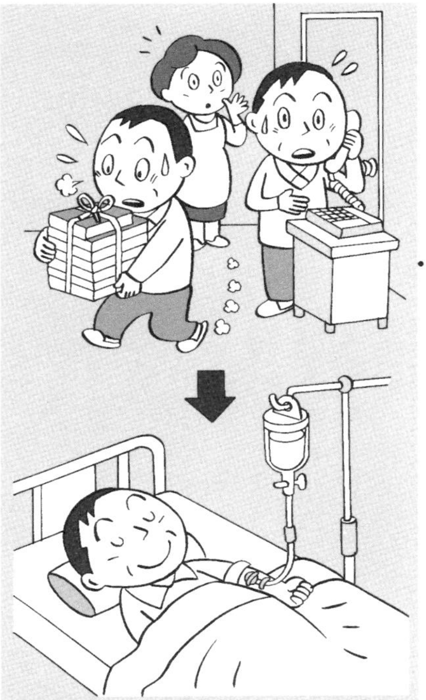

最好的方法是住院後絕對臥床休息，接受點滴注射等治療。

B型急性肝炎的治療

●成年後感染時，幾乎不會變成慢性

B型肝炎病毒（HB Virus）是經由血液傳染。

成年後感染時，B型急性肝炎和A型肝炎幾乎一樣容易治癒，不會變成慢性肝炎。

因爲B型肝炎預後良好，和A型肝炎一樣，住院之後絕對臥床休息、接受點滴及藥物治療的話，1～2個月之後就會改善。

（關於飲食療法請參考第76頁）

C型急性肝炎的治療

●要完全治癒需要有耐心的接受治療

C型急性肝炎的症狀和A型、B型幾乎相同，身體會感到倦怠、沒有食慾、出現黃疸。

和其他急性肝炎一樣要住院絕對臥床休息，注射5～10%葡萄糖500～1000ml和添加大量各種必須的維他命的點滴。

1～2週之後食慾就會恢復，倦怠感也消除，精神也恢復正常。

但是，據說輸血後引起的C型肝炎其50～70%會慢性化。在完全痊癒之前不可大意，需要有耐心的持續接受治療。

經過1～2個月仍然沒有治癒時，每天靜脈注射40ml的stronger neo-minophagen C（簡稱SNMC），可以提早痊癒。

開始注射SNMC之後，必須要有耐心持續注射三個月到六個月的堅強意志。因爲如果突然停藥的話，病情會復發惡化。

每天注射持續一個月左右，如果有好轉，就可以依序每週三次、每週二次、每週一次漸漸減少注射次數。

依此方法數個月之後就可以停藥。

口服藥方面有幫助肝功能、補充必要的成分、提高恢復力的作用，有Urso、Proheprum、EPL、Glutachione、小柴胡湯等（詳情請參考第116頁之肝臟疾病的治療藥物）。

小柴胡湯和SNMC的主要成分都是甘草酸（Glycyrrhizin），會抑制體內副腎皮質荷爾蒙的糖皮質素（glucocorticoid）的分解，藉由提高血液中的濃度，利用此荷爾蒙促進肝臟恢復。最近也嘗試儘早使用干擾素來預防慢性化。

（關於飲食療法請參考第76頁）

血漿置換術

肝臟因為猛爆性肝炎等原因完全喪失功能時，也就失去排除血液中有毒物質的肝臟功能，血漿中毒素堆積，置之不理的話會導致死

D型急性肝炎的治療

●日本幾乎沒有案例

感染δ**病毒（delta virus）**所引起的肝炎，常合併感染B型肝炎病毒。據說再加上δ抗原就會重症化，也容易慢性化。

不過，幸好在日本幾乎沒有發生，到現在爲止還不到20個個案報告。日本的首例報告是來自1982年的三井紀念醫院。

全世界以義大利等歐洲國家居多。

D型急性肝炎的治療和B型急性肝炎相同（請參考前一頁），如果嚴重化、變成猛爆性肝炎的話，必須進行C型肝炎的特殊治療（請參考次頁）。

亡。此時將不好的血漿換成好的血漿的方法稱為**血漿置換術**。

具體而言，是抽出患者的血液分離成血漿和血球，原有的血漿不要，取而代之將新鮮冷凍血漿和患者的血球混合後輸入患者體內的方法。

利用此方法有時可以使病情急速改善，挽回一命。進行一次無法改善的話就進行二次、三次、甚至是十次。

一次所交換的血漿的量約3~5L，捐血者（供血者）一人份的血漿為80ml，所以每次是使用40~50位捐血者的血液。進行好幾次就需要用到數百人份的血液，不過所捐出來的血液挽救了猛爆性肝炎患者的性命。

E型急性肝炎的治療

爲流行區域爲印度、緬甸等地，經由口傳染的肝炎。有時也會因自來水管道受到汙染同時有一萬人感染。治療方法和A型肝炎相同（請參考第70頁）。

孕婦容易轉變爲重症，所以必須特別注意。

猛爆性肝炎的治療

●使用所有的治療方法挽救性命是先決要務

猛爆性肝炎的治療方針是在發病後數日內的重要期間，使用所有幫助恢復肝臟功能的方法想辦法使患者脫離險境，直到肝臟本身的恢復力產生。

首先要絕對臥床休息，在葡萄糖內添加各種維他命，每天從中心靜脈24小時注射2000ml以上。另外因爲容易出血，所以要採取預防措施，也要採取預防腦水腫的措施。

肝臟最重要的功能是合成蛋白質。此功能衰退時，讓血液凝固的蛋白質以及維持生命所需的蛋白質會缺乏而容易出血。要輸冷凍血漿補充蛋白質。

●更換新鮮的血漿

而特殊的治療方法有**血漿置換術**（請參考前頁上段）。

猛爆性肝炎患者的血漿（血液中的液體成分），因爲肝臟功能不好所以堆積許多有毒物質。血漿置換術是將患者的血漿和新鮮乾淨的血漿做交換。

血漿置換術是從患者身上連續抽出血液，然後立刻送入分離血漿的機器，將血液分離成血漿和血球，丟棄不好的血漿，取而代之將新鮮冷凍血漿和患者的血球混和之後再輸入患者體內的方法。

猛爆性肝炎治療中心的昭和大學藤之丘醫院的與芝醫師，提出使用排除引起肝昏迷的中分子物質的PMMA膜血液透析法。報告顯示此治療方法和血漿置換術以及干擾素，讓猛爆性肝炎患者高比例恢復。

猛爆性肝炎肝臟移植前的手續

診斷為猛爆性肝炎並符合肝臟移植條件時，要向患者的家屬說明並取得同意。

●登記腦死肝臟移植。

●連絡腦死肝臟移植機構。

信州大學第一外科
京都大學移植外科

●由腦死肝臟移植條件評核委員會提出申請審查

●向日本器官移植網站登記

●也會探討活體移植

主要項目如右所述之步驟。

最重要的是對家屬做充分的說明並獲得同意（Informed consent知情同意）。

●猛爆性肝炎的二種類型

猛爆性肝炎有**急性**和**亞急性**二種類型。急性猛爆性肝炎在發病後十天內會陷入昏迷，亞急性爲十天以後才會陷入昏迷。

而急性的內科治療的救活率爲52%，亞急性的救活率爲32%，亞急性的救活率較低。

猛爆性肝炎的內科治療的救活率只有整體的30%，最近認爲肝臟移植是改善生命預後的最佳治療方法。

●猛爆性肝炎肝臟移植的成果

歐美很早就已經開始針對猛爆性肝炎進行**肝臟移植**。

根據移植中心地之一的美國・匹茲堡的成果，從1987年到1995年之間肝臟移植有17729例，已經超過一萬個案例。

其中有1066個案例是猛爆性肝炎的肝臟移植。

結果，一年的存活率有71%、五年的存活率也有63%之優秀成果。這代表肝臟移植拯救了6~7成猛爆性肝炎的患者。

●活體肝臟移植的救活率為七成

日本不像歐美國家是進行**屍體肝臟移植**，而是主要進行**活體肝臟移植**。在2003年底以前所進行的日本肝臟移植將近2700個案例。

其中對於猛爆性肝炎，成年人、孩童個案總共有310個活體肝臟移植，二個屍體肝臟移植。

其一年的存活率爲71.9%、三年存活率爲70.3%、十年存活率爲68.3%等不錯的成績。

由此可知在日本的活體肝臟移植和歐美一樣，對猛爆性肝炎有很好的成效。也就是說，有七成的人因而獲救。

●肝臟移植的適應症

在什麼情況下才符合肝臟移植的條件呢？

日本的腦死肝臟移植適應評估委員會對於肝臟移植的適應症指南如下：

出現下列五項中的二項情況時，預測有可能會導致死亡，要登記進行肝臟移植。

1. 年齡在45歲以上
2. 從發病到出現腦部症狀的期間超過十一天以上
3. 凝血酶原時間在10％以下
4. 總膽紅素值在18．0 mg/dl以上
5. 直接膽紅素值/總膽紅素值的比在0．67以下

也要參考後續的內科治療的反應，綜合這些資料後再決定是否要進行肝臟移植。實際的步驟已陳述在前頁上段。

●三井紀念醫院的治療方法

截至目前爲止的治療方法都是針對罹患猛爆性肝炎的治療方法。當我們判斷有罹患猛爆性肝炎的危險性時，會先進行治療防範猛爆性肝炎於未然，獲得不錯的效果。在此向各位介紹也有這種治療方法供做參考。

重症的急性肝炎患者住院時，一定要評估這位患者會逐漸好轉還是惡化。

最好的指標是凝血酶原時間。我們每半天或每六小時檢查一次。此檢查值升高的話就會好轉。如果逐漸下降肝炎幾乎都會惡化，有可能1～2天之後轉變成猛爆性肝炎。

一旦變成猛爆性肝炎，治療上就非常棘手，所以如果預期會變成猛爆性肝炎，就要和猛爆性肝炎一樣立刻進行干擾素和類固醇脈衝治療（steroid pulse therapy）。

有三個個案在接受此治療後七天以內病情獲得改善，並挽回一條生命。

急性肝炎的飲食療法

急性期需要注射點滴所以要住院

Q 就醫後診斷為急性肝炎。一點食慾也沒有。

A 關於急性肝炎的飲食可以分爲二個階段。分別是最惡劣的時期（急性期）以及逐漸好轉的恢復期。

所謂**急性期**是指疾病的初期，全身像洩了氣般無力、完全沒有食慾、AST（GOT）及ALT（GPT）基準值應低於30以下卻高達1000～2000的時期。出現黃疸時，大部份會渡過危險期，食慾也會逐漸恢復。

此時期雖然說「要攝取高營養食物」，事實上卻沒有任何食慾。因爲肝臟受損相當嚴重，蛋白質被持續被分解，合成能力也變差。所以此時期只要能平安無事的渡過就好了。

飲食主要以稀飯、麵食、麵包、薯類、葛粉湯等好消化．吸收，容易被身體利用的醣類爲主。醣類一天以350g爲標準，但恐怕沒辦法吃下那麼多的食物。不足的部份可以用點滴補充。

如果沒有醣類，蛋白質就會更加被分解。如果沒有攝取到100g的蛋白質的話，蛋白質就會被分解。利用點滴輸注葡萄糖和維他命可以補充水分和熱量，促進肝臟的血流，補充比健康時更多的身體所需維他命。

事實上，注射點滴宛如遇到沙漠中的綠洲一般，身體會較舒適，有獲得重生的感覺。點滴注射無法在自家進行，所以急性期還是要住院比較好。

另外，膽汁的分泌也變差，只是看到油脂就想吐，所以要採低油飲食。一天約攝取30g即可。

急性期並不會很長。大概1～2週。AST值也下降、黃疸也消退之後就採取接下來恢復期飲食。

急性肝炎急性期的飲食重點

因為會食慾不振、噁心，所以要採取如下列的高糖低脂肪飲食。

1. 以醣類和澱粉類為主（醣類一天為350g）。如果無法進食則注射點滴。
2. 不要攝取太多脂肪（一天不超過30g）。
3. 不要攝取太多蛋白質（一天為每一公斤體重約1.2g。平均為60～80gm）。
4. 總熱量為一天1600～2000kcal。

恢復期容易稍顯肥胖，所以要注意避免肥胖

急性肝炎恢復期的飲食重點

以高蛋白、高熱量、高維他命為原則

1. 一天2300～2500kcal的熱量
2. 蛋白質一天90～100g
3. 脂肪一天60～70g
4. 醣類一天380～400g
5. 豐富的維他命
6. 避免肥胖

恢復期要攝取充分的營養

恢復期受損的肝細胞會重新製造再生，肝臟功能也會慢慢恢復正常，因此需要蛋白質來建構細胞和酵素。所以這段時期需要更多的營養，尤其要注意蛋白質的攝取。高蛋白、高維他命、高營養素，也就是要「吃、吃、吃、盡量吃」的時期。與其吃23顆小小的錠劑，不如大口吃一份厚五公分的牛排對肝臟還比較有幫助。

因此卡路里（熱量）要2300～2500kcal。這也和體質有關，熱量超過2500kcal的話，日本人都會發胖。所以2500kcal以下就夠了。

對高蛋白、高脂肪料理只要攝取所需的量，蛋白質為90～100g，平均一公斤體重1．5g。如果是日本人的飲食的話為60～70g，脂肪的攝取盡量以植物性脂肪為主。這是為了預防動脈硬化。其它熱量用醣類來補充大約380～400g。維他命、礦物質只要一天食用三十種以上的食品，身體自然就會攝取。

接下來有一件重要的事。因為是處於恢復期所以會被勸「要多吃」。以及因為需要休息，所以又會被勸「飯後睡二小時」。結果變成「吃飽睡、睡飽吃」的生活因而發胖。肥胖會造成脂肪肝，那麼，究竟該怎麼辦呢？

一旦有肥胖的傾向就要減少卡路里的攝取。平均一天2000或1600kcal。減少卡路里時，要減少醣類也就是飯和油脂（油），不要減少蛋白質。

減少所攝取的卡路里接近理想體重時，肝功能也會更加改善。肥胖對肝臟的功能會有不好的影響。

採取高蛋白高熱量的飲食療法，
但要避免肥胖

肝臟疾病的治療 ③ **B型慢性肝炎及其治療**

肝功能異常持續六個月以上的病毒性肝炎

●慢性肝炎是從急性肝炎演變而來的嗎？

Q 罹患急性肝炎會變成慢性肝炎嗎？

A 會不會變成慢性肝炎依病毒種類而定。

A型肝炎不會變成慢性。B型和C型、D型會變成慢性肝炎。E型尚不明確。D型在日本幾乎不會出現，所以結果慢性肝炎只有B型和C型。

有關B型肝炎方面，成人之後所感染的急性肝炎並不會轉變成爲慢性肝炎。四歲以下感染持續帶有病毒的狀態（病毒帶原者）發病時，會變成慢性肝炎。可是，會發病的大約十位中有一位。

B型慢性肝炎在HBe抗原消失之後會穩定下來。

B型慢性肝炎的預後

Q B型慢性肝炎肝臟的數值會居高不下持續好幾年，可以治癒嗎？要如何知道預後好不好？

A 確的，當AST（GOT）、ALT（GPT）好幾年甚至十年以上都沒有恢復到基準值，會讓人擔心究竟會不會好？到底何時會好？如果可以知道預後如何就可以安心。

有方法可以知道預後如何。那就是檢測**HBe抗原**和**HBe抗體**以及**DNA聚合酶**（DNA polymerase）（此爲病毒繁殖所需的酵素）。HBe抗原消失，HBe抗體出現的話，肝炎就會穩定下來。AST・ALT恢復到基準值，慢性肝炎就會痊癒，肝臟恢復到將近正常的狀態。

那麼，HBe抗原何時會消失呢？只要檢測DNA聚合酶就可以確認。DNA

容易和慢性肝炎混淆的脂肪肝

急性肝炎住院之後，過著一直躺在床上睡、充分攝取營養飲食的療養生活。

由於過著「吃飽睡，睡飽吃的生活」，結果造成肥胖。

一旦肥胖則容易造成脂肪肝。因罹患脂肪肝使得肝臟功能衰退。檢查數值也超出基準值。

這麼一來患者開始擔心是否會造成慢性肝炎，在這種情況時只要治療肥胖，體重減輕之後，數值就會恢復基準值，不用太擔心。

聚合酶是B型肝炎病毒的繁殖指標。因此當DNA聚合酶高達一萬到三千時就代表病毒還在繁殖尚未消失。

但是當DNA聚合酶降到200或50時，就知道病毒已經沒有在進行繁殖，不久之後HBe抗原就會消失。結果，HBe抗體產生，AST、ALT很快的恢復正常。

促進肝功能的肝臟用藥

慢性肝炎的治療，首先最重要的是遵守休息療法（請參考第122頁）和飲食療法（請參考第87頁）。接下來有必要的話使用下列幫助肝臟功能、提高恢復力的藥物（**肝臟用藥**）進行治療。

Urso是和熊膽相同成分的熊去氧膽酸製劑（Ursodeoxycholic acid），每天服用3～6錠。有助於改善AST・ALT。

Proheparum是肝水解物，也就是用酵素將肝臟分解後的成分，一天服用3～6錠。服用之後有助於改善AST、ALT等肝功能檢查值（18頁）。

Glutachione是提高肝臟解毒功能的藥物，一天服用3錠。也有注射藥物。

EPL是細胞膜的組成成分，具有安定細胞膜的作用。一天服用3～6顆膠囊。

其它因爲肝臟內缺乏維他命，所以要服用綜合維他命製劑來補充。

注射藥物方面有複方甘草甜素（SNMC）。中藥方面有**小柴胡湯、十全大補湯、六君子湯**等。

●SNMC（Stronger Neo-Minophage C複方甘草甜素）的治療

複方甘草甜素（SNMC）是經由靜脈注射的治療。一劑有20ml，通常是注射二劑40ml。如果效果不彰時，可以注射到五劑100ml。

此藥物含有甘草酸（glycyrrhizin）、半胱胺酸（L-cysteine）、氨基乙酸（Aminoacetic acid）等成分，可以改善AST・ALT，抑制肝臟發炎。

干擾素（Interferon）的副作用

注射第1～2天會發燒到38度或38度以上，不過使用解熱鎮痛的塞劑之後就會降溫。第4～5天會輕微發燒，之後發燒就會穩定下來。

除了發燒之外，還會合併全身倦怠、頭痛、關節痛等症狀，不過會逐漸改善。

另外也會引發毛髮脫落，但症狀輕微，只是梳頭時梳子上的頭髮多了點而已。目前還沒有頭髮掉光的案例。治療結束之後會恢復正常。

大約是一百位當中會有一位出現心情低落、鬱悶等憂鬱症狀的患者，原本就有憂鬱問題的患者不投與此藥，如

其他口服藥無效時，也就是AST・ALT沒有從200～300往下降時，就進行此治療。

剛開始原則上要每天注射，幾乎恢復正常值之後改每週三次。持續一個月如果還是維持在正常值附近時，就可以依序改為每週二次、每週一次、然後結束治療。

要注意不要中途停藥。突然停藥的話，AST・ALT會反彈性升高。幾乎沒有副作用，不過有時血壓會上升。

B型慢性肝炎的干擾素（Interferon）治療

要根治B型肝炎只要消滅B型肝炎病毒就可以。而消滅病毒的藥物也就是**抗病毒藥物**，其中之一是**干擾素**。

具體上是以讓HBe抗原呈陰性為目的。HBs抗原消失會比較慢，不過HBs抗原還在也沒關係，只要HBe抗原消失的話，肝炎就會緩和下來。

HBe抗體反而呈陽性時，就可以更加確定其療效。

干擾素有α、β等幾種。干擾素α有「基因重組型」的α-2a及α-2b，以及「天然型」的干擾素α。這些都是用肌肉注射。干擾素β是「天然型」，是靜脈注射用的干擾素。這些藥效幾乎都一樣。

至於何時該使用干擾素呢？要在DNA聚合酶1000以下、AST・ALT中度偏高時使用（100左右）。

DNA聚合酶在3000～10000時則無效。另外AST・ALT完全正常時也無效。

一般是每天連續使用四週。因為需要每天注射所以必須安排住院。

干擾素發生作用時，首先DNA聚合酶會降低到零，HBe抗原會消失。如此一來，AST・ALT會恢復正常。以及HBV・DNA（病毒基因）會呈陰性。

不過，其有效性並不一定都很高，20%使用後HBe抗原立刻消失，有40%在使用後半年到一年才消失。

果出現症狀立刻停藥就可以預防。

出現呼吸喘咳嗽時，要檢測呼吸功能，只要稍微出現異常就要停藥。

Entecavir

這是針對B型肝炎病毒具有抗病毒作用的新藥。

投藥之後很多個案病毒消失，肝功能也恢復正常。少有突變病毒的出現，對Lamivudine（下段）無效的個案也有效。但是開始服用之後就需要耐心的長期服用。

●口服抗病毒藥物

口服抗病毒藥物有Lamivudine，不過在服用過程中有時會出現對藥物有抗藥性的**突變病毒**，現在主要是用Entecavir（請參考上段）。

●有時HBe抗體陽性也需要注意

一般HBe抗原消失，HBe抗體出現的話肝炎就會改善，也不具傳染性，但也有少見的HBe抗體陽性肝炎仍持續進展，感染性也高的情況。

這是因爲B型肝炎病毒產生變化，病毒變成**突變病毒株**的緣故。此時，HBe抗原消失，HBe抗體陽性但病毒持續繁殖，肝炎還在惡化在這種情況之下會考慮進行干擾素治療。

而且此時即使HBe抗體爲陽性還是具有傳染性，所以生產時要施打疫苗，此外結婚，或發生針扎事件時也一定要施打疫苗。

其判斷方法就是是HBe抗原陰性、抗體陽性但肝臟功能不好，DNA聚合酶高，HBV・DNA陽性。此時就必須要注意。

不可以只依賴藥物。重要的是要遵從醫師指示進行治療。

肝臟疾病的治療 ④

C型慢性肝炎及其治療

事先了解在什麼情況之下使用干擾素才有效。

所謂C型慢性肝炎

此為C型肝炎病毒所引起的肝炎。AST（GOT）、ALT（GPT）等肝功能檢查值異常持續六個月以上時稱為**C型慢性肝炎**。

C型慢性肝炎也分為容易惡化的活動性及不易惡化的非活動性。

專業性判斷是否為活動性要利用肝臟切片檢查，了解肝臟組織的狀況、肝細胞的損傷程度、炎症細胞的多寡以及纖維是否增生等來進行判斷，但不是所有的人都要進行肝臟切片檢查。

因此慢性肝炎的發展狀況、輕度或重度、有無惡化的標準，判斷方法如下：

輕度慢性肝炎

肝臟切片檢查結果雖然不是活動性肝炎，就算是活動性也是輕度肝炎。一般AST・ALT低於80以下，血小板數目在基準值十五萬以上。

活動性的慢性肝炎

肝臟切片檢查結果屬於活動性肝炎，AST・ALT偏高在80以上，血小板數目在十萬到十五萬之間。

肝硬化

慢性肝炎和肝硬化的界線很難劃分，以血小板數目十萬為界線，在十萬以上診斷為慢性肝炎，十萬以下為肝硬化。

●為何以血小板數目為標準

血小板是具有止血功能的血液成分，貯存於脾臟。罹患肝硬化時，流向脾臟的血液量會變多，脾臟因此腫大。造成貯存在脾臟的血小板的量變多，血液中的含量就變少。

簡言之，罹患肝硬化時脾臟會腫大，造成血小板數量變少，因此當血小板數量變少時，有可能是罹患肝硬化。

C型肝炎和日常生活

有時候護理人員會發生被沾有C型肝炎病毒血液的針頭扎到手指的意外。此時最重要的是要立刻將血液擠出，在水龍頭下徹底將手指頭洗乾淨。

即使不是針頭，只要沾到血液就必須清洗。這麼做可以預防感染。

和B型肝炎病毒相較之下，其感染力不到十萬分之一。

因為血液是感染源，所以不會接觸到血液的日常生活幾乎不用擔心。

和B型肝炎一樣注

意的話，就不會有問題。

握手也不會傳染。共吃一鍋火鍋也不會傳染。一起泡湯也不會傳染。用同一台洗衣機洗衣服也不會傳染。

有人在得知罹患C型肝炎之後，朋友逐漸離去，變成孤單一人。也有人被坐在隔壁的同事所排斥。

C型肝炎只要當事者和主治醫師知道就可以，不須告知他人。

●肝硬化的惡化比例為何？

依慢性肝炎的惡化情形而有所不同。各種統計結果顯示，輕度慢性肝炎的話，發病十年左右有1~2成的人會轉變成肝硬化，活動性慢性肝炎的話，發病十年左右有五成的人會變成肝硬化，等。

換言之，輕度慢性肝炎發病十年後也有8~9成的人不會變成肝硬化。

不管是哪一種慢性肝炎都要根治，或是讓嚴重的慢性肝炎變成輕度肝炎的話，就可以預防肝硬化。

C型慢性肝炎的干擾素治療

●為何要進行干擾素治療？

引起C型慢性肝炎的是C型肝炎病毒。因爲肝炎是由此病毒所引起的，所以使用干擾素，消滅病毒才是根本的治療。

干擾素治療用於活動性慢性肝炎、HCV・RNA顯示血液中有C型肝炎病毒。是否爲活動性慢性肝炎一定要透過肝臟切片檢查確認。

不過如果最近一年有AST・ALT持續異常的慢性肝炎症狀的話，就不需要肝臟切片檢查。

●在什麼情況下不需要使用干擾素呢？

AST・ALT值完全正常時就未必要做干擾素治療。

但是，每幾個月觀察一次，數值有稍微上升就要考慮進行干擾素治療。

其他有很多醫師不建議年齡在65歲以上的患者使用。是考量到副作用的因素。不過，在年齡上還是有個別差異。

此外，肝硬化不適合作干擾素治療。患有憂鬱症的人，以及氣喘等呼吸道疾病的人，不使用干擾素治療。

●現在的標準治療方法

現在的干擾素治療是用Peginterferon和Ribavirin合併使用。

以下以病毒第一型爲例進行解說（關於

肝臟正常還需要做干擾素治療嗎？

肝臟正常，也就是說AST（GOT）、ALT（GPT）在基準值範圍，尤其是ALT在30以下，血小板數在十五萬以上時，必須立刻進行干擾素治療，每隔2~4個月檢查一次ALT等數值，偏高時再考慮進行干擾素治療。

血小板數在十五萬以下時，即使ALT值在基準值範圍內，也有可能罹患慢性肝炎，所以要進行干擾素治療。

C型肝炎病毒的遺傳基因的類型請參考第31頁）。

Peginterferon是將聚二乙醇（Polyethylene glycol）結合改良過的干擾素，作用時間長，每週注射一次就會有效。

以前的干擾素必須每週注射三次，相較之下，往返醫院次數減少，副作用也比以前的干擾素治療少，比較不會發燒。

Ribavirin是口服藥，可以抑制病毒的繁殖，和干擾素一起使用抗病毒作用的話藥效更強。

●有效性

Peginterferon的α-2b和Ribavirin的合併療法的平均治療成功率（sustained virologic response;SVR）（病毒消除率），投藥結束後第二十四週爲47．6%，治療完成個案（整個治療期間都接受投藥的個案）爲62．5%。

而以前其他沒有做過干擾素治療的個案，成功率爲43．1%，以前有做過干擾素治療，病毒曾經消失卻又再度出現本次接受此治療的個案爲62．6%，效果不錯。

●實際療程

Peginterferon平均每一公斤體重1．5mg（體重46~60kg的人80mg）皮下注射每週一次。治療期間爲48週。

Ribavirin的劑量也是依體重來決定。例如體重60kg則服用800mg（早晚服用200mg錠劑各二顆，一天共四顆）。治療期間也是48週。

一開始也可以在門診持續接受注射，不過高齡和女性比較會出現發燒和其它副作用，所以剛開始二週也會考慮接受住院治療。

每週一次到門診接受血球計算和血液分析的檢查（血球和血小板的檢查）。十五分鐘左右就可以知道結果，所以在確認沒有貧血、白血球・血小板數目沒有異常之後，再注射干擾素。

然後每一個月檢查一次血液中的病毒量（HCV・RNA定量聚合酶連鎖反

應PCR）。HCV・RNA呈陰性的話，就代表「病毒完全消失」。

●病毒消失與否的預測

如有效性該項（請參考前頁）所敘述的整體的成功率高達40~60%，結果爲每十人當中有6人病毒會消失。此治療效果遠優於以前的干擾素。

投藥開始四週時，如果HCV・RNA消失的話，就可以預期將來會完全消失。

也有12週的規則（rule）。

此規則是開始投藥後第十二週，大約三個月左右病毒如果消失，此人將來病毒應該不會再出現。因此，要確實持續接受治療。

開始治療十二週之後病毒還是沒有消失，仍然呈現（＋）的話該怎麼辦呢？

此時就算持續投藥將來病毒消失的機率也很低，所以也會考慮十二週就停止投藥。

有時爲了安全起見會持續投藥到二十四週。

●第二型的干擾素療法

前面所介紹的是針對第一型病毒。那麼對於第二型，也就是基因型2a・2b的干擾素治療該如何進行呢？

病毒量多也就是100KIU/ml以上時，進行二十四週的Peginterferon和Ribavirin的合併療法。

病毒量少時（100KIU/ml以下），以Peginterferon單一治療就可以，不需要服用Ribavirin。

總之，干擾素對基因型2a・2b都很有效，治療後80~90%病毒都會消失。

●關於副作用

干擾素初期會出現發燒、關節疼痛、肌肉痛、頭痛、全身倦怠、食欲不振、噁心、腹瀉等副作用。

發燒約38度左右，持續數個月，服用解熱鎮痛劑可以改善。而且持續投藥後身體會適應，症狀會逐漸變輕微。

使用干擾素會造成白血球、血小板減少，根據其程度來調節藥量。

也會輕微掉髮，但只是梳髮時梳子上

C型肝炎的新藥

針對C型肝炎病毒的新藥已經問世了。這些藥物被稱爲**聚合酶抑制劑**（polymerase inhibitors）、**蛋白酶抑制劑**（protease inhibitors），相信日本很快就會開始使用。

接受干擾素治療病毒還是沒有消失時

就算病毒沒有消失但AST・ALT在基準值的話，將來癌症的發生率很低，會出現和病毒消失幾乎一樣相同的結果。

AST・ALT一直降不下來時，最近日本各大醫院也開始進行**瀉血療法**。此方法是在血液中的Ferritin（鐵蛋白）值偏高時，每2~4週一次排出200ml的血液讓Ferritin恢復正常的方法。肝臟因而恢復正常。

的髮量會較多，還不至於會全部掉光。停止用藥之後就會恢復。

也會導致憂鬱（1%）。原本就有憂鬱情形的人不使用此藥。即使出現憂鬱症狀，停藥後服用抗憂鬱劑就會改善。

其它還會出現甲狀腺機能亢進、甲狀腺炎等自體免疫疾病、心肌損傷、尿蛋白陽性以及間質性肺炎等副作用，但很少見。

C型肝炎存在於血液之中，但量不多，只要特別注意輸血，避免與患者共用牙刷、刮鬍刀、針頭、及輸液管等，在親密行為時使用保險套，就不容易感染。所以大家不用過度緊張或者排斥患者。

Ribavirin有可能會產生胎兒畸形的副作用。因此，孕婦以及有可能已經懷孕的婦女不使用此藥。

此外也會引起貧血所以要注意。

◈小專欄

在台灣・C肝的治療健保有給付喔！

健保局自民國92年10月起實施「全民健康保險加強慢性B型及C型肝炎治療試辦計畫」，對符合給付規定的患者，提供6個月免干擾素以及雷巴威林合併治療，並建立個案登錄機制，以監控患者後續的狀況。想要更進一步瞭解詳細情況，可以參考健保局的網站。

行政院衛生署中央健康保險局
http://www.nhi.gov.tw/

肝臟疾病的治療 5 慢性肝炎的飲食療法

需要耐心的接受治療。最重要的是飲食療法。

熱量要適量

Q 因為慢性肝炎我必須定期到醫院返診。還是像往常一樣正常上下班。沒有自覺症狀，此時期該採取怎樣的飲食療法？

A 基本上要採促進肝臟恢復的**高營養、高卡路里（熱量）、高蛋白質飲食**，但不需要像急性肝炎恢復期那樣採取高卡路里。肝臟機能也會相對穩定，逐漸恢復。急性肝炎1~2週會漸漸恢復，慢性肝炎的話需要1~2年或5~10年較長時間才能恢復。

卡路里也不用像急性肝炎時期那麼高，一天頂多2000kcal。如果平常活動量少的話，大約1600kcal就可以。

慢性肝炎以40~50歲左右的中年人爲壓倒性居多，所以中年人的熱量不需要像年輕人一樣多。實際上消耗的熱量比攝取量少，所以攝取過多就會導致肥胖。

本書在第四章有介紹各種料理的食譜範例（請參考第160~215頁），不過大部份是針對慢性肝炎的患者所設計的。

急性肝炎一年有三十萬人，肝硬化有二萬人左右，但慢性肝炎以120萬人壓倒性居多。這些患者更需要長年的飲食治療。因爲每天都要吃飯，所以必須要詳細記述。

藥物對肝臟很重要，但飲食更爲重要。飲食當中包含所有營養或維他命、促進肝臟功能的成分、荷爾蒙的原料、有利肝臟未知的物質等一點也不爲過。生命的根源就在自然萬物中。還有我們不知道的良好的成分。

慢性肝炎的飲食重點

慢性肝炎的人最重要的是要遵守以下的飲食注意事項。

1. 每天攝取1800~2000kcal的熱量。
2. 蛋白質一天60~70g。
3. 脂肪一天50g。
4. 醣類一天300g。
5. 採高維他命飲食
6. 避免肥胖

肝臟疾病的治療 ⑥

肝臟疾病患者的心理準備

將正確的資訊化為力量，拿出面對疾病的勇氣和力量。

肝臟疾病是和時間的抗戰

Q 我被診斷為慢性肝炎。一想到未來不知會變成怎樣，就悶悶不樂。

接下來的幾十年甚至一輩子都要這樣過一生嗎？

A 患者一直都是隱忍著。往返醫院好幾年，恢復的速度非常牛步化，甚至有時會暫時惡化。但是，有耐心的持續接受治療的話，五年後肝功能檢查的數值終於穩定下來，開始好轉。

所以說這就是所謂肝臟疾病是「和時間的抗戰」的意思。雖然如此，卻沒有自覺症狀。

既不痛也不癢，也可以工作。不過每個月檢查一次卻發現還沒治好，讓人受不了而心情低落。也有人會認為是醫師不好、醫院不好而更換醫師或醫院，四處就醫（hospital shopping）。雖然這種行為不太好，但是如果以患者的立場來思考的話，就可以了解他們的心情。

在候診室常聽到患者們這一類的對話。「哪一家醫院不好、哪一家醫院不錯」「你現在服用什麼藥？我知道有一種藥不錯，不過你有吃過這種藥嗎？要不要把OO的葉子熬來喝喝看？」

單獨一個人的時候，就會胡思亂想。「為什麼只有我得慢性肝炎？是輸血引起的嗎？可是那已經是幾十年前的事了，和那有關嗎？」「實際上現在的狀況究竟是如何？往後幾十年都要這麼過嗎？」等。

當中也有「慢性肝炎不容易治好喔，之後還會演變成肝硬化或肝癌喔」說得煞有其事的人。

這些雖然是無心之話，但對聽在耳裡的人會造成很大的打擊。有的人或許會說「我只是把我知道的知識說出來而已」，但那些知識也不能說完全正確，而且自己要對自己所說的話負責任。

肝腎重要性

我們體內的器官每一個都很重要，但是以前的人認為肝臟、心臟、腎臟這三個器官是維持生命最重要的器官。

因此，在日本有用「肝腎」這個詞來表示非常重要的事情。也寫為「肝心」。

此外，表示最重要的事情的慣用語有「肝心要」這個詞。

日文的「かなめ」是「輻軸」的意思，是固定扇軸的釘子。如果沒有這根釘子，扇子就會散開，無法使用。因此將「肝腎」和「かなめ」合在一起用來表示非常重要的事情。

●不要受周遭影響，聽從正確的資訊

AST（GOT）、ALT（GPT）在80以下的慢性肝炎演變成肝硬化的機率十年爲10～20%。也就是說80～90%的人不會變成肝硬化，所以說慢性肝炎會變成肝硬化的人雖然沒有錯但也不能說是對的。要以考慮到對方的感受鼓勵對方「80～90%的人不會變成肝硬化，要打起精神來繼續奮鬥」。

所以，患者本身最重要的是不要被周遭衆多的流言蜚語所影響，時而高興時而傷悲，不要接受不明藥物或治療方法。

正確的資訊才是力量。如果沒有面對疾病的勇氣和力量，沒有長期抗戰的心理準備的話，就無法闖過往後的這場長期戰爭。首先就是不要三心二意舉棋不定。

盡全力做現在所能做的事，剩下的只要見事辦事就可以。整天陷入糢糊、如雲一般抓不著邊際的不安是沒有意義的。

人生因病而大不同

有一種說法是，生點小病的人反而會長壽，因爲患有肝臟疾病而減少喝酒、晚上也早歸、身體狀況變好，臉色也變好，以前那種暗沉、紫黑色的臉色逐漸恢復成粉紅色。手掌的紅斑和蜘蛛狀血管瘤也變淡。

更重要的是心情也會產生變化。一說到「我生病了」時，其他人會有什麼反應？有些人不了解病人的心情，因爲對方是朋友就不客氣、亂開會刺人心坎的玩笑等一一清楚的浮現在腦海。結果這一次換自己生病時，反而不希望別人說風涼話。

我的一位49歲男性患者，聽說年輕時很愛玩，讓太太很傷心。但是，知道罹患慢性肝炎之後就毅然決然的不再喝酒。不管是參加什麼聚會，都只喝烏龍茶。剛開始周遭的人覺得很奇怪，不過，久了之後就習慣了，也不再勸酒，之後也就可以輕鬆的參加聚會。

回家的時間也比以前早了，夫妻之間的感情也比較圓滿，身體狀況也不錯，

使用肝和膽的成語集

就像中國醫學上認爲肝臟和其附屬器官的膽囊是非常重要的器官一般，有幾個用肝膽來比喻爲深厚感情的成語。

現在來介紹日文中帶有肝字的代表性成語。

●銘記在心（肝に銘じる）

牢記在心，永不遺忘。

●喪膽（肝をつぶす）

嚇得魂不附體

●嚇得提心吊膽（肝を冷やす）

非常害怕，令人提心吊膽。

從以上的成語來看可以發現這是在告訴我們肝臟就是心臟的所在。

接下來所要介紹的是使用肝和膽的成語。

●肝膽相照（肝胆相照

和大家一起出去旅行，也在前面大步快走。他說「爲了家人我要把病徹底治好。」，因爲病情住院治療了好幾次。至今已經反覆出住院多達十四次。儘管如此，現在還是精神旺盛，大家還不如他，工作也很順利。

這一位可以說是托生病的福，他的人生因而大不同。

曾經是運動選手的某位醫生，因爲罹患慢性肝炎，而停止劇烈運動，結束運動的生命。轉而努力研究肝臟，主動進行肝臟切片檢查，研究肝臟的病理，一邊用顯微鏡觀察一邊研究，因而有著優秀的學術成就。

●慢性肝炎的人不易罹患其他疾病

患有慢性肝炎的人通常大多不太會得到其他疾病，慢性肝炎的人當中幾乎沒有人有高血壓。以前血壓高的人也會變低。膽固醇也不會高，所以不易罹患動脈硬化。因此，很少人罹患心臟、血壓、動脈硬化等疾病。

●肝臟也會因為心情而產生變化

某位慢性肝炎的患者肝臟突然惡化。問他「有沒有想到會是什麼原因造成的呢？」，患者回答「沒有什麼特別原因，只是因爲小孩的事情被叫到學校被告知很多事情，心情不好，很不愉快。」病情就是從那時候開始惡化的。

還有一位患者被某人告知只剩下十年壽命，甚至有可能是癌症，臉色發青的來到醫院。但是，經過徹底檢查發現並沒有什麼異常，醫師告訴他慢性肝炎也沒有進展到那麼嚴重之後，精神立刻就來了，食慾和氣色都變得很好，肝臟的檢查數值也有改善。

以上舉了二個對照的例子，是告訴我們人體和肝臟都會受心情所影響的實際例子。

●壓力會讓肝臟功能惡化

我們都知道當受到壓力心情不愉快時，就會沒有食慾、血壓上升、血管收縮，而引發各種疾病。

胃潰瘍和十二指腸潰瘍病不是喝酒所

らす）

互相坦白說出心裡的真心話。互相交心。

●**膽顫心寒（肝胆寒し）**

打冷顫。毛骨悚然。

●**肝膽塗地（肝胆地に塗みる）**

非常慘烈。

●**肝膽相見（肝胆を出だす）**

互相表示誠意。帶著誠意面對事情。

●**肝膽相傾（肝胆を傾ける）**

顯現真心。

●**煞費苦心（肝胆を砕く）**

用盡全部心力處理事情。盡心盡力。

●**肝膽相照（肝胆を披く）**

坦誠相對。

造成的。90%是壓力所引起的。不管是潰瘍性大腸炎惡化、高血壓、狹心症以及動脈硬化，其導火線都是在於壓力。

肝臟也不例外。當受到壓力時血流就會變差，淋巴球減少，免疫力降低，抵抗力也就跟著降低。相對的，精神如果安定，血流也會順暢，淋巴球會增加、免疫力上升，對疾病的抵抗力也就跟著提高。

感覺到壓力、疲累時，也會沒有食慾。而且容易感冒。有時也會引起腹瀉。也會因爲提不起勁什麼事都不想做。晚上會睡不著，食慾變差。換言之，所有的事情都會造成惡性循環。

不過，只要讓精神安定下來，深呼吸，對自己說「不要急慢慢來」，晚上就不會失眠，而且什麼事都會比較積極面對。如果能像勝海舟所說的「保持寬闊的心胸」（如果寬廣的空間的話），身心就可以取得平衡，「對事物不執著、不拘泥、能達到圓融豁達（和諧自在）的境界的話」就好（管它什麼運動什麼食物）。

◈小專欄

善用資源，保肝之路不孤單

根據台灣衛生署統計，肝癌一直位於國人十大死因的第一位，每年死於肝病者高達一萬多人。然而一般民衆普遍缺乏肝病常識，常常拖到病況嚴重時才就醫，或是誤信偏方導致病情惡化。其實現在一般醫院都會開辦保肝相關講座，衛生署也會提供免費腹部超音波、以及病毒量篩檢。想要為自己的建康把關，讀者可以好好利用這些機會！

詳細活動資訊，可上《好心肝全球資訊網》查看：

http://www.liver.org.tw/index.php

肝臟疾病的治療 ⑦ 脂肪肝及其治療

脂肪肝為脂肪堆積在肝臟所引起

Q 到醫院檢查診斷為脂肪肝。脂肪肝究竟是什麼疾病？很可怕嗎？

A 我相信有人第一次聽到**脂肪肝**，心裡擔心不知這是什麼疾病，這是指肝臟裡脂肪堆積，是不需要太擔心的疾病。

常常有人在公司體檢時發現「AST（GOT）・ALT（GPT）過高，肝臟不好、肝臟有問題、不知是否爲慢性肝炎？」而倉皇的來醫院就診。「我明明沒有喝很多酒」擔心的詢問。此時可以說大部分是脂肪肝。在進行詳細檢查之前，當我一看到拉開圍簾進診間患者就知道他的病症是什麼。因爲他是一位肥胖的患者。因肥胖造成脂肪肝的案例實在太多了。

脂肪肝的定義

健康的肝細胞含有3～4％的脂肪。此脂肪量增加到10～13％時，脂肪就會積聚在肝細胞。當1／3以上的細胞有脂肪堆積時即診斷為脂肪肝。

脂肪肝也可以稱為人類的鵝肝（含有高脂肪的鵝的肝臟）。

堆積在肝細胞的脂肪大部分是中性脂肪，由肥胖、飲酒過量、糖尿病等所引起。

●健康檢查常發現的脂肪肝

肥胖但不喝酒，檢查值偏高的人幾乎都是脂肪肝。

根據日本健康檢查學會所發表的統計，平成17年（2005年）的健康檢查異常者當中，有肝功能異常的居第一位占26．6％。比起13年前高出6％。

三井紀念醫院健檢中心的平成10年（1998年）的總檢查者數4962名當中，AST（GOT）・ALT（GPT）異常的人有506位，占10．2％。其中327位64．6％有脂肪肝。

健康檢查發現肝臟不好的人當中將近65％，大部份爲脂肪肝。從以上數據得知，竟然有這麼多人罹患脂肪肝，可見減肥是多麼重要的一件事。

●引起脂肪肝的原因

引起脂肪肝的原因大致上有三個。第一個是肥胖，第二個是飲酒過量，第三個是糖尿病。

每一項原因各占整體的三成。有一種

為何脂肪會堆積？

肥胖的人，囤積在腹部等部位的大量脂肪會被分解成脂肪酸後，送到肝臟變成脂肪。

此外飲食中所攝取的油也會變成脂肪酸，在肝臟變成脂肪。

甜食也是，攝取過多時會在體內變成脂肪。

果糖比砂糖更容易更容易形成脂肪。水果也含有果糖，市售的甜的飲料也加有果糖，所以喝太多會造成肥胖。

酒精方面，肝細胞因為酒精而受損，無法處理脂肪而堆積在體內。

疾病叫做急性妊娠脂肪肝，此疾病名稱中雖然帶有脂肪肝，但卻是完全不同的重症疾病。

最近**非酒精性脂肪肝炎**（NASH）受到注目。此爲不喝酒卻產生和酒精性肝損傷一樣的變化，而且將來可能會演變成肝硬化的疾病。因此，治療肥胖，改善肝臟功能是很重要的。

●如何診斷脂肪肝？

脂肪肝幾乎沒有症狀。血液檢查AST・ALT在基準値30以下，但患脂肪肝時會高達50～100左右。其他膽脂酶（Cholinesterase，CHE）、γ-GTP、中性脂肪值也會上升。

不過，最有力的診斷方式爲超音波檢查。從超音波可以看到肝臟因爲脂肪而整個變白而明亮。所以又稱爲「明亮肝」（Bright Liver）（請參考第7頁的圖片）。

●脂肪肝是生活習慣病的誘因

脂肪肝是指肝臟脂肪囤積的狀態。患有脂肪肝時，同樣的其他器官尤其是腹部的器官之間也會有脂肪囤積。

內臟有脂肪囤積的狀態稱爲**內臟脂肪型肥胖**（又稱爲蘋果型肥胖）。同樣的，也有有一種脂肪不是囤積在器官，而是在皮下尤其是臀部周圍的肥胖，此種肥胖稱爲**皮下脂肪型肥胖**（又稱爲西洋梨型肥胖）。

同樣是肥胖但二種意義完全不同。內臟脂肪型肥胖容易引起糖尿病、高脂血症、高血壓、心肌梗塞等生活習慣病，所以又稱爲惡性肥胖。相反的皮下脂肪型肥胖比較不容易引起這類疾病。

因此，患有脂肪肝時大多是內臟脂肪型肥胖，因此脂肪肝可以說是在警告我們有可能會罹患生活習慣病。

肝臟疾病的治療 ⑧

脂肪肝的飲食療法

減少熱量的攝取等減輕體重最為重要。需要有堅強的意志力。

何謂標準體重？

最理想的體重是最不會生病的體重。依統計多數人的體重所得到的結果就是**標準體重**。標準體重的計算方法是自己的身高以公尺爲單位，身高的平方再乘以22所得的結果。

例如：身高165cm的人，爲1.65×1.65×22=60.0kg。

正負10％以內還算正常，如果在54～66kg之間都算是標準體重。

●何種生活習慣會導致脂肪肝？

接下來向各位介紹會引起生活習慣病的各種誘因。

1. 好吃甜食

尤其是含有果糖的清涼飲料水和飲品容易轉變成脂肪。

2. 好吃油膩（脂肪）食物

油脂熱量高，醣類一公克可產生四卡，油脂的話一公克可產生九卡的熱量。

3. 吃宵夜

宵夜容易讓人發胖。

4. 吃太快

飽食中樞在十五分鐘後才會下達不要再吃的指令，在此之前很快就吃完的話，就會吃太多。

5. 壓力

利用吃東西來減輕壓力。

6. 喜歡喝酒

一公克的酒精可產生七卡，所以熱量會過多。

7. 缺乏運動

運動可以消耗熱量，肌肉也會結實，所以可以消耗熱量預防肥胖。

改掉以上七種壞習慣就可以消除肥胖。

病例

●欲治療肝臟而罹患脂肪肝的案例

某位母親前來諮詢。「我兒子是高中生，醫師說他肝臟不好。聽說肝臟不好最需要休息及高營養、高熱量，每天讓他吃牛排等營養豐富的食物，我自以為很小心。但是肝臟指數卻完全沒有改善，而且還比以前更差。這究竟是怎麼一回事？」

我聽完之後最後問她「你兒子胖不胖？」

這位母親回答說「是有點胖。最近越來越胖。」

如果沒有肝炎病毒

的話，有可能是肥胖引起的脂肪肝。在醫院進行超音波檢查之後診斷出為脂肪肝。

於是開始限制他的卡路里攝取。身高170cm，1．7×1．7×22=63．6kg為標準體重。這位高中生的體重是75kg。

一口氣要減十公斤是很辛苦的。先以70kg為目標，減少攝取油膩食物、甜食、米飯的攝取，同時運動，體重減到72kg時肝臟的數值已經降到基準值。

●消除肥胖的飲食方法

要消除肥胖就要減少熱量的攝取。不過不可以減少營養（蛋白質和維他命、礦物質、纖維素等）的攝取。從事事務工作的人，每一公斤體重的標準攝取卡路里爲25kcal。所以體重60kg的人，所需熱量以25×60=1500kcal爲標準。

住院限制熱量時，有時會限制到1000kcal，這種情形很少見，頂多限制在1300kcal，減少油脂（脂肪），米飯的份量以兒童用的碗鬆鬆的一碗爲主，鹹的小菜會讓人吃更多飯所以不要吃。中餐用固定大小的便當盒就好，不要吃太多。

有毅力的持續這些原則2～3個月之後，體重就會接近正常。如此一來，身體也比較輕鬆，肝臟也恢復正常，精神上也會安定。

●其他原因的脂肪肝的治療方法

酒精引起的脂肪肝最重要的就是戒酒。沒辦法戒酒的時候就盡量少喝，以及攝取高蛋白食物。這樣就可以治癒。

糖尿病引起的脂肪肝要好好治療糖尿病，遵守醫師所規定的熱量攝取，以及運動，糖尿病好了脂肪肝自然就會痊癒。

治療脂肪肝的飲食

米飯用兒童用的碗鬆鬆的一碗。

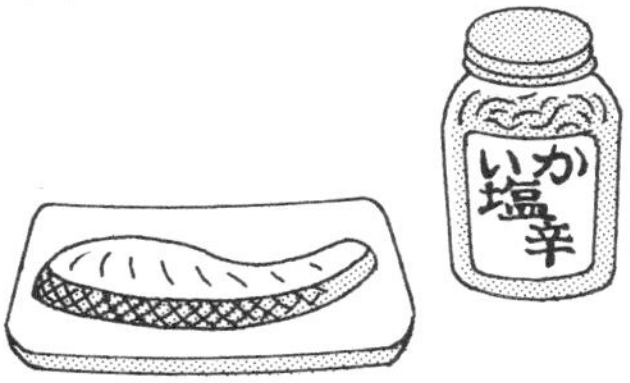

避免食用鹹的小菜。

避免油膩食物，減少熱量的攝取。

中餐用計算過營養均衡的便當。

肝臟疾病的治療 9 酒精性肝損傷及其治療

戒掉引起肝損傷的酒之後，檢查值就會立刻下降

酒精性肝損傷是何種疾病？

●快樂的喝酒是最重要的

Q 我是一位40歲的業務員。因為工作的關係必須經常喝酒，每天喝4~5杯威士忌。

公司的健康檢查並沒有發現肝臟不好，可以繼續這樣喝下去嗎？

A 經常有人這樣問。

「身體很健康，都沒有問題，喝酒也相當海量，喝到很晚也沒問題。不過，這樣喝可以嗎？不，身體沒有任何不適，所以應該沒問題的。」

就這樣自我安慰。

喝酒的好處是喝了之後心情愉悅。喝酒可以忘卻平日的辛勞，「喝酒對身體不好嗎？」這一點也被拋到九霄雲外。不管是誰，喝酒的時候都會忘記所有不快樂的事情。

這樣不是很好嗎。戰戰兢兢的喝酒，既不好喝也不快樂。我覺得快樂的喝酒才會痛快。

消除壓力有益於精神的健康，也可以預防各種疾病。

因爲壓力會引起胃・十二指腸潰瘍、高血壓、失眠以及動脈硬化等。

●酒精引起的損傷會在五年後、十年後出現

這一次我以醫師的身分巡視病房時，看到很多因爲飲酒過量罹患肝臟病的患者住院。

這些都是罹患換算成日本酒每天喝3合以上至少喝五年以上會引起的**酒精性脂肪肝**，以及這類的人某一天在宴會上大量喝酒之後突然出現黃疸的重症**酒精性肝炎**、會出現腹水、肝昏迷的**酒精性肝硬化**的患者們。

喝酒必須小心的症狀集

一邊擔心「肝臟沒問題吧？」一邊喝著酒的人好像很多。

在此向各位介紹「出現這樣的症狀時要小心」的重點。

不過並不是「沒有這些症狀就沒問題」。因為有很多檢查後發現有酒精性肝損傷或有高危險性。

每天都必須喝酒的人，必須每年接受1、2次的肝臟功能檢查，確認肝臟的狀況。

請將喝酒的人的肝臟功能檢查視為如同車子在法律上有檢驗的義務看待。車子每

2年到3年檢驗一次，喝酒的人的肝功能檢查至少要一年一次。

●需要檢查的症狀

出現下列症狀時請到內科就醫檢查肝臟功能。

①手掌周圍發紅（手掌紅斑、請參考第4頁）。

②頸部胸手臂等部位有蜘蛛般的斑點（蜘蛛狀血管瘤、請參考第4頁）。

③不太能喝酒、酒量變差。

④沒有食慾，尤其是聞到油膩的食物會想吐。

⑤喝酒後隔天早上全身無力。

⑥最近性慾降低

⑦周遭的人說皮膚變黑。

這就是酒精可怕的地方。既會喝酒，喝了也沒有任何問題，喝了2、3年檢查也都正常。

但是酒越喝肝臟越會受損。也可以說是和飲酒量成正比。

而且，眞正會變差的是在開始喝酒之後的五年後或十年後。等到發現時已經爲時已晚。

●酒精是帶著微笑的惡魔

連續十年每天喝日本酒的量5合以上的人大多會罹患酒精性肝硬化。

或許有人會覺得十年很長，但如果從30歲就開始喝的話，十年後才40歲。40歲就罹患肝硬化，腹部積水，雙手顫抖。

如果是帶著可怕的臉的惡魔相信任何人都會逃之夭夭，但是對於帶著微笑的惡魔，都會讓人放鬆警惕。

酒精可以說是「帶著微笑的惡魔」。

●和酒精保持距離

大家似乎覺得日本對酒精情有獨鍾。酒精眞的那麼有魅力嗎？

酒精可以炒熱氣氛，是維持人際關係的小道具，但沒有必要沉湎，最重要的是保持一定的距離，維護身體健康。

所謂酒精性脂肪肝

●油亮亮的肝臟

酒精性脂肪肝是三成以上的肝細胞因爲酒精的關係有脂肪囤積的狀態。肝細胞被酒精損傷，代謝就會產生變化，出現脂肪。

酒精性脂肪肝可以說幾乎沒有症狀。平常就有喝酒習慣的人，很多在健康檢查時才發現。

血液檢查的AST（GOT）值和ALT（GPT）值也會偏高，尤其是γ-GTP（詳情請參考第23頁）偏高爲其特徵。γ-GTP的正常值爲74以下，會上升到100~200。

診斷方法還要是靠超音波檢查（詳情請

⑧男性乳房變大。

⑨右腹部不適。

●必須立即接受治療的症狀

出現下列症狀時，肝臟已經損傷嚴重必須立即接受治療。請立刻到內科就診。

①出現黃疸（眼白變黃，解出深茶色的尿液）。

②腹部積水。

③下肢水腫。

④輕微吐血。

⑤伸出雙手時會一直顫抖。

⑥白天睡得著，但晚上睡不著。

⑦計算能力變差。

⑧有時會排出黑便（柏油便）。

⑨全身倦怠無力，沒有好轉。

⑩觸摸腹部，肝臟周圍發硬。

參考第34頁）。從超音波來看，脂肪囤積的肝臟整體因爲脂肪的關係看起來呈白色且發亮。所以脂肪肝又被稱爲「明亮肝」（Bright Liver）。

持續五年以上每天喝換算成日本酒的量約3合的酒罹患脂肪肝是很正常的，但是有時候連續三天喝5合以上的酒也會罹患脂肪肝。

日本酒一合（12%，180ml）相當於啤酒一大瓶（4.5%，633ml），威士忌爲雙份一杯（43%，60ml），葡萄酒爲葡萄酒杯二杯（12%，300ml）。換算爲純酒精約25g。

所謂酒精性肝纖維化

●肝細胞之間形成纖維

肝臟纖維增加的狀態稱爲**酒精性肝纖維化**。肝細胞之間長出纖維，範圍越來越大。

剛開始很輕微，但當肝細胞壞死變成肝硬化時，此纖維會增生變粗，四處漫

持續每天喝約3~5合以上的日本酒的量的話，5~10年後很有可能會罹患酒精性肝損傷。

酒精性肝炎的治療

出現黃疸時，要立刻住院治療。首先要臥床休息注射點滴，使用副腎皮質荷爾蒙等藥物，但治療困難，有40%的人會喪生。

很幸運病情獲得改善治癒時，之後注意養生，盡量不要喝酒就會恢復健康，也不會有後遺症。

延，肝臟因而變硬凹凸不平。

所謂酒精性肝炎

●會致死的可怕疾病

所謂**酒精性肝炎**是平常喝3合左右的人或某一天在宴會上大量飲酒到5合或一升的人會引發的嚴重肝臟疾病。

會出現腹痛、發燒、黃疸。肝臟腫大等症狀。

通常肝臟隱藏在右側肋骨之中，觸摸腹部也摸不到，但此時在肋骨下可以摸到10公分左右大小的硬塊。同時也會出腹水（請參考第105頁）、雙手震顫、意識不清、甚至昏迷、死亡。

以前多發生於將威士忌整瓶喝或對著瓶嘴直接喝的歐美人，最近日本也越來越多。

酗酒的人突然腹痛、發燒時，極有可能是罹患此種疾病。因爲腹痛有時會讓人誤以爲是膽結石（治療請參考上段）。

所謂酒精性肝硬化

●持續十年以上每天喝5合以上的人必須注意

日本酒的量每天喝五合以上連續十年以上時，有六成的人會罹患**酒精性肝硬化**。肝硬化顧名思義是肝臟變硬的疾病。會變硬是因爲纖維增加的緣故。

肝細胞因爲酒精而受損時，細胞之間就會產生空隙。纖維就開始增加以填補空隙。因爲纖維是硬的，所以纖維越多肝臟就越硬。

某位患者在結婚前一天晚上和朋友一起喝很多酒之後被送到醫院。嚴重黃疸、肝臟腫到肚臍以下、腹部積水，甚至危及性命，幸好挽回一命，之後十五年都滴酒不沾，每天很有精神的上下班。每個月做一次肝臟的血液檢查，現在還是維持在基準值。

酒精消耗量的增加

日本人平均一個人的酒精飲料消耗量從昭和40年（1965年）之後就急遽增加，現在稍微稍升微穩定不再上升。

戰爭後的昭和25年（1950年）平均一個人的酒精消耗量為1.3L的純酒精，昭和44年（1969年）為4.6L，昭和60

●長出食道靜脈瘤也有破裂的危險性

肝臟變硬之後，血液不易流進肝臟。當血液不易進入時，血液尋找其他出路流到其他地方，其中之一就是會流到食道的靜脈。結果，食道的靜脈變粗腫大，最後承受不住而破裂導致大量出血。

這就是食道靜脈瘤破裂。目前可以使用內視鏡治療以預防破裂。

酒精性肝硬化嚴重時，就會出現腹部積水（腹水）、雙手震顫、無法計算（肝性腦病變）的症狀。

酒精性肝損傷的治療

●戒掉禍首的酒精是最佳治療法

Q 公司的健康檢查報告說肝功能的檢查數值不佳。

工作上需要常喝酒，即使肝臟不好也不能立刻戒酒。該如何是好呢？

A 這是酒精性肝損傷患者所提出的問題。

因爲是喝酒造成肝臟不好，所以戒酒是最佳的治療方法。或許有人會認爲「什麼？這還用說嗎。」，但這看似理所當然的事情卻是最重要的。

例如，以肝炎病毒引起的肝臟疾病爲例。雖然說是要「吃藥、飲食、休息」，但最重要的是將引起疾病的病毒驅趕出去。

所以一定要住院接受干擾素治療。

而飲酒過量所引起的肝臟疾病因爲酒精是唯一發病的原因，所以不要喝酒，也就是戒酒才是根本的治療方法。這種病因確切，可以簡單治療的疾病並不那麼可怕。

事實上，肝臟的檢查數值例如AST（GOT）值或ALT（GPT）值上升，特別是有喝酒時，γ-GTP值會上升，但這些檢查數值在戒酒之後就會很快下降恢復到基準值。

年（1985年）為6·0L，在35年之間急遽上升五倍。真的是每年持續增加相當驚人。

昭和60年（1985年）以後增加的速度變慢，昭和63年（1988年）6·4L維持平穩，有時稍微減少，根據平成15年（2003年）發表的國稅廳的統計為6·5L。

縱觀世界各國，美國以前是8L，但降到6·8L。法國以前也是高到13·3L，但後來降到9·3L。

由此可看出這些先進國家為了健康努力的減少飲酒。

●酒精性脂肪肝的治療

如果是輕度的酒精性脂肪肝，在戒酒一週左右肝臟的檢查值就會開始下降，1~2個月就會恢復到基準值。腫大到肋骨下5公分的肝臟，也在治療一個月左右開始消腫，恢復到原本的大小。

飲酒但不太進食時，要採取高蛋白、營養豐富的飲食。但是必須要注意如果高熱量高脂肪的飲食會導致肥胖。

●初期的酒精性肝硬化可治癒

似乎有很多人認爲一旦罹患肝硬化就沒有救了，人生將劃下句點，好不了了。其實並不盡然。特別是酒精性肝硬化比較容易治癒，初期發現就戒酒的話，肝臟會恢復到原本的狀態。

曾經調查診斷出酒精性肝硬化之後戒酒的人和持續喝酒的人之後的演變情形。

21位被診斷出肝硬化仍持續喝酒的人，全部的人在六年內死亡，相對的，64位診斷出肝硬化後戒酒的人有50%的人六年後還是很有精神的生活著，仍參與社會活動。甚至14年之後還有14%的人還活著。

此調查結果告訴我們，如果是酒精性肝硬化，只要戒酒，可以延長壽命十年以上。

◈小專欄

注意！提神飲料也含酒精

坊間部分的「提神飲料其實也含酒精」。提神飲料的酒精濃度雖然不高，但台灣有許多勞工朋友、貨車司機會爲了在工作時能夠提神，而長期且大量的飲用，長久累積下來，還是可能會造成酒精性肝炎、脂肪肝、肝硬化……等病變。而且在工作中飲用亦可能造成注意力不集中或影響平衡感，容易發生意外事故。因此在購買前請注意包裝上的成份標示。

肝臟疾病的治療 ⑩ 藥物性肝損傷及其治療

用藥引起肝臟損傷。大部份是藥物過敏。

絕對不要服用和體質不合的藥物

Q 我有一個朋友服藥後肝臟變差。治療疾病的藥會傷害肝臟嗎？

A 有些藥物對某些人會有不良影響。對某種藥物過敏時（請參考上段），就會引起過敏症，肝臟受損。此稱爲**藥物性肝損傷**。

有人曾經因爲感冒只吃一顆感冒藥就出現黃疸而住院，花了六個月才完全治癒。尤其是有過敏體質的人，用藥上必須要特別注意。

另外，曾經對某種藥物過敏時，就永遠不要再使用該藥物。一定要寫在筆記本上，就醫時一定要告知醫師。第二次使用該藥引發過敏時會比第一次還要嚴重。

何種藥物比較危險，是視每個人的體質而定，不能一概而論。不過常使用的藥物，也就是感冒藥、止痛藥（解熱鎮痛劑）、抗生素等常會引起過敏，雖然少見但維他命劑、消化劑、抗過敏藥物也會引發，所以不可大意。

有過敏體質的人要特別小心，用藥後要注意是否出現發燒、起疹子、搔癢等症狀，這一點非常重要。

●避免服用不必要的藥物

此外，還要注意避免服用不必要的藥物。

不過，像這樣藥物引起的過敏，尤其是肝臟損傷、出現黃疸的情形並不常見。

除了這種過敏之外，還有藥物本身具有肝臟毒性、長期使用同一種藥物引起慢性肝損傷等，只要遵從醫師的指示用藥就可以預防。

所謂過敏症

當特定物質侵入體內時，有些人的身體會過度反應，而出現病症。此稱為過敏症。

引起過敏症的物質稱為**過敏原**（allergen），第一次侵入體內時就算沒有引起重大症狀，第二次以後同樣物質侵入體內，身體就會過度反應引起過敏症。

治療疾病所使用的藥物也會引起過敏症，**藥物性肝損傷**也是其中一種。

使用某種藥物，出現發燒、起疹子、搔癢等類似過敏症狀時，要儘快讓醫師診察。確定是該藥物所引起時，以後絕對不要使用該藥物。因為雖然不常發生，但是使用該藥物有可能會引發藥物性肝損傷。

不管是治療何種疾病，在接受醫師診察時一定要告訴醫師曾經對何種藥物過敏。因為醫師可能會在不知情下使用該藥物。

究竟會對何種藥物過敏是因人而異，使用其他藥物的話就不會引發過敏症。

肝臟會分解藥物讓藥物不會危害身體

Q 那肝臟不好時，用藥上要注意什麼呢？是否有可以服用及不可服用的藥物？

A 肝臟不好時可以服用肝臟的治療藥物，但其他藥物就要小心服用。

肝臟具有解毒機能，讓此異物不會危害身體的功能（請參考第3頁），同時也會讓藥物無效。

因此，服用安眠藥，隔天早上會醒來是肝臟將該藥分解後沒有藥效的緣故。

藥物一天分成三次服用是，因爲一口氣服用的話會立刻被肝臟分解而沒有效用。

但是，當肝臟因爲肝硬化等功能變差時，分解藥物的能力就會減弱，藥物的效用會超出預期而造成危險。

例如，就算服用一顆安眠藥，就會像正常人服用三顆安眠藥一樣連續睡上二天。

也有人在半夜打電話到我家問我「醫生，我現在感冒發燒到39度。醫生告訴我罹患肝臟疾病時盡量不要吃藥，我可以吃感冒藥嗎？」。

感冒時要吃感冒藥趕快治好。有高血壓的話也要吃藥控制。

重要的是不要隨便吃沒有必要的各種藥物，像是安眠藥和頭痛藥……等，吃太多都不好。

總而言之，感冒藥、頭痛藥、抗生素等會造成肝臟損傷。此時治療最重要的是立刻停止服用可能是引起這次肝臟損傷的藥物。

然後接受醫師的治療。

⑪ 肝硬化及其治療

大多沒有自覺症狀，也有不少人在健康檢查才發現。

肝細胞受損，纖維增生肝臟變硬

Q 我被診斷為酒精性肝損傷，醫師吩咐我要小心不要演變成肝硬化。肝硬化究竟是什麼疾病？

A 所謂肝硬化顧名思義就是肝臟變硬，肝臟不會正常運轉的疾病。肝細胞受損，纖維增生而變硬。

但是，有的肝臟變硬但功能和正常肝臟一樣，也有的功能變得非常差，出現各種症狀，程度各有不同。

肝硬化時的症狀

Q 肝硬化會出現哪些不同於其他肝臟疾病的特徵性的症狀呢？

A 肝臟疾病在輕度時幾乎沒有任何症狀，因此，肝硬化病情嚴重時就會出現各種症狀。

●肝性腦病變

肝硬化的症狀之一爲**肝性腦病變**，會出現腦部的功能變差，失去方向感……等症狀。

肝性腦病變是因爲腸道內所產生的氨（amonia）等物質，因爲肝臟功能變差而不被分解，該物質抵達腦部影響腦部功能所引起的。肝性腦病變會出現下列特徵性的症狀。

搞不清楚廁所和玄關

半夜突然起床想上廁所，但找不到廁所，一直開玄關看、或想要打開壁櫥。

無法計算

出現肝硬化的合併症肝性腦病變時，連簡單的算數也不會。

問患者「100減7是多少？」回答不出來，就算知道，再往下減7就算不出來。

雙手震顫

手腕以下整個手一直抽動。伸直雙手，就好像是鳥在拍動翅膀，所以又

海蛇頭（Caput Medusae）

因為肝硬化出現腹水時，肚臍周圍的腹壁上會有靜脈曲張。此稱為海蛇頭。

梅杜莎（Medusae）是希臘神話中的美麗處女，據說其美麗的秀髮無人可比，她和雅典那女神相爭，因而觸怒女神，將她每一根頭髮變成蛇，看到她的眼睛的人會變成石頭。

肚臍為頭，靜脈為頭髮，靜脈曲張的模樣看起來很像梅杜莎的頭髮，所以稱為海蛇頭。

肝硬化的主要症狀

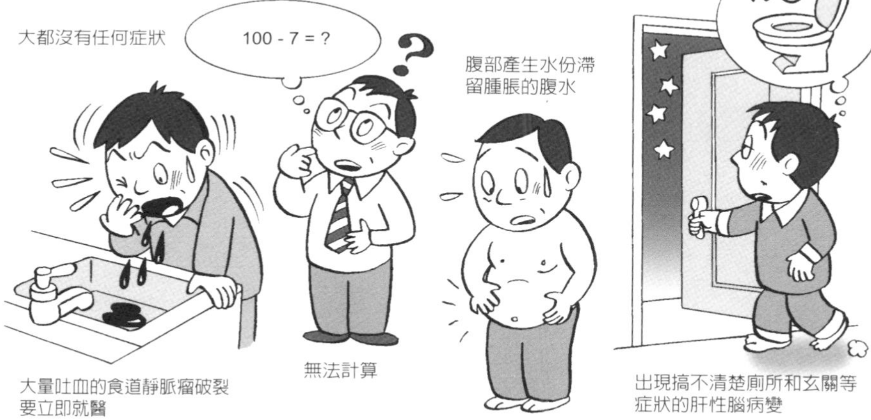

腹部產生水份滯留腫脹的腹水

大量吐血的食道靜脈瘤破裂要立即就醫
無法計算
出現搞不清楚廁所和玄關等症狀的肝性腦病變

稱爲**撲翅狀震顫**（肝性撲動Lapping tremor）。這也是肝性腦病變的症狀之一。

●腹水（腹部隆起）

肚子裡積水，導致腹部隆起。此稱爲**腹水**，站著時下腹部會鼓起來，躺下來時腹部的左右兩側會鼓起。因爲好像青蛙的肚子，所以又稱爲青蛙肚。

男性的腹水會跑到陰囊內，陰囊腫脹後到泌尿科診查，才發現原來是是肝臟疾病的腹水。

另外，同樣的也有患者的肚臍因爲腹水而突出，肚臍摩擦破損流出多達2L的水。

●食道靜脈瘤破裂（吐血）

肝臟不好的時候，食道靜脈會腫脹變粗（詳情請參考下一頁），然後破裂吐血。

此稱爲**食道靜脈瘤破裂**。此種吐血非同小可，會突然吐出整個臉盆或二個臉盆的鮮血，好像一片血海。有八成的人會當場死亡的可怕症狀。曾經有一位很有名的相聲家在下了舞台一回到家突然吐血而亡的例子。

但是現在利用內視鏡（以前稱爲胃鏡，現在稱爲纖維鏡fiberscope）觀察可以了解是否有出血的可能性。

可能會出血時，利用內視鏡進行結紮靜脈瘤的結紮療法、注入藥物的硬化療法（詳情請參考下一頁），可以預防出血。

●大都沒有任何症狀

事實上沒有任何症狀的情況是最多的。這或許是肝臟疾病最可怕的地方。

因爲大量飲酒連續喝了好幾年或好幾十年，即使被問及肝臟是否有變壞，但因爲當事者一點感覺也沒有，還是很有精神，所以一直沒有就醫，但是當發現時卻爲時已晚。

不管是慢性肝炎或肝硬化，穩定時沒有任何症狀，平常也可以很有精神的上下班。不僅如此，即使患有肝癌，有時也沒有任何症狀。

所以醫師對肝臟疾病的診斷不會太依賴症狀。

所以要乖乖的定期做血液和超音波檢查，以早期發現異常。

肝硬化的治療

沒有出現腹水或肝昏迷、出血等症狀的狀態稱爲**代償性**，罹患代償性的肝硬化時可以正常上下班，服用一般的肝臟用藥就可以。

治療的方式有服用Urso、Glutachione、Proheprum、EPL、小柴胡湯等（詳情請參考第116頁）。另外，罹患肝硬化時，維他命在肝臟的貯存量會變少，所以要服用綜合維他命來補充。

肝硬化的死亡率

會危急性命的肝硬化有食道靜脈瘤破裂、肝性腦病變、合併肝癌這三項。

但是因為近年來治療方法急速進步，死於肝性腦病變和食道靜脈瘤破裂的人逐漸減少，合併肝癌成為最大死因。

肝硬化合併肝癌的比例為一年7%，不過早期發現早期治療的話，治癒的機率就會比較高。

而出現食道靜脈瘤、腹水、肝昏迷等症狀時稱爲**非代償性**，會進行以下治療。

●食道靜脈瘤及其治療

Q 經常在報紙上看到某位名人因為肝硬化的食道靜脈瘤破裂而死亡的報導，這究竟是怎麼一回事？此外，要如何預防食道靜脈瘤破裂？

A **食道靜脈瘤**是指食道的靜脈如腫瘤般隆起。

食道的靜脈爲什麼會鼓起呢？這是因爲肝硬化導致肝臟變硬，血液無法流進肝臟的緣故。

血液經由門靜脈此血管進入肝臟（請參考第2頁的圖），由於該門靜脈在肝臟內不通暢，血液有如交通阻塞般地充塞。所以無法進入的血液流向其他它岔道。其主要的岔道就是食道靜脈。

因爲通過此食道靜脈的血液量增加，靜脈如腫瘤般隆起，然後導致破裂。

肝硬化死因的第一位就是食道靜脈瘤破裂。肝硬化的治療最重要的就是預防食道靜脈瘤破裂。

預防方法是進行**內視鏡靜脈瘤結紮術**。此方法是在內視鏡下從前端伸出小的結紮環套在靜脈瘤上。利用此方法，靜脈瘤會壞死脫落而治癒。還有一種是硬化劑注射療法。**硬化劑注射治療**是放入纖維鏡將針刺入靜脈瘤，注入讓血管及其周圍組織硬化的物質。

此方法每幾天做一次，總共三到四次，靜脈瘤就會消失，也就沒有出血的危險性。進行這些治療的幾天內會出現疼痛、發燒、喉嚨吞嚥不順暢（吞嚥困難），不過都是暫時性的。

另外預防出血還有一種**食道斷離手術**。這是切掉食道靜脈瘤，中斷血流的手術。

出現腹水時為何需要限制鹽分？

我們體內充滿稱為體液的水分。血液也是體液的一部分。

體液的量很多，約佔每個人體重的60％。

體液內含有鹽分，其濃度一直維持穩定。鹽分濃度變化很大時，就會影響到生命的運轉。

吃過鹹的食物之後會感到口渴，這是因為體內鹽分濃度變高的緣故，身體會出現攝取水分降低鹽分濃度的訊息。

出現腹水時，要減少所攝取的鹽分的量是因為鹽分會積聚在腹水中，整體而言鹽分過多。減少鹽分的攝取之後，過多的鹽分就會排到尿液中。而且每天所

●腹水的治療

Q 罹患肝硬化之後聽說會出現腹部積水的腹水，有腹水時該怎麼辦呢？

A 罹患肝硬化時腹部會積水。此稱爲**腹水**。出現腹水時，體重每天會增加1～2公斤，腹部會不舒服，一吃東西肚子就會腫脹而吃不下。

出現腹水時，首先最重要的就是臥床休息，絕對臥床休息是很重要的。

接著是減少鹽分的攝取。因爲鹽分攝取過多的話，鹽分內所含的納離子會滯留在細胞外，水分就會滯留在腹部。不要喝味噌湯、醃漬物、鹹烹海味等食物，盡量不要使用醬油、鹽巴等調味料。

鹽分控制在一天5 g（有的要控制在3 g）。這是比吃藥更要先做的事。

話雖如此，但食物中原本就含有鹽分，有時會不知道該如何料理。

住院當中因爲會有營養師精算過含鹽量5 g的飲食，所以住院的飲食沒有問題，但是出院以後就傷腦筋了。

也有計算食鹽含量的機器，但最重要的還是要利用自己味覺來掌握。

一天5 g鹽分的飲食究竟是什麼飲食，要住院之後才知道。人類的感覺是非常敏感的，只要品嚐過習慣之後，就不會想再吃重口味的味噌湯之類的飲食。

其次重要的是水分的限制。並不是只要限制鹽分就可以盡量喝水。水分的攝取每天限制在一公升以內。

這是包括茶、湯、點滴、喝藥的水在內總共一公升。相當於五杯的量。夏天容易流汗時，可以多喝點水補充水分，藉此讓體內多餘的水分回到血管內，變成尿液排出體外。

接著是服用利尿劑。先從aldactone二顆開始服用，視效果增加到3顆、4顆。有時候視情況每隔一天追加Lasix一顆。所有的藥物都一樣，服用似盡量少量但有效的適當劑量爲原則。血液中白蛋白的量較少時，有時會用點滴注射白蛋白製劑來補充。這也是在非不得已的情況下才給予。

腹水經由這些治療會有所改善。再來

攝取的水分限制在1L就會產生效果。

結果，積聚在腹部的水分就變成尿液排出體外。

所以要借助促進排尿的利尿劑的作用。如此一來大量的腹水就可以解決。

就是遵守飲食的鹽分限制和水分限制，定期服用少量的利尿劑，往返門診檢查就可以了。

●肝性腦病變的治療

要治療腦病變首先要治療便秘。便秘是引起肝性腦病變也就是肝昏迷的誘因。必須服用軟便劑，維持每天排便1～2次。

陷入昏迷被救護車送到醫院時，有的經過灌腸排出大量糞便之後意識就清醒過來。

接著是點滴注射500ml Aminoleban。以及有時也會用Lactulose灌腸（如浣腸一般從肛門注入腸內），利用這些處置大部份的昏迷可以獲得改善。

有不少是被救護車送來，經過治療之後自行走路回家。

●萬一吐血的話

吐血會在無預警的情況下發生。這是非常危險的，一旦吐血會吐出一臉盆到二臉盆的鮮血，有八成的人會當場死亡（請參考第106頁）。

此時必須立即呼叫救護車送到專科醫院接受治療。在醫院可以立刻上處理休克，同時從鼻腔放入導管，讓導管如氣球般鼓起壓迫食道靜脈進行止血。此稱為食道球（Sengstaken-Blakemore tube：SB tube）。同時輸血、輸液，幫助恢復全身的狀態。

問題是要讓食道靜脈瘤壞死、止血，避免再出血。此時會進行內視鏡靜脈曲張結紮術或硬化劑治療。

利用這些方法，就不需要剖腹、開胸的手術，只要利用內視鏡就可以治療，安全性又高，而且效果佳。

因為原本就有肝硬化，肝功能變差，所以要盡量減輕肝臟的負擔，儘管如此，還是應該使用有效的方法。

另外還有一種叫做PTO（經皮經肝門靜脈栓塞術）緊急將導管放入肝臟內，將藥物注入流入食道靜脈的血管，阻斷血流的方法。

肝硬化並不是人生的終點站

Q 聽說罹患肝硬化容易演變成肝癌。「肝硬化是人生的終點站」這句話是真的嗎？

A 終點站這句話或許被用來做為「已經沒救了，既然沒辦法治療，也沒有希望了」的意思，但是肝硬化絕不是終點站。

現在治療方法一直在進步，被診斷為肝硬化之後經過十年、二十年還活著的人也不少。

沒錯，在以前被診斷為肝硬化的話幾乎沒什麼希望。例如，以前有腹水時一天抽三次腹水就很危險，現在已經不太插針排除腹水，因為利尿劑的進步，腹水不再是疑難雜症。

我的患者當中有人罹患肝硬化事隔三十年還活著。只要當事者的努力和治療雙管齊下，也可以克服疾病。

說到被診斷為肝硬化之後，那位患者做了什麼改變呢？首先他將原本一直拼命喝的酒給戒掉了。

不管是什麼宴會或聚會，都不受誘惑，滴酒不沾。並不覺得只喝一點點沒關係。很有毅力和決心。

不過說起來簡單，實際執行起來卻是非常困難。所以我很尊敬可以做到如此程度的患者。

總之要注意營養，均衡攝取各類食物，但不要攝取過量，飯後躺下來休息一個小時。

有志者事竟成。

肝臟疾病的治療⑫ 肝硬化的飲食療法

不太有症狀的代償性及會出現腹水的非代償性，方法不同。

肝硬化飲食的重點

1. 熱量一天攝取1800~2000kcal。出現肝性腦病變時為1000~1500kcal。
2. 採高蛋白飲食。蛋白質一天80g。肝性腦病變時採低蛋白飲食（20g）。稍微改善之後改為40g。
3. 脂肪一天50g（肝性腦病變時為20g）。
4. 醣類一天300g（肝性腦病變時為120g，也可以採流質飲食）。
5. 有腹水或水腫時鹽分限制在一天5g。
6. 採高維他命飲食。

飲食療法依病情而有所不同

罹患肝硬化，但沒有腹水、水腫、也沒有黃疸、雙手震顫時（**代償性肝硬化**），飲食的注意事項（請參考第87頁）和慢性肝炎幾乎相同就可以。患有肝硬化時因為活動量也比較少，所以熱量在2000kcal以下就足夠。

相反的，當出現水腫或雙手震顫時稱為**非代償性**。出現水腫或腹水時要注意的是減少鹽分的攝取量。鹽分攝取過多的話，水腫和腹水就會更加嚴重，只要限制鹽分之後，就會逐漸恢復。

鹽分和水腫、水分容易積聚與否有很大的關係。日本人的飲食原本就攝取大量的鹽分，尤其是攝取醃漬物和味噌的量，一天多達20g。現在日本建議即使是健康的人，食鹽頂多控制在10g，盡可能控制在8g以下，但有水腫時要控制在5g以下。這幾乎不會使用到餐桌上的調味鹽和醬油。因為在米飯和蔬菜當中原本就含有少量的鹽分。

另外水分也要控制在一公升以內。

●肝性腦病變時要小心便祕

出現雙手震顫、找不到廁所等肝性腦病變時，要避免便秘。

飲食上要採取低蛋白飲食，盡量不要攝取肉類、魚、蛋等食物，大約減少到平常的一半，以減少氨的產生。要注意的是，以前都建議「要吃高蛋白飲食」，現在是180度相反的採取低蛋白飲食。尤其是有腹水或腦病變時，原則上需要住院，接受治療。住院之後一定要加以學習治療飲食應該注意的細節。

肝臟疾病的治療⑬ 肝癌及其治療

為使早期發現，定期檢查是不可或缺的。治療方法有很多種。

定期檢查早期發現肝癌

Q 肝癌會有什麼自覺性症狀嗎？以及罹患肝癌時有什麼治療方法？

A 和其他癌症一樣，肝癌初期幾乎沒有自覺症狀。所以爲了早期發現，定期檢查是不可或缺的。

是否會罹患肝癌是無法預測的。定期檢查就比較不會罹患癌症。極少部份的肝硬化患者會罹患肝癌，也有人一輩子都沒有罹患肝癌。

●只有自覺症狀也無法發現

不過，研究好對策以應付最壞的狀況是醫師的職責，所以必須進行定期檢查是否會罹患癌症。

這不只是肝硬化的患者，就算是慢性肝炎，肝臟稍微有問題的人也一定要進行的檢查。

●肝癌的早期診斷

慢性肝炎以及特別是肝硬化時，首先要做超音波檢查。每3～4個月定期做一次這項檢查。就算沒有自覺症狀，和血液檢查一樣都是必須要做的檢查。

超音波檢查比較簡便、不會產生疼痛，而且診斷性高，即使是非常小的癌症也會被發現。可以抓到4mm到5mm的小團塊，但一定要區分出是癌症還是血管瘤。

在這種情況之下就要做CT。也可以用MRI。以及用血管攝影確認，但要利用腫瘤組織切片做最確實、最後的診斷。

這是在超音波下用針刺向腫瘤，採取一部分組織後，在顯微鏡下判斷組織的類型的檢查。

肝癌的種類

肝癌除了發生於肝臟的**原發性肝癌**之外，還有從其他部位的癌症轉移肝臟的**轉移性肝癌**。

■原發性肝癌

原發性肝癌大致上分為從肝細胞發生的**肝細胞癌**，以及從膽管的細胞發生的**膽管細胞癌**。

肝癌的90%以上為肝細胞癌。

而肝細胞癌的大部份是由肝硬化和慢性肝炎所演變而來，大部份是由肝炎性肝炎（B型、C型）、長期喝酒等所引起的。

■轉移性肝癌

發生於其他部位的癌細胞經由血流跑到肝臟增生繁殖。轉移性肝癌不只是肝臟，也常會轉移到全身其他器官。

胃癌、大腸癌常會轉移到肝臟，胰臟癌和膽道癌也會轉移。

●腫瘤標記的早期診斷

想要知道是否罹患肝癌，可以做血液檢查檢測AFP和PIVKA-II之腫瘤標記（詳情請參考第32頁）。不過，對於腫瘤標記沒有上升，但超音波發現有幾mm大的陰影時有助於早期診斷。

●和血小板的關係

最近大家都會注意到血小板的數量。常有患者會問「我的血小板有多少？」。原本血小板數是代表脾臟的功能。

罹患肝硬化時脾臟會腫大，當脾臟腫大時血小板的數量就會減少，因此，當檢查出血小板的數量減少時就會被診斷為肝硬化。

血小板數的基準值為15萬。罹患慢性肝炎時，其數量會稍微減少，但減少到十萬以下，例如八萬或七萬時，可能即將肝硬化或已經肝硬化。

肝硬化轉變成肝癌的案例比慢性肝炎多。於是根據各項統計，暫且以下列為參考基準。

血小板數20萬
肝臟正常。

血小板數16～19萬
輕微慢性肝炎，癌症年發生率為0．5%。

血小板數14～15萬
中度慢性肝炎，癌症年發生率為1．5%。

血小板數10～13萬
重度慢性肝炎，癌症年發生率為3．0%。

血小板數10萬以下
肝硬化，癌症年發生率7%。

●避免罹患肝癌

慢性肝炎C型肝炎病毒消失的話，將來癌症發生的機率減少到1／5。即使病毒沒有消失，肝臟的血液檢查值因為干擾素降到基準值的話，也會減少癌症的發生機率。

如果沒有使用干擾素，採取盡量維持肝臟的血液檢查值在基準值的治療的話，也可以抑制癌症的發生。

干擾素併用5-FU動脈注射療法

這是最近用來治療重症肝癌的治療方法，效果佳。

肝癌惡化侵犯到門靜脈內時，以前很少有有效的治療方法，利用此方法有可能完全痊癒。

方法如下：

首先將導管置入肝臟固定。然後持續二週，每週五天，每次五小時從導管慢慢注入5-FU之抗癌藥物。然後休息二週。

另外，每周三次持續四週肌肉注射干擾素。

像這樣進行一個療程為期四週的5-FU合併干擾素的治療（一個療程）。有時要進行二次以上的療程。

此治療方法，目前在

那是要盡量降低AST（GOT）、ALT（GPT）值，消除炎症，抑制病情的惡化。不要演變成肝硬化。

使用所有的方法努力降低AST（GOT）、ALT（GPT）值。

也就是說，服用Urso、Glutachione、Proheprum、EPL、十全大補湯等（詳情請參考第116頁）肝臟用藥，然後必要時靜脈注射SNMC。

肝癌的治療

並不是等癌症發生之後再治療癌症。每3～4個月定期檢查一次超音波，必要時做CT、MRI，有任何跡象時，在轉變成癌症之前，利用射頻腫瘤治療（RFA）將其完全消滅。這是先下手爲強。如此一來，將來也不會感到不安。

發現癌症時，經由下列程序確定診斷後進行治療。

1.每3～4個月定期的超音波檢查發現肝癌或疑似肝癌時（進入下一程序2）

2.進行CT、MRI精密檢查。

3.接著做肝動脈攝影檢查，同時做CT進行癌症的確定診斷，然後判斷是否相同。確定爲癌症之後，當場從導管注射抗癌藥物或Gelatin（可溶性栓塞物）進行治療

4.有時會進行肝臟組織切片檢查以確定是否爲癌症。

此外爲了讓治療更完善，會考慮射頻腫瘤治療（RFA）。此時會進行肝臟小組的討論決定採用手術或肝動脈栓塞術治療，然後向患者詳細說明，依患者的意願決定治療方法。

以下分別介紹各種治療方法。

●射頻腫瘤滅除術（RFA）

用手術以外的方法治療肝臟時，射頻腫瘤治療（RFA）是現在的首選，也可以說是主流。

這是對肝臟內的癌組織從體外麻醉後插上針（探針），將探針周圍用450KHz加熱讓癌組織壞死的方法。每加熱燒灼一次可以讓直徑3cm的癌組織

日本的關西主要在大阪大學、關東主要在東京大學相關醫院的杏雲堂醫院進行。到目前為止有293個案例進行，癌症完全消失的有13%，有34%的患者癌症有消失縮小的情形。

目前已有侵犯到血管內的癌症完全消失的個案出現，無疑為患者帶來很大的希望。

壞死治癒。此方法適用於癌組織在三個以內。

在日本，和作者同一小組的東京大學消化系統內科的椎名秀一朗醫師們爲主，進行此治療，在2350位患者當中的99．4%完全治癒。

●經皮穿刺腫瘤內酒精注射（PEIT）經皮微波凝固療法（PMCT）

經皮穿刺腫瘤內酒精注射和經皮微波凝固療法在以前是很常見的治療方法，現在是視情況必要時使用，治療效果佳。

●手術

癌組織在接近體表處手術比較容易時、或癌組織相當大例如集中在肝臟的左側、右葉，推測將整個左葉切除就可以治癒時進行。左葉有大的癌組織的患者，利用手術切除乾淨之後，癌症消失了，手術之後也很有精神的生活著。

●肝動脈栓塞術

肝動脈栓塞術是從股動脈將細的導管插到腫瘤附近的肝動脈，將抗癌藥物以及Gelatin（可溶性栓塞物）注入流到腫瘤的血管，將流向癌組織的血管塞住的方法。因爲Gelatin（可溶性栓塞物）塞住血管，所以血液不會流向該部位，癌組織因爲缺血而壞死分解。

●放射線治療

於癌組織位於肝臟門靜脈時進行。另外還有質子治療。

肝臟疾病的治療

⑭ 肝臟疾病所使用的代表性治療藥物

選擇給予適合肝臟疾病病情的藥物

1、肝臟用藥

藥 物 名 稱 （劑型）	使用目的及服用方法
Urso 100 **Urso** **Ursosan** 一般名稱：Ursodesoxycholic acid （顆粒、錠劑）	〈使用目的〉 促進膽汁分泌，增加肝臟血流，改善AST．ALT值等肝臟機能。 廣泛用於慢性肝炎，是原發性膽汁性肝硬化的特效藥。 〈服用方法〉 一天300~600mg，分三次服用。
Proheparum錠 為肝水解物製劑，含有肌醇（inositol）、鹽酸半胱胺酸（Cysteine Hydrochloride）、維他命B_{12}、Cholinebitartarate。	〈使用目的〉 改善AST．ALT值等肝臟機能。 〈服用方法〉 一天3~6錠，分三次服用。
Glutide **Tathion** 一般名稱：Glutachione （細粒狀、錠劑、散劑、注射劑等）	〈使用目的〉 提高肝臟機能，特別是解毒功能。 〈服用方法〉 一天150~300mg，分三次服用。
EPL（essential phospholipids 必需磷脂） 一般名稱：Polyenephosphatidyocholine （膠囊）	〈使用目的〉 改善慢性肝臟疾病的肝臟機能，尤其對脂肪肝有效。 〈服用方法〉 一天六顆膠囊，分三次服用。
SNMC（Stronger Neo-Minophagen C） 含有甘草酸（glycyrrhizin）、半胱胺酸（L-cysteine）、氨基酸（Amino acid） （注射劑）	〈使用目的〉 肝功能損傷，尤其是AST．ALT持續偏高，口服藥無效時使用。為靜脈注射劑。 〈服用方法〉 原則上一開始連續幾天40ml，AST．ALT幾乎恢復到基準值之後改每週三次、每週二次、每週一次逐漸減量。 可以一次注射100ml。此注射方法開始後持續數個月，慢性肝炎時持續數年的話有效。

2、中藥

藥 物 名 稱	使用目的
小柴胡湯	適用於右肋骨下不適，調整體質，改善肝臟功能。
十全大補湯	適用於體力衰退、容易疲倦的人，提高免疫力，改善肝臟機能。

3、抗病毒藥物

藥 物 名 稱 （劑型）	使用目的及服用方法
Rebetol 一般名稱：Ribavirin (膠囊)	**〈使用目的〉** 改善C型慢性肝炎的病毒血症。 和干擾素併用。 **〈服用方法〉** 一天600~800mg(3~4顆膠囊），分早晚二次服用。
Zefix 一般名稱：Lamirudine （錠劑）	**〈使用目的〉** 改善B型慢性肝炎的病毒血症。 **〈服用方法〉** 一天100mg（一錠），服用一次。
Baraclude 一般名稱：Entecavir （錠劑）	**〈使用目的〉** 改善B型慢性肝炎的病毒血症。 **〈服用方法〉** 一天一次0.5mg。

4、免疫抑制劑（副腎皮質荷爾蒙製劑）

藥 物 名 稱	使用目的
Predonine **Prednisolone**（散劑、錠劑）	**〈使用目的〉** 此為副腎皮質荷爾蒙製劑，為自體免疫性肝炎的特效藥。 抑制免疫，效果顯著。 **〈服用方法〉** 剛開始一天30~40mg，然後逐漸減量。

5、肝性腦病變治療藥物

藥 物 名 稱 （劑型）	使用目的及服用方法
Monilac **Caloryl** 一般名稱：Lactulose （藥用糖漿、膠狀液）	**〈使用目的〉** 都是降低氨（amonia），改善肝性腦病變。 **〈服用方法〉** Lactulose （Monilac 、Caloryl）一天30~60ml，分三次服用。Portolac一天三包，分三次服用。Aminoleban EN一天150g，分一天三次服用。 Aminoleban 一天500ml點滴注射。
Portolac 一般名稱：（Lactitol hydrate）（粉末）	
Aminoleban EN 肝衰竭用氨基酸製劑 （散劑）	
Aminoleban 肝衰竭用氨基酸製劑 （注射製劑）	

6、低白蛋白血症的改善藥物

藥 物 名 稱 （劑型）	使用目的及服用方法
Livact 支鏈胺基酸製劑（顆粒）	**〈使用目的〉** 改善肝硬化之血中白蛋白偏低。 **〈服用方法〉** 一次4.15g，一天服用三次。

原發性膽汁性肝硬化及肝臟移植

原發性膽汁性肝硬化嚴重時，會出現嚴重黃疸肝功能降低，食道靜脈瘤破裂出血。

治療黃疸除了Urso以外還有其他藥物，治療靜脈瘤除了Inderal藥物之外，也可以利用內視鏡靜脈瘤結紮術（EVL）讓靜脈瘤消失痊癒。

不過，歐美是利用肝臟移植做根本治療。Markus提出進行了161個肝臟移植，一年存活率為74%的報告。

日本也正在利用活體肝臟移植治療此疾

肝臟疾病的治療 15 其他肝臟疾病

其他還有各種不像前面的肝臟疾病那麼常見的肝臟疾病。

■自體免疫性肝炎

Q 我被診斷患有自體免疫性肝炎，但還是搞不清楚什麼是自體免疫。這是一種什麼樣的疾病？

A 所謂免疫是指身體的防禦力。例如，曾經得過麻疹治好之後，就不會再得第二次。這是因爲身體攻擊麻疹病毒，而得到對此病毒的防禦能力（產生免疫）。

所謂**自體免疫**是指身體產生不會攻擊病毒等異物，而是攻擊自己的身體（例如肝臟）的反應。原因尚不明確。此疾病多發生於中年女性，男性幾乎不會得。

幾乎沒有任何症狀，健康檢查發現肝臟不好，而且也沒有肝炎病毒，原因不明時，有時是此疾病所引起的。中年女性有肝損傷的情形時，必須判斷是否有可能是因爲此疾病或原發性膽汁性肝硬化所引起。如此才能早期發現。

診斷上做肝功能檢查、抗核抗體（ANA）檢查就可以確定。有時會做肝臟組織切片檢查進行確定性診斷。

治療上有免疫抑制劑的**Predonine**（請參考第117頁）此特效藥。一開始一天6錠（30 mg）。一天三次每次二錠，或早上四錠、下午二錠也可以。服用**Predonine** AST．ALT會急速下降，幾乎全部都會改善。出現黃疸時也會改善。

Predonine一天6錠服用大約一個月，肝功能的值幾乎恢復到基準值之後改爲5錠、4錠、3錠…，每個月逐漸減量。然後減少到2錠、1錠之後，需要長期續服用好幾年。適當服用的話幾乎沒有副作用，不過要預防胃潰瘍、骨質疏鬆症。

病。

■原發性膽汁性肝硬化（PBC）

Q 患有原發性膽汁性肝硬化，但沒有任何症狀。

這是怎樣的疾病呢？將來需要擔心嗎？

A 此種疾病是特別會發生在女性，尤其是步入中年以後的女性的疾病。有七成的人沒有症狀。據說大部份是健康檢查才發現。

此疾病可分爲二種。一種是**無症狀性原發性膽汁性肝硬化**，另一種是有出現黃疸症狀的原發性膽汁性肝硬化。

沒有出現黃疸的人，就算檢查發現異常，因爲尚未發病所以不需擔心，只需定期接受檢查。

有出現症狀的人，會出現黃疸、皮膚搔癢。皮膚沒有異狀但會騷癢。有的沒有黃疸但會感到搔癢。

血液檢查發現ALP和γ-GTP、LAP等會特別高。

另外檢測抗粒線體抗體（AMA）特別是M2抗體，如果呈陽性則有可能是此種疾病。會利用肝臟組織切片檢查進行確定性診斷。

有的中年女性、肝臟功能不好，但沒有肝炎病毒原因不明時，懷疑是否罹患此種疾病，進行檢查之後確定病名。

治療上服用Urso每次1～2錠、一天三次、共3～6錠。此藥物已確定有效，可以改善肝臟的血液檢查值，尤其是ALP值等會下降，抑制病情的惡化。

無症狀性原發性膽汁性肝硬化服用此藥物對將來也很有幫助。

Urso在以前是用被稱爲「熊膽」的藥物所製造而成，也被用來溶化膽結石，幾乎沒有副作用，但有時會引起胃痛或腹瀉，所以要和消化劑一起服用。

此外此疾病有時會引起維他命A、D、K不足，要利用藥物補充。使用止癢劑止癢。

兒童的肝臟疾病

兒童的肝臟疾病有下列幾種：

■新生兒肝炎

出生後第二個月開始出現黃疸，解白色便。大部份在六個月左右黃疸會消退痊癒。

■先天性膽道閉鎖

同樣會出現黃疸，這是在出生後沒多久膽道完全閉鎖的疾病。手術尤其是肝臟移植是唯一的治療方法。

■雷氏症候群（Reyes syngrome）

肝臟突然出現異常，出現腦部症狀，會危及性命的疾病。目前懷疑和解熱鎮痛劑的阿斯匹林有關，現在大家已有共識罹患感冒或流行性感冒時最好不要服用阿斯匹林。

■血鐵沉積症（Hemochromatosis）

大量鐵質沉著在肝臟的疾病，臉色會變青綠色（青銅色）。血液中含鐵量多，利用瀉血每次放掉200~400ml的血液的方法或藥物治療，讓鐵含量恢復正常，改善病情。

■威爾森氏症（Wilson disease）

此爲遺傳性疾病，銅積聚在肝臟和腦部的疾病。嚴重時會導致肝硬化。會雙手顫抖、無法抓取物體。D-penicilamine可有效讓銅恢復正常。

■特發性門靜脈高壓症（IPH）

沒有肝硬化但卻出現食道靜脈瘤變大、脾腫大的疾病。利用手術治療食道靜脈瘤。幾乎沒有自覺症狀，有的是健康檢查時或出現腹水、突然靜脈瘤破裂吐血才發現。

■肝臟類澱粉沉著症（Hepatic Amyloidosis）

一種叫做類澱粉的蛋白質沉積在肝臟或全身的疾病。會出現肝腫大、腹水、腹瀉等症狀。

■日本住血吸蟲症（Schistosoma Japonicum）

由皮膚進入肝臟引起肝硬化，產生腹水和腦部症狀的寄生蟲病。以前多發生於日本山梨縣，後來經過田間排水設施的整頓，現在已經沒有這種疾病。

■胞蟲症（Echinococcosis）

胞囊絛蟲的幼蟲，也就是胞蟲所引起的疾病，會在肝臟形成腫瘤，所以有時會誤以爲是肝癌。在日本多發生於北海道，從狐狸、狗等犬科動物傳染，所以小心這些動物的排泄物，勤洗手就可以預防此疾病。

■阿米巴性肝膿瘍（Ameobic liver abscess）

多發生於熱帶地區，由生水等所傳染。會出現肝臟積膿、發高燒、腹痛等症狀。前往熱帶地區旅行時要小心。

第3章

肝臟疾病患者的日常生活

患有肝臟疾病的人，
最重要的是日常生活的生活型態。
本章將具體的向各位介紹該注意的事項。

基本的日常生活① 肝臟疾病患者的基本日常作息

上班時間和休息、運動等日常生活上該注意些什麼呢？

休息遠重於一切

Q 據說患有肝臟疾病的人需要「多休息」，這是為什麼呢？另外，上班時也需要休息嗎？

A 我們三餐所吃的食物在腸胃經過消化吸收，經過門靜脈此血管送達肝臟。

所以被吸收的物質，最先聚集到肝臟的「時間點」就是飯後。

而採臥姿的時候，血液會聚集到肝臟。所以飯後必須躺下休息讓血液聚集到肝臟。也就是說，最重要的是飯後的休息。

儘可能躺臥一小時，上班族只要半小時就可以。但是，罹患急性肝炎症狀嚴重，病情也不穩定時，需要躺臥二小時，有時需要休息一整天。

●上班族飯後也盡量要休息

上班時間就算被吩咐「飯後要橫躺下休息」，也不能說躺就躺，而且也沒有可以橫躺的地方。

此時不一定要躺下，盡量「休息」即可。

如果有長板凳或草坪的話，也可以躺在上面休息，沒有的話，只要坐在椅子上或安靜的休息也可以增加往肝臟的血流量。

最忌諱的是飯後立刻走動、投接球等到處活動。對於肝臟不好的人而言，飯後休息是很重要的事。飯後至少要休息三十分鐘。

病例

●恢復到可以從事運動的慢性肝炎

O先生喜歡打高爾夫球，曾經是單差點球員（single player）。但是因為罹患慢性肝炎，被迫在病情穩定之前，不可以再打高爾夫球。

O先生的AST和ALT介於200～300之間，病情還處於活動期，所以需要休息。但是不需要一整天躺著不動，可以從事輕度的事務工作。而且治療初期盡可能讓身體休息半天。因為這關係到未來的人生，公司方面也能諒解，決定小心謹慎，把身體排在第一，工作第二。

確實休息並遵守生活上的注意事項，再加上治療，AST、ALT降到100以下之後，漸漸擴大活動範圍。也照常工作，高爾夫球也從每個月一次開始，定期檢測肝功能，而逐漸增加次數。

O先生就這樣注意日常生活恢復健康，現在已經可以像往常一樣打高爾夫球。

病情不好時只要一心一意的接受治療，才是恢復健康的捷徑。

●慢性肝炎患者的上班時間？

即使患有慢性肝炎，如果AST（GOT）、ALT（GPT）維持在100左右的話，也可以當一位朝九晚五的上班族。只要飯後休息三十分鐘即可。通勤時間單程大約一小時，上班時間八小時是很常見的，依我幫數千名肝臟疾病患者看診的經驗，這樣的生活型態下並不會輕易的讓舊病復燃或惡化。

而AST、ALT高到200以上，每天靜脈注射SNMC時，最好只上半天班。經過治療降到100左右，就可以恢復上全天班。

無論如何，慢性肝炎的患者要避免長時間加班，行程過於緊湊的出差。在工作方面需要做的調整，一定要和主管商談之後得到主管的同意。

●應該辭職嗎？

「乾脆辭掉工作，在自家做些小生意，輕鬆自在的生活」也有這種想法的患者。但是可能需要和主治醫師充分商量，確定治療期間是否需要長時間休息？現在的工作會不會太繁重等等。

不過，就算AST、ALT的數值沒有恢復正常，也不一定要住院治療或辭掉工作。如果維持穩定沒有惡化的話，則視為病情已經維持穩定。

●需要適度運動

治療期間該做些什麼運動才好呢？飯後確實是需要休息，不過，除了急性肝炎初期和重症以外，往返門診接受治療的慢性肝炎，除了飯後休息以外，只要按照平常的生活作息即可。而運動只要身體能適應就可以。散步一小時左右、每個月打一次高爾夫球、行程輕鬆的旅行都可以。

另外，定期檢查肝臟功能，確定肝臟沒有惡化即可。一直休息沒有活動的話，腰腿也會逐漸無力，反而讓整個身體的活力衰退。

基本的日常生活 ②

肝臟疾病治療藥物以外的藥物服用方法

盡量不要服用肝臟疾病的治療藥物以外的藥物

肝臟疾病患者聰明的服藥方法

肝臟不好時可以服用肝臟的藥物，盡量不要服用其他藥物。這是因爲服用藥物時肝臟爲了分解藥物而過度工作。

●藥物在肝臟被分解

我們以安眠藥爲例子來做說明。服用安眠藥之後，隔天早上可以清醒的醒過來，那是因爲肝臟整晚都在進行分解藥物的工作。安眠藥在肝臟被分解，安眠藥失去作用之後，我們就會從睡眠中醒過來。

如果肝臟的功能降低，又將會是怎麼樣的情況呢？因爲分解能力弱，所以安眠藥一直無法被分解，因爲沒有被分解，所以藥效一直都有作用存在，而持續處於睡眠狀態。

事實上，曾有肝硬化的患者只服用一顆安眠藥就連續睡了兩天的案例。因此，患有肝硬化或肝功能不好的患者，醫師不會開立安眠藥的處方。

●有過敏體質的人要小心

服用太多的藥物的話，肝臟也會因爲藥物而受損。所以發現肝臟不好時醫師會問「有沒有服用其他藥物呢？」。

如果是有服用各種藥物的情形，有時醫師會試著讓患者停止服用藥物。停藥之後，肝臟就逐漸恢復它原有的功能。由這個案例證明了肝臟的功能是因爲藥物而受損。

也有只服用一顆藥物肝臟就變差。曾經有人只服用一顆市售的感冒藥之後造成肝臟受損，出現黃疸遲遲沒有改善，在醫院住院長達六個月。

這是因爲過敏性體質對藥物產生過敏反應所引起的。過敏性體質的人，也就是容易引發氣喘和蕁麻疹、皮膚容易起疹子的人，有過敏體質的人在開立藥物之前，一定要主動告知醫生或藥房的藥劑師。

肝臟的功能和藥物

肝臟具有分解對身體有害的物質、破壞其毒性且維護健康的功能。此稱為肝臟的解毒功能。

不管怎麼說藥物對身體而言是一種異物。所以我們所服用的藥物肝臟就會將它分解。

為什麼我們生病的時候吃藥會有效呢？

那是因為肝臟的解毒功能有限，無法一次分解所有的藥物。

沒有被分解的藥物經由血流被送往作用部位發揮作用。一次所服用的藥物的量是計算在不被肝臟分解的量。

肝臟的功能因為肝臟疾病衰退時，分解藥物的功能也會降低，因此服用過多的藥物，身體還是維持相同的狀態。所以患有肝臟疾病的人盡量不要服用疾病以外的藥物。需要服用藥物時，一定要告訴醫師患有肝臟疾病，和醫師商談後再決定。

因爲其他疾病需要服藥時，要告知醫師自己患有肝臟疾病。

除了醫院開立的藥物之外，還有民俗療法的營養、強健藥劑等，這些藥物有時會有體質不合的情形發生。

●酒和藥物一起服用是很危險的

有一天，有一位女性突然暈倒被救護車送到醫院。原來是因爲這位女士將酒和感冒藥一起服用。藥物和酒一起服用的話，藥效會增強到二倍到三倍。酒和安眠藥一起服用時，藥效會過強，嚴重時甚至會危及性命。

喝酒不吃藥。一定要吃時，必須等到酒醒之後再吃。喝酒之前服藥結果也是一樣，所以是很危險的。

不要再擅自服用頭痛藥、安眠藥、瀉藥、消化劑等不必要的各種藥物。

但是，如果感冒發高燒到39度的話，要盡快服用感冒藥。

可以服用治療高血壓或糖尿病的藥物。要確實對症下藥。

因為其他疾病需要服藥時，要告知醫師自己患有肝臟疾病。

基本的日常生活 3

便秘和肝臟的關係

生活要有規律，養成適合自己的生活習慣是很重要的。

便秘是肝臟的大敵

Q 我有時候會便秘三、四天沒有解便。排便和肝臟有何關連呢？可以服用瀉劑治療便秘嗎？

A 有一位患者被救護車送到醫院。意識不太清楚，呼喚他「某某先生」也只是發出「嗚」的聲音，沒有反應。

這位先生原本就因爲肝硬化往返門診治療中。詢問家屬關於他解便情形之後，才知道他昨天和今天都沒有解便。

於是盡速幫他灌腸。灌了100ml以上的甘油（Glycerin），但是糞便還是很硬排不出來，所以戴上拋棄式（用後即棄）手套將手指伸入肛門將糞便挖出。

就這樣將糞便徹底的清乾淨之後，患者的意識就恢復過來了。叫他「某某先生」時會回答「是」，還莫名其妙地問「我爲什麼會在這裡？」。

便秘對肝臟疾病就是這麼可怕。這位患者因爲便秘而意識不清。如果有每天排便的話，就不會發生這種情形了。

糞便堆積時會產生氨，進入血液之後被送到肝臟。氨在肝臟會被分解掉，通常不會造成任何影響。

但是，當肝臟的功能減弱時，就無法分解氨。結果，氨對腦部產生作用損傷腦部，造成意識不清。這種情形稱爲**肝性腦病變**或**肝昏迷**。

因此，便秘對肝臟而言是不好的。最好每天排便。3、4天沒有排便時，最好服用瀉藥促進排便。這一點對於肝臟健康的人也是一樣。

不過，使用瀉藥時，要事先請教醫師，選擇最適合自己的瀉藥。使用市售的瀉藥也要事先請教之後再服用。

●養成規律的生活維持排便順暢

便秘及對策

肝臟功能差的人一旦便秘，就會引起肝性腦病變，而陷入肝昏迷（請參考下段），所以一定要避免便秘。

引起便秘最常見的原因是有忍便的習慣。繁忙的上班族、忙於家事的家庭主婦，經常因為早上忍便而造成便秘。

便意容易在進食後產生。當食物進入胃內，將糞便推向直腸・肛門的大腸運動會因為該刺激而興奮，刺激排便。此稱為**胃・大腸反射**。吃完早餐會想上廁所就是因為此胃．大腸反射所以引起。

被醫師叮嚀「不要便秘」的肝臟疾病患者，要養成餐後尤其是早餐後上廁所的習慣。就算沒有便意，也要坐在馬桶上等待便意。

也有人因為痔瘡疼痛而有忍便的習慣。肝臟疾病患者要盡快治療痔瘡。

維持每天排便的習慣，可以喝冰開水或冰牛奶，也需要攝取高纖維的食物。但是，最重要的是生活要有規律。

清晨、太陽升起，傍晚、夕陽西下。早晨、起床，晚上、入睡。呼吸一分鐘二十次，脈博80下。像這樣人體體內也有自然的規律，只是我們沒有注意到，腸子也是有規律的。比如說，早上醒來就想上廁所解便、吃完早餐因爲受到刺激而排便。這會因人而異，所以有人一到公司就想排便，也有人到了晚上就想解便。

只要配合自己的排便節奏就可以。如此一來，就不用很辛苦，也不用太費心的每天排便，也不會影響到肝臟。

相反的，腹瀉的症狀一直沒有改善的話，也會傷害肝臟。此時就要治療腹瀉。

患有肝臟疾病的人要小心便秘。3、4天沒有排便時，要先請教醫師再選擇適合自己的瀉藥。

基本的日常生活 ④ 感冒會影響肝臟

感冒時原本肝臟就不好的人有時會舊病復發

感冒的預防及口罩、漱口的效果

感冒的人戴口罩具有避免咳嗽、打噴嚏時帶有病毒的口沫橫飛的效果。

也就是說，戴口罩避免將感冒傳染給周遭的人是很重要的禮貌。口罩對感冒的人也有效果存在。不會直接吸入冷空氣、利用自己的氣息將冷空氣加溫、加濕，提高鼻腔和喉嚨的抵抗力。

漱口具有將喉嚨的入口清乾淨，不易感染感冒病毒的效果。

要預防感冒，增強自己的體力不要被感冒病毒打敗是最重要

對於肝臟疾病患者而言預防感冒也是一種治療

Q 有一次感冒到醫院抽血檢查被告知肝臟不好。之後隔了一段時間再檢查一次，結果正常。感冒會對肝臟有不良的影響嗎？

A 我自己曾經在感冒的時候做健康檢查，抽血檢查結果肝臟的檢查數值偏高。AST（GOT）的基準值在30以下，那時候高達70。感冒痊癒一個月之後再抽血檢查，就恢復到基準值。

感冒是由病毒所引起的，流行性感冒的病毒會侵犯喉嚨和支氣管，同時會發高燒、肌肉痛、或關節痛，引起全身性反應。其中肝臟也會暫時變差。所以感冒對肝臟並不好。

原本肝臟就不好的人，要是感冒的話就會復發惡化。

會讓慢性肝炎復發惡化的情況之一就是感冒。所以要小心盡量避免感冒。那麼，該如何預防呢？以下有三種預防方法。

●不要接觸感冒的人

感冒是傳染性疾病。流行性感冒流行時，學校會停班停課。小心翼翼到這種程度。在家裡感冒當然也是會互相傳染的。

某位肝臟疾病患者來醫院拿感冒藥，他說「我的孫子在學校被傳染到感冒」。這位患者似乎不覺得感冒有什麼大不了的。但是，當感冒遲遲未癒時也有可能演變成肺炎，患有肝炎的人有時也會惡化到非住院不可。

所以盡量不要靠近有感冒的人。在電車上，不要站在咳嗽的人旁邊。尤其要小心流鼻水、打噴嚏的人，因爲這時期會散播出最多病毒。這時候要不著痕跡的移動到其他地方。

●要紓解壓力

的。

疲累的時候經常會感冒。例如熬夜、喝酒過多宿醉、或操心某件事造成精神疲勞時。

尤其是精神上感到有壓力、疲累的時候。身體上的疲累，例如運動之後感到疲累，只要舒服的睡一覺就會消除。但是精神上的疲累很頑強，所以要用適合自己的方法來紓解壓力。

●生活要有規律

只要生活規律營養充足的話，就算有一些病毒侵入體內也不太會感冒。

仔細觀察會意外地發現每天忙忙碌碌的人不會感冒。這是因爲生活適度的緊張。不過突然放鬆時，例如：考完試、或者解決了難題鬆了一口氣的時候。免疫力通常會在這個時候降低，因此不僅僅是感冒，就連身體狀況也會變差。

換言之，生活不能過度輕鬆。不是要各位勉強自己，而是生活要有規律。這是遠離疾病的一個秘訣。

感冒時AST值偏高

感冒也會使慢性肝炎復發

基本的日常生活⑤ 如何工作不會疲累？

有什麼方法可以不會感到疲累，每天精力充沛的生活？

疲累會促使肝炎復發

Q 真是累得不得了。有什麼方法可以不會到疲累，精力旺盛的工作呢？

A 疲累會破壞身體的平衡，降低抵抗力和免疫力，容易生病，會促使肝炎復發。所以必須要小心不要過勞。用八分力生活，不要勉強，盡量不要勞累的出差，不可以熬夜。

患有慢性肝炎患者的肝臟的功能，假設爲正常人的八成，工作和家事等不要太勉強是很重要的。

●累的話就躺下來休息

覺得累就要盡量趕快消除疲勞。要消除疲勞就要躺下來休息。躺下來閉上眼睛休息五分鐘或十分鐘。

這種方法非常有效。因爲飯後會想睡覺，躺下來就會睡著。有人白天怎麼樣也睡不著，或沒有地方睡覺，這也是要利用方法的。

現在來介紹我平常所利用的方法。搭電車時閉上眼睛。搭電梯的幾秒鐘也閉著眼睛。吃完午餐一躺在長板凳上，立刻就有睡意，先告訴自己十五分鐘後就要醒來。很不可思議的10~15分鐘之後自動清醒過來。結果，那一天的下午就不會感到疲累。

像這樣小睡一下，效果出乎意料的好。這和在電車上點頭打瞌睡、學生在課堂上非常想睡覺是一樣的。短短幾分鐘的睡眠，也就是小睡一下是很有效的。要更積極的消除疲勞就是在還沒疲勞之前就先休息。據說英國首相邱吉爾之所以能夠精力充沛的工作，是因爲他善於利用時間睡覺。外傳他走到哪裡都帶著私人的枕頭、私人的睡衣、私人的床（？）。

某位知名藝人，每天參加電視猜謎等需要長時間錄影的節目，之後仍舊神采奕奕。我曾經一直在想他爲什麼那麼有精

忙碌的人的三餐

有人每天忙得不可開交。早上一大早匆匆忙忙吃過早飯，就從家裡跑出去，午餐忙到下午兩三點才吃，晚上九點才下班，不過還是想要回家吃晚餐，十點多回到家打開一罐啤酒，好不容易吃到晚餐了。

年輕力壯的中年人就算肝臟不好，身爲公司的管理人員或許有一些身不由己的時候。但是要避免讓肝臟的狀況惡化，必須要想辦法讓三餐定時定量。向太太詳細說明，請太太配合不

管多早都可以吃到熱騰騰的早餐。中午沒有時間外出的話就帶便當，晚上無論如何五點左右都要吃點餅乾，防止血糖過低。

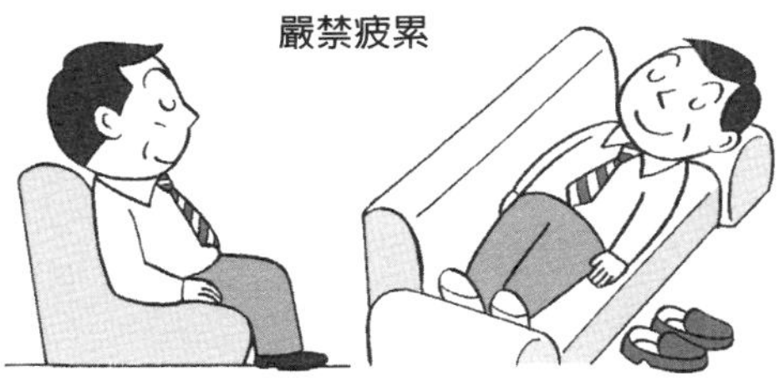
覺得累的時候就躺下來
沒辦法躺下來的話就坐下來閉目養神

神。有一次，聽到那位藝人說「我中午以前絕對不工作都在休息」，我才知道原來這就是他的精力來源。

●營養要均衡

營養不足是疲勞的原因。偏食的飲食習慣，營養也會不均衡。飲食習慣最重要的是營養均衡重於飲食的量。

每天一定要攝取20~30種飲食。不要偏重某一類，每一種食物都要一點一點的攝取。也不用考慮蛋白質到底該從哪一樣食物中攝取，只要可以攝取到所有的營養就好（關於飲食的詳細解說請參考第139頁以後）。

●已經過去的事情就不要再耿耿於懷

什麼是疲累？工作過度嗎？做自己覺得很愉快的事情，例如，隨心所欲的整理廚櫃、整理收藏品、一天看三次喜歡的電影也不會感到累。但是，被叫去做不喜歡的事情、沒有興趣的事情，就會覺得累、覺得很討厭。所以說，疲累是心裡的問題。

所以，不要讓心情感到疲累。忘記過去的事情，不要去擔心未來不知道會如何。一點辦法也沒有的事情，就不要去想該怎麼辦？想好相應的對策，臨到頭來再說吧。人生不如意之事十之八九，有時會期望落空，有時會令人出乎意料之外。換句話說，即使一直憂心忡忡，常常結果還是一樣。

只要思考今天一整天的事情就好。如此一來，心情也會平靜。這麼一來疲累的根源就減少一項了。

基本的日常生活 ⑥ 隨心所欲的休息對肝臟好嗎？

聽說休息是很重要的。要如何休息才好呢？

生活有規律才能真正的休息

Q 我因為肝臟不好所以在家靜養，都不做家事。鋪棉被收棉被也都仰賴家人，只是一直躺著。早上起床時間也不固定，有時候睡到中午。有時候很早就醒過來。身體感到倦怠無力，什麼事都不想做。

A 肝臟不好時需要靜養。因爲躺著對肝臟比較好。症狀相當嚴重時，例如重症肝炎或肝硬化合併腹水時，要絕對靜養。

但是，慢性肝炎AST（GOT）、ALT（GPT）值維持在100左右，也沒有黃疸的人，不需要整天躺著。飯後休息三十分鐘到一個小時，然後可以從事輕度的工作。

所謂輕度工作，如果是在公司上班的人盡量從事事務性工作。短時間的話，工作上可以搭車，但是盡量不要加班或出差。這些可以請醫師開立診斷書，這樣主管也就可以諒解。

●主婦和辭退工作的人呢？

那接下來我們來談對於待在家裡的人也就是家庭主婦和辭退工作的人該如何是好。

前面所講的問題是家庭主婦所提出來的，不過這類的個案有很多。靜養、靜養，每天都像在過星期天一樣。想做什麼就做什麼、什麼都不做也可以、隨心所欲的生活就可以，所以不管是睡覺或吃東西都隨自己的意願。心想對身體一定有幫助，但其實不然。

請回想一下小學時的暑假。不去學校也沒關係，非常自由，剛開始很快樂。但是暑假過了一半，就開始感到疲倦，身體狀況也變得不對勁，就開始想著怎麼不趕快開學。相信每個人都有這種經驗。

人體是有規律性的。脈搏每分鐘80

飯後休息的方法

飯後是肝臟工作最活躍的時候。吃下去的東西在胃和腸道消化，經由血液送到肝臟。所有的養分暫時匯集到肝臟，在肝臟轉換成對身體有用的成分之後，再送到其他器官。

因此，營養素匯集到肝臟的飯後，才是肝臟工作的時候，也可以說是肝臟需要最多血液的時候。

要讓流向肝臟的血流增多，就是要躺下來。躺下來休息的人，休息之後光只是站起來，流向肝臟的血液就會減少30％。

就算沒有躺在床上，躺在榻榻米、長凳上、或草皮上也可以。話雖如此，在公司有時候沒辦法這麼做。坐在一般的椅子上休息也可以，所以盡量不要一直動個不停，要好好的休息。

下，呼吸20次，早上排便後就一整天不再排便等等。相同的，早上幾點起床、幾點用餐、幾點就寢等也是有規律性的。

此規律性是神經的平衡。心臟腸胃和肝臟都是受遍佈全身的神經所支配控制。

神經是有節奏、有規律性的。早上起床很自然的開始分泌唾液等待進食。

人體血液中的荷爾蒙和白血球、淋巴球等在早晨、白天、晚上都是有規律的上下浮動。所以，規律的生活是為了身體健康，也可以說身體是在規律下活動。

即使是必須要靜養的生活型態也是一樣的，但是如果起床時間、用餐時間沒有固定的話，反而會打亂身體的節奏，降低抵抗力。這就是生活要有規律，要休息的理由。

這對健康的人也是一樣，週休二天到三天，在休假期間生活不規律、節奏失常的話，健康反而會減分。

休息是最重要的，但是一整天躺著反而會讓身體不協調，對肝臟不好。要保持規律的生活好好休息。

基本的日常生活⑦ 洗澡、泡溫泉的方法

如果不是急性期的話，雖然可以洗澡，但洗澡必須有正確的方法。

不要泡太久、要泡溫一點

Q 肝臟不好時，也可以泡澡嗎？可以泡溫泉嗎？

A 有位因爲肝硬化住院治療的人，出院之後想要泡溫泉靜靜的修養而跑到深山的溫泉。這位患者原本就喜歡泡溫泉，一天泡好幾回，連泡了好幾天。但是，泡了溫泉之後身體反而比以前還差，感到非常疲累。離開溫泉地回家之後又再度住院。

還有一位罹患慢性肝炎往返門診治療的患者，症狀也很穩定，AST（GOT）也降低，也沒有黃疸，精神也很好，但是和朋友去泡溫泉回來之後，突然出現黃疸，而且越來越嚴重就住院治療。

泡澡、泡溫泉有時反而會加重肝臟疾病的症狀，所以需要有正確的泡澡、泡溫泉方法的知識。

那麼，怎樣是好的？怎樣是不好的呢？

●泡澡對身體不好的情況

例如因爲急性肝炎住院時，也就是AST高達1000或500的時候，禁止泡澡。疾病的急性期是禁止泡澡的。

那是因爲泡澡時水壓會對身體造成壓力，血管擴張，心臟負擔增加，就好像全身運動一樣會消耗熱量。

打個比方來說，泡澡就好像是跑馬拉松。據說澡三十分鐘會消耗和用盡全力跑了1000公尺相同的熱量。

所以需要休養時，就不可以泡澡。

慢性肝臟疾病患者泡溫泉及注意事項

只靠溫泉療法治療肝臟疾病是不對的。還是同樣的話，治療慢性肝炎最基本的就是靜養、飲食療法和藥物治療等。

經過這些治療病況穩定之後，就可以轉到其他地方療養兼利用泡溫泉補助治療。

溫泉泡太久有時反而會讓病況惡化。要遵守泡溫泉的次數（請參考下段）。

在出發前往泡溫泉之前，需要慎重的請教主治醫師。

泡湯時間過長、溫度太高會對肝臟造成負擔所以要小心。

好不容易把酒戒了，絕不要認為「喝一杯應該沒關係吧…」。

●可以泡澡的情況

一般急性肝炎大約從第三週左右症狀就會開始改善。如果ＡＳＴ降到１００以下，一週可以泡澡一次，依檢查值，次數會增加到一週二次、一週三次。

患有慢性肝炎的患者，一週可以泡澡二次。但是泡澡的時間不需要太長，只要稍微泡一下就好。此時的溫度最好不要太熱，稍微溫一點比較好。日本人因爲喜歡泡澡，尤其是夏天容易流汗，如果有流汗，症狀穩定的人，每天泡澡也無妨。

●有智慧的泡溫泉方法

溫泉依其成分有各種療效。患有肝臟疾病時不可以泡太多次。一天一次稍微泡一下的話沒關係，隔天就不要再泡澡。泡溫泉比一般泡澡對身體會造成更大的負擔，所以頂多二天或三天一次。

患有肝硬化或慢性肝炎病情好不容易穩定的人，泡太多溫泉反而會讓身體變差，使病情惡化。

如果是跟團一起去泡溫泉，有時也會不小心泡太久、好不容易將酒戒掉卻又開始喝起來的情形發生。

泡澡只要稍微泡一下就可以，如果參加溫泉旅遊的話，呼吸新鮮的空氣，品嘗美食，心情愉快就可以滿足了。不要太在乎泡溫泉這種東西，好好的休養。

輕食的建議

急性肝炎恢復期的人、和喝酒時什麼都不吃而罹患酒精性肝臟損傷的人，醫師吩咐要多攝取蛋白質等營養素，但慢性肝炎病情穩定者，雖然要攝取足夠的蛋白質，但是要小心避免攝取過多澱粉類和高油脂食物。中年人一天2000卡路里以下就足夠。飲食過量容易導致肥胖，對身體一點好處也沒有。

飲食過量會降低身體的免疫力，縮短壽命。輕食的話則會提高免疫力，延長壽命。

其他日常生活

1 嗜好品對肝臟有何影響？

盡量不要攝取對身體有害的東西、沒有營養的東西。

●香菸對肝臟會造成怎麼樣的負擔？

香菸有下列作用。

第一，收縮血管的作用。血管收縮，很有可能會影響心臟和胃的功能、流往肝臟的血液。

第二，香菸裡面含有一種叫做乙醛（Acetaldehyde）的物質（第219頁），抽菸時此物質在體內會逐漸增加。乙醛是酒精被分解後的產物，會引起宿醉，也會損傷肝臟。既抽菸又喝酒的話，酒精的危害就會加倍。

相信各位應該都知道抽菸對呼吸系統會造成很大的危害這個基本常識吧！

●咖啡、辛香料要適量

咖啡和茶因爲咖啡因的作用會讓人感覺清醒，也能消除疲勞，適量飲用的話，就不需擔心會對肝臟造成影響。

芥末、咖哩、胡椒等辛香料，沒有什麼營養，但具有促進食慾、增添風味轉換心情的作用。這些具有強烈刺激性的東西，一定要在肝臟解毒分解，所以會造成肝臟的負擔。不過，實際上是少量添加，並不會立刻對肝臟造成影響。想要增加食物的風味，適量地添加辛香料比較理想。

●含有食品添加物的食品可以食用嗎？

盡量不要食用含有人工保存劑和人工色素的加工食品、成分標示不清和類似藥物的食品。接近自然的東西對肝臟比較好。

但是，對於添加符合標準的食品添加物，且經過衛生單位檢驗許可上市的食品，就可以安心食用。相對的，如果只限制吃某幾樣食物，反而容易造成營養不均衡影響身體的健康。

其他日常生活 ② 婚喪喜慶的出席

即使是善意的勸進，婚喪喜慶場合的飲酒，要拿出勇氣拒絕。

拿出勇氣拒絕參加非日常的活動

有一位患者的例子非常值得大家做爲借鏡，他的生活很有規律，酒也戒掉，肝功能的檢查值也穩定。但是有一天，突然肝臟惡化，出現黃疸而住院。問他爲什麼會這樣，才知道，是因爲參加親戚的婚禮，不小心喝太多了。

慢性肝炎的養生需要長時間持續下去，這位患者本身也很努力地接受治療，知道什麼東西對身體好，什麼東西對身體不好，對身體十分小心，生活都很有規律。但是，婚喪喜慶免不了要喝酒。就算告訴大家「我不喝酒」也行不通。「這麼值得慶賀的喜事，一杯就好」、「謝謝你遠道而來，喝一杯吧」等一直被勸酒。這樣是不行的。平常很辛苦的一直當個「好患者」，一下子經不起誘惑喝太多酒，會把身體搞壞。

所以，盡量不要參加非日常的活動。因爲這是保護自己身體的方法。「肝臟不好不能參加」、「醫生叫我不可以參加」等找些理由，委婉的拒絕。

●長時間的旅行也需要考慮

有時候像子女或親戚的結婚典禮等非參加不可，除此之外，盡量少外出參加旅行。長途旅行在交通方面花費太多時間，同時也必須耗費相當大的體力。雖然現在交通發達，高鐵一日遊可以全省走透透，但是這麼一來，反而讓身體更加疲累，需要花很長的時間才能消除疲勞。

結果，很有可能維持好人際關係，卻搞壞了自己寶貝的身體。

患者之間的友情

肝臟疾病的患者大多每個月來門診檢查1~2次，定期往返門診，時間一久就熟識起來了。從「啊，又見面了。」、「最近怎麼樣呢？」的打招呼，漸漸談到家人、嗜好，親切的聊了起來。

有一次，二個要好的患者住院時正好被安排住在隔壁床。我在查房時發現「哎呀！糟糕，竟然和這個豬朋狗友住在同一間病房。」。像這樣很自然形成的交際圈，讓人心裡多麼踏實啊。

3 傷病補助、重大疾病申請、治療費補助？

有些肝臟疾病在某些國家或地方政府有醫療補助

請教醫院的醫療諮詢室或保健站

Q 請教有關罹患慢性肝炎或肝硬化住院，或往返門診等之醫療費和所得保障。

A 長時間往返醫院或住院時，無法上班，就會擔心這段時間的所得保障和需要高額醫療費用時的補助。此時，住院、門診的醫療諮詢室和地方的保健站會詳細的告訴我們，不過，在此向各位介紹對各位有幫助只限於肝臟疾病的資訊。

●傷病補助金

住院和門診就醫請假時，這段期間的所得由健保組合給付。在公司索取表格請醫師填寫後遞出申請。

●重大疾病申請（重大疾病醫療費公費負擔）

猛爆性肝炎、原發性膽汁鬱積性肝硬化是國家指定的重大疾病，所以全國均適用。

慢性肝炎、肝硬化、特發性門靜脈高壓症等在某些地區是指定的重大疾病，會有醫療補助。需要特殊治療醫療費昂貴時患者的負擔會比較輕。

大部份的人都有健康保險，因此所謂的補助正確說來是健康保險的自我負擔部份的補助。從平成10年（1998年）5月1日開始不是全額補助，一部份要自己負擔。

●治療費的補助

從平成20年（2008年）4月開始全國性補助干擾素的治療費。補助對象爲B型C型接受干擾素治療者。

補助額度是依照所得來決定。詳細情形請詢問當地的保健站。

編註：在台灣，健保對肝臟疾病也有給予補助，想要瞭解更多的資訊可見第86頁，或上健保局的網站查詢。

第 4 章

肝臟疾病患者的飲食生活及飲食計畫

到現在還有落後錯誤的飲食療法。
本章將詳細介紹最新飲食療法的知識及實際的飲食計畫。

基本的飲食生活 ① 基本的飲食生活

肝臟疾病的治療中飲食生活有時候比吃藥更重要。

黃綠色蔬菜和淺色蔬菜

波菜、油菜、扁豆、花椰菜、萵苣等綠色蔬菜和紅蘿蔔、南瓜、蕃茄等深黃色蔬菜合稱黃綠色蔬菜。

黃綠色蔬菜裡面除了含有在體內會轉變成維他命A的胡蘿蔔素（Carotene）以外，還含有豐富的維他命C、維他命E、鈣質、鐵、食物纖維，日本的厚生勞働省建議日本人為了保持健康，每天最好要攝取100g。

胡蘿蔔素、維他命C、維他命E具有除去體內所產生的有害

每天三餐要定時

Q 聽說飲食生活對治療慢性肝炎是很重要的。究竟每天的三餐該注意什麼呢？

A 肝臟疾病患者基本的飲食生活是三餐要定時。避免不規則的飲食習慣，例如一餐沒吃、一次吃二餐份、吃點心等。這樣會造成肝臟的負擔，營養會不均衡。

以下分別解說慢性肝炎、急性肝炎、肝硬化患者的飲食基本。

●慢性肝炎患者基本的飲食

慢性肝炎病情穩定時基本的飲食生活如下列1~6（也請參考第87頁的飲食療法）。

1. 攝取足夠的蛋白質

即使肝臟被切掉一部份還是會恢復到原本的大小的再生能力。肝細胞因爲肝炎而受損時也是一樣。要促進肝臟的再生能力，一定要攝取足夠製造肝細胞的蛋白質，以及構成肝臟功能基本的酵素的蛋白質。

含有人體所需的所有胺基酸的理想蛋白質食品爲肉、魚、蛋、奶、豆這五種。每餐一定要攝取其中任何一種。

2. 不要攝取過多醣類

不要吃太多醣類如澱粉類的米飯、麵條、蕎麥麵、麵包等。米飯每一餐鬆鬆的一碗左右。一天卡路里(熱量)總攝取量約2000kcal左右。超過2500kcal以上的話，就會造成肥胖引起脂肪肝（請參考第92頁）。

3. 對脂肪不要太在意

脂肪對肝臟不好是錯誤的觀念。但是，慢性肝炎等出現嚴重黃疸時要限制脂肪。

活性氧的作用，可以防止老化。

相對的，白菜、白蘿蔔、蕪菁等白色蔬菜稱為淺色蔬菜，在食品成分表上和其他蔬菜是不同類的。

回鍋油很危險

最好不要食用洋芋片、油炸仙貝、花生醬、魚乾、泡麵等。

另外，每次使用少量的油，用過就丟棄是最理想的，如果要保存的話，不要接觸到空氣，要放在陰暗的地方。

在外用餐時，盡量避開使用回鍋油的店家。

4. 多攝取黃綠色蔬菜和海藻

要多攝取蔬菜。尤其是要多攝取黃綠色蔬菜（請參考前頁上段）和海藻。川燙或炒過之後，體積會變比較小，容易吞食。

5. 要吃水果

6. 每天要攝取「一天使用20～30種食品的菜單」

飲食生活的基本

一天三餐要定時。

不要暴飲暴食、吃點心，飲食營養要均衡。

少量也可以，每天要攝取20～30種食品。養成理想的飲食習慣，每日攝取種類豐富的食品，營養也會均衡，維他命、礦物質的攝取量也不會不足。

●急性肝炎患者的飲食基本

急性肝炎初期沒有食慾時，以澱粉類為主，不足的部份使用葡萄糖點滴加以補充。

而急性肝炎的恢復期，要攝取高蛋白、高營養、高卡路里的飲食，幫助肝臟的再生（也請參考的76頁）。

●肝硬化患者的飲食基本

肝硬化病情穩定，代償性時（沒有腹水、水腫等症狀時），飲食幾乎和慢性肝炎一樣，但是非代償性時（出現腹水、水腫、肝性腦病變時）則不同。

出現腹水、水腫（浮腫）時鹽分要限制在一天3～5g。出現肝性腦病變（請參考第104頁）時，要限制蛋白質的攝取（也請參考第111頁）。

必需胺基酸

蛋白質是胺基酸結合而成的營養素。我們所攝取的食物當中，約含有20種的胺基酸。我們會在體內將胺基酸組成蛋白質，做為營養素使用。

食品中所含的20種胺基酸當中，大部份可以在體內製造。所以所有的胺基酸都並不需要從食品中攝取。

但是，纈胺酸（valine）、白胺酸（leucine）、異白胺酸（isoleucine）、蘇胺酸（threonine）、甲硫胺酸（Methionine）、苯丙胺酸（Phenylalanine）、色胺酸（tryptophan）、離胺酸（lysine）這八種胺基酸在體內無法製造，

為什麼飲食很重要？

對於肝臟疾病有時候飲食比藥物還重要。營養劑一次服用2錠或3錠，但飲食一天攝取一公斤，加上水分就變二公斤。

大部份的營養直接送到肝臟，促進肝臟的功能，活化肝臟。

敘述慢性肝炎患者的基本飲食1～6（請參考第140頁），是經過整理簡單易懂、容易理解的肝臟飲食。就算告訴患者什麼東西多少卡路里、什麼東西幾公克，還是難以理解，一開始就想得太複雜的話，就無法持之以恆。

●為什麼蛋白質很重要？

蛋白質是製造肝細胞的要素。細胞並不是由糖或脂肪所構成的。細胞的基本爲蛋白質。

而細胞的功能是由**酵素**所產生的，營養素藉由酵素轉變成身體可利用的型態。例如，雞肉無法直接利用，要分解成胺基酸，再組成人體所需的蛋白質。這些化學性功能是由酵素所進行的。

而此酵素也是由蛋白質所產生的。所以，蛋白質是必需的，蛋白質可以說是肝臟飲食的基本。

而人體的異白胺酸、白胺酸等九種**胺基酸**一定要從飲食中攝取。成人扣除組胺酸可以說只有八種，構成蛋白質的這些胺基酸在體內無法製造。

那麼，有哪些食物同時含有這八種胺基酸呢？那就是肉、魚、蛋、牛奶、大豆這五種蛋白質食品。具體說來有牛、豬、雞、沙丁魚、青花魚、鮪魚等肉類和魚、蛋製品、牛奶製品、大豆食品（豆腐、豆腐皮、油豆腐、納豆）等食品。

其他胺基酸在體內會自然形成，所以不需要特地補充。

一定要從食物中補充（幼兒加上成長所需的組胺酸（histidine）共九種）。這些胺基酸稱為**必需胺基酸**。

含有豐富必需胺基酸的食品稱為優質蛋白質，肉、魚、蛋、奶類及乳製品、大豆及其加工品為其代表性食物（請參考前頁下段）。

●為什麼一定要攝取醣類？

醣類是人體活動的熱量來源，相當於汽車的汽油。所以是非常重要的物質，

但是攝取過多會在體內變成脂肪，導致身體發胖。一旦肥胖脂肪積聚在肝臟就會形成脂肪肝（92頁）。

一旦罹患脂肪肝，肝臟功能就會降低，肝功能指數也會變差。如果被診斷有脂肪肝，必須減少卡路里的攝取，在治療肥胖之後，脂肪就會消除，肝臟就會恢復正常。

●可以不用限制脂肪嗎？

過去肝臟不好的時候常常會被勸告不要吃太油膩的東西，只能吃清淡的東西，以現代的知識而言，那是錯誤的觀念。**脂肪**在營養均衡上也是必需的。而攝取肉類、魚、蛋等蛋白質時自然就會攝取脂肪。對於料理所需的油不要太計較。但是，攝取過多時，卡路里就會太高，所以要適量。油脂方面植物油也就是沙拉油、大豆油、紅花油、麻油等比動物油更好。

●維他命、礦物質呢？

蔬菜當中有白蘿蔔和蕪菁等淺色蔬菜，以及紅蘿蔔、波菜等黃綠色蔬菜。

每一種都很重要，特別是含有豐富的維他命、礦物質、食物纖維的黃綠色蔬菜和海藻，一定要每天攝取。

水果也含有很多**維他命**、**礦物質**、**食物纖維**等，是大自然的產物。一般用來做飯後點心。

●「一天三十種」做不到嗎？

「一天要吃三十種食物」也是日本厚生勞働省所推廣的一般健康飲食，因爲營養均衡而推薦。30種似乎很多，但實際算算餐桌上的食品就會發現不是不可能的。例如，只要在味噌湯加入豆腐和海帶芽，也包含湯在內就可以攝取數種食品。不過，不要太堅持一定要30種，20~30種就可以。

合併糖尿病患者的飲食療法

罹患肝臟病會被要求「吃營養一點」，但罹患糖尿病則會被要求「不要吃」。如果同時患有肝臟疾病和糖尿病的話，該怎麼辦呢？這個時候要以糖尿病的飲食療法為優先。如果糖尿病控制得當的話，肝臟功能也會變好。因為肝臟是很重要的器官，所以吃多一點也沒關係的觀念是錯誤的。攝取過多的熱量也不會被身體所利用，反而會變成脂肪囤積在肝臟，結果反而傷害肝臟。

舊式錯誤的飲食療法

Q 爺爺曾經說過「肝臟不好的時候不可以吃油膩（油脂）的東西。肉對身體有害所以不可以吃，要吃清淡的東西，比如說白飯配醃梅子和蜆的味噌湯。」。這是真的嗎？

A 以前經常這麼說。說不能吃太油，結果都只吃清淡的東西。

肉類在以前也被認爲對肝臟有害。所以要大家吃蜆味噌湯。到現在也有人「因爲肝臟不好，所以每天都喝蜆味噌湯。蜆對肝臟好對吧？」。這並不是不好，但是⋯⋯。

蜆具有促進膽汁分泌的功能。所以當肝臟疾病出現黃疸，膽汁分泌差的時候，爲了促進膽汁分泌而吃蜆。

吃蜆的理由還有一個。魚類自不用說，以前肉類是高級品，不容易買得到。當時最容易買到的蛋白質就是蜆。

基本的飲食生活 ② 舊式飲食療法、新式飲食療法

不用太在乎油脂，必須多攝取蛋白質。

蜆比文蛤和蛤仔便宜，容易買得到。當時菜市場也會有每天用扁擔挑著二籠蜆來賣的攤販。但是現在不須要一定要吃蜆。

現在新的觀念是「不用在乎油脂（油），肉和魚盡量吃。肉對身體不好的觀念是錯的，油只要料理肉和魚所需的量就可以。有的人除了肉和魚之外，雞蛋和豆腐等蛋白質食品要吃更多。而爲了營養能均衡，要多攝取蔬菜、食物纖維、維他命、礦物質、水果，一天吃三十種食物」。

攝取熱量為每一公斤標準體重30kcal（活動量少的人為25kcal）。標準體重如果50kg，則一天所需熱量為1500kcal。蛋白質頂多70g。

砂糖一天在10g以內，人工甘味料使用過多也會攝取過多，所以必需注意。高油脂食品因為熱量很高所以要適量。天婦羅、油炸等除了油脂之外，還有做為麵衣的麵粉的澱粉類也要注意。很容易熱量過高。

為了使肝臟要避免劇烈運動，輕度活絡身體的散步就即可。

為什麼新式飲食療法比較好？

Q 我現在知道舊的觀念是不對的。但是為什麼新式飲食療法比較好？有什麼不同？

A 新式治療方法是始於1941年一位叫做Patek的美國哥倫比亞大學的內科醫師。Patek開始注意到肝臟不好演變成肝硬化，除了喝酒以外，營養不良也是原因之一。是現在的高卡路里（熱量）、高維他命飲食的起源。

但是，Patek的飲食是非常高營養，例如一天須攝取的熱量爲3600kcal。這可能是針對美國人的體質。日本人超過2500kcal就會肥胖，怎麼也不能吃到3600kcal。

蛋白質爲140g。體重60kg的話，則每一公斤爲2．3g，這對日本人的1．5g而言也是攝取太多白質。

日本人一天的脂肪攝取量爲50～60g，所以Patek認爲的脂肪175g是將近日本人的三倍。

如上所述，Patek的飲食是太極端了，對日本人而言無法攝取得了。不過，可以做爲參考，攝取適合我們的飲食就好。

不管怎麼說，Patek的新式治療方法有展現好的成績。肝硬化患者的腹水消除、黃疸也消除、肝臟功能也變好，同時受到全世界的注目，「以後就稱此爲Patek飲食療法。」

將此治療方法套在日本人身上，卡路里頂多只能2500kcal，蛋白質也一天每一公斤體重1．2g，體重60kg的話則一天需要70g。脂肪最多70g，其餘的卡路里用醣類來補充（白飯等）爲350g。

基本的飲食生活③ 蛋白質為什麼對肝臟有益？

肝臟不好時，更需要蛋白質。

對肝臟再生相當重要的蛋白質

Q 聽說含有蛋白質的食物對肝臟疾病有幫助。但是，為什麼蛋白質對肝臟有益呢？

A 肝臟的一部分生病時，有時會利用手術將該部份切除。肝臟就會失去一部分。也有的分二次進行大手術，結果肝臟的9/10被切除，只剩下1/10。盡管如此人類還是可以繼續活下去。

肝臟具有如此的儲備能力。平常只要1/10在工作就可以生存。

不僅如此，剩下的肝臟細胞會逐漸增生，幾個月之後就會恢復到原本的大小。

常常聽到「肝臟就好像是蜥蜴的尾巴，切掉了還會再長出來。」，不過正確說來，並不是從切除的地方長出來，而是變小的尾巴整個變大，回復到原本的大小。此稱爲肝臟再生。肝臟具有這樣的再生能力，具有可以自己治癒自己的能力。人體內「切掉之後還會再長」具有**再生能力**的組織，除了肝臟以外，只有毛髮和指甲。

變小的肝臟又變大是肝臟細胞增生的結果。那麼，細胞是由什麼所形成的呢？細胞是由蛋白質所構成的。因此，要促進肝細胞增生，就一定要多攝取蛋白質。

●肝臟內數百種酵素也是由蛋白質所產生的

不只是切除肝臟，罹患肝炎等肝臟疾病時，肝細胞或多或少都會受損。細胞一個一個、或是數個一起受損。

細胞遭到破壞（壞死）之後，爲了彌補一定要長出新的細胞。細胞是由什麼物質所產生的呢？那就是蛋白質。所以一定要攝取大量的蛋白質。

醫院飲食的改善

「難吃、飯菜都冷了、晚餐太早吃」是醫院伙食的三大缺點，已是定論。住院後才了解吃飯是多麼愉快的事、以及享受美食是多麼幸福的一件事。

因此各家醫院都努力改善醫院的飲食。當中也聽取患者的意見來設計飲食內容。

對於「難吃」這一點，雖然沒有辦法達到美食家的標準，但可以好好參考患者的喜惡，在治療範圍內盡量想辦法達到。

關於「晚餐太早吃」這一點，因為職

員的上班時間的關係，可能很難改進，不過在「飯菜都冷了」這一點，可以利用在餐盒上加蓋來解決。醫院方面往後還會繼續努力。

細胞隨時都在工作。所謂的工作究竟是什麼呢？

透過酵素的作用將變成營養的物質吸收進去、破壞、重組、排出。肝臟內有數百種的酵素。也就是說，酵素在細胞的功能上是最重要的。酵素會促進化學反應，幫助葡萄糖轉換成肝醣、胺基酸轉變成蛋白質。那酵素又是怎麼來的呢？酵素也是由蛋白質所產生的。所以一定要大量攝取蛋白質。

攝取高蛋白飲食，免疫力就會提升。蛋白質不夠，免疫力就會降低。所謂免疫力是驅除病毒和細菌的能力。最近，因爲年輕人的營養越來越好，所以B型肝炎病毒也很快就被消除。

一天所攝取的蛋白質

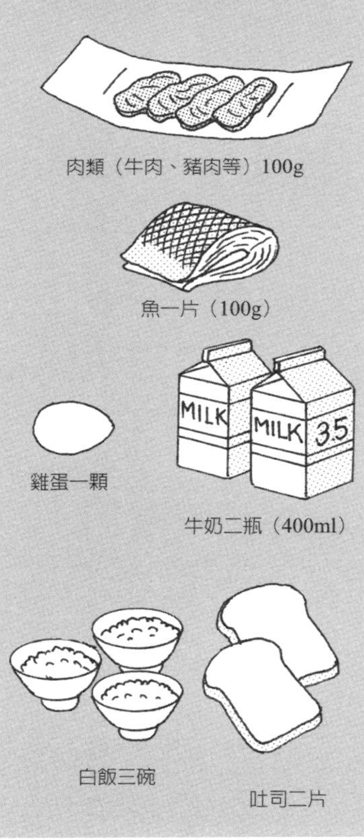

●一天攝取70ｇ蛋白質

人體在正常狀況下所攝取的蛋白質爲一天60ｇ，以每一公斤體重1．2ｇ爲上限，肝臟不好時頂多攝取70ｇ。

具體說來，一天的份量爲肉類（牛肉、豬肉等）100ｇ，牛奶二瓶、雞蛋一顆、魚100ｇ（一片）、白飯三碗、吐司二片。這是罹患慢性肝炎往返門診治療時一天所需攝取蛋白質的量。

基本的飲食生活 4 哪一種蛋白質比較好？

醫院飲食才是模範飲食

一流的飯館、一流的餐廳的料理，雖然有考慮到營養的均衡，但終究是針對美食家所做的料理。肝臟疾病的患者所需的飲食，是使用隨處可得的食材、誰都可以做的出來的家庭料理，而且還是營養滿分的料理。這不管是對患者或者是健康的人都很重要。

以後，可以說應該將醫院飲食材做為這種料理的「模範飲食」。

此外，一天吃三十種食品是很重要的，

吃進去的肉並不是直接變成身體上的肌肉

Q 現在已經了解蛋白質對肝臟有多重要。那麼，哪一種蛋白質比較好呢？

A 假設我們吃了雞肉。但是，這塊雞肉並不是直接變成我們身體上的肌肉。

首先吃下雞肉，經過胃和腸道被消化，最後全部被分解成胺基酸。肉類雖然是蛋白質，但蛋白質是由胺基酸所構成的。

然後，被分解成胺基酸之後，這些胺基酸在腸道被吸收之後聚集到肝臟。肝臟將被分開的胺基酸連結在一起，製造成適合人體使用的蛋白質。

雞肉就是依照上面的步驟變成身體上的肌肉。

理想的蛋白質食品為肉、魚、蛋、奶、豆五種

●肉、魚、蛋、奶、大豆是理想的蛋白質

人體的肌肉和雞肉不同，其差異是在製造蛋白質的胺基酸的種類和配置順序不同。雖然有點難懂，總之就是人體有人體所需的蛋白質，和雞肉不同。

所謂人體所需的蛋白質是指包含所有人體所需胺基酸的蛋白質。也就是包含在體內無法合成，一定要從食物中攝取的八種胺基酸（**必需胺基酸** 142頁上段）的蛋白質。

那才稱得上理想的蛋白質。在營養學上的說法是「蛋白質優質指標（Protein score）的、或化學積分法（chemical score）的、最近則為胺基酸分數（amino acid score）的好的蛋白質（含有很多種類及大量必需胺基酸）」。

所以要接受正確的觀念，改掉以前的壞習慣。

●什麼是理想的蛋白質？

究竟什麼是理想的蛋白質呢？那就是蛋、牛奶、肉和魚、及大豆等。請將這些食物牢記在心。

雞蛋是含有所有人體必需胺基酸的**完全食品**。小雞是從雞蛋誕生而來的，所以雞蛋裡面除了蛋白質以外還含有很多營養。

牛奶也是完全食品。嬰兒只喝牛奶也能長大不是嗎？

牛、豬、雞等肉類，以及魚也是種類繁多，幾乎都是完全食品。不過，蝦子、螃蟹、貝類稍有不足。人體所需攝取的肉類沒有太大的差別，硬要比較的話，牛肉的話是里肌肉、豬肉的話是豬腳・里肌、雞肉的皮油脂較多，雞腿肉等油脂較少的部位會更比較好。

大豆又被稱爲「田裡的肉」。據說到現在還有不足的胺基酸，但是在1986年所發表的胺基酸分數是100分，也就是說已經是完全食品。大豆直接煮也可以吃，也加工成豆腐、納豆、油豆腐等。

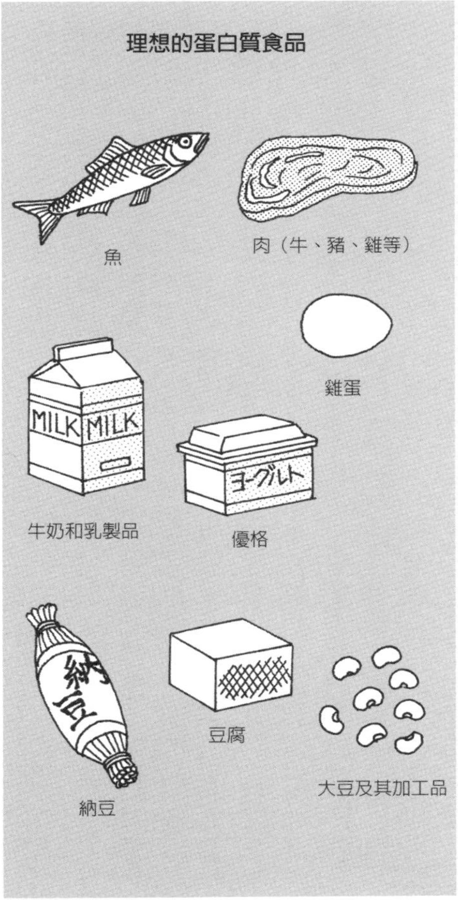

飽和脂肪酸、不飽和脂肪酸

脂肪內所含的脂肪酸有飽和脂肪酸和不飽和脂肪酸。肉類和雞蛋富含**飽和脂肪酸**，攝取過多會引起動脈硬化。**不飽和脂肪酸**存在於魚和蔬菜，可以預防動脈硬化。所以要盡量攝取魚和植物性油。

而屬於不飽和脂肪酸一部分的亞麻酸（linolenic acid）、亞油酸（linoleic acid）、花生四烯酸（Arachidonic acid）等一定要從食物中攝取。植物油中含有這些脂肪酸。尤其是大豆油、米糠油含量很多，如果使用這些油料理的話，營養會比較好。

所以，這些理想的蛋白質每天都應該要攝取任何一種（每餐盡量攝取）。

蛋白質要如何搭配組合？

Q 聽說蛋、肉、魚、大豆、牛奶是理想的蛋白質。那麼，其他的蛋白質該如何攝取呢？

A 攝取理想的蛋白質固然很好，但也不能每天只吃這些蛋白質。其他食物也要攝取比較理想。

貝類方面色胺酸（Tryptophan）這種胺基酸較少。米飯的賴胺酸（lysine）含量較少、馬鈴薯則是白胺酸含量較不足。但是不妨將這些食物搭配食用。

例如，利用米飯來補充貝類所不足的胺基酸，米飯所不足的胺基酸則用食馬鈴薯來補充。

像這樣搭配各種食物，就可以構成完整的蛋白質。話雖如此，也無法一一牢記、計算來料理。所以至少使用一種理想的蛋白質，然後再搭配各種食材料理是否會比較好呢？

●有動脈硬化危險的人以魚和大豆為主

就算不是理想的蛋白質，就算只有蔬菜，只要妥善搭配的話，也可以攝取豐富的蛋白質。例如，大豆配上黃綠色蔬菜和海藻也可以。如此一來就算是素食主義者，蛋白質的攝取量也不會不夠。

有動脈硬化危險性的人，不要攝取太多高膽固醇的食物。此時，蛋和肉類要稍微減量，以魚和大豆製品為主就可以。據說動物性蛋白質和植物性蛋白質各半比較好，不過，植物性蛋白質攝取多一點也無妨。

日本厚生勞働省在推廣「請一天攝取三十種以上的食物」，這對於攝取蛋白質、維他命、礦物質及食物纖維以及預防癌症都有幫助。

一提到「一天三十種食物」，可能以人會認為「哪吃得了那麼多」，不過光是白飯、味噌湯、味噌湯裡的魚肉、豆腐、海帶芽、燙青菜、煎蛋、海苔的話，就有八種。每一種的量都很少也沒關係。重要的是種類要多。

基本的飲食生活⑤ 脂肪的攝取方法？

黃疸嚴重或急性肝炎時需要限制脂肪。

脂肪的攝取方法依病況而有所不同

Q 以前的人都說「患有肝臟疾病的人不可以攝取脂肪」。那麼，該攝取什麼樣的脂肪？又該攝取多少才好呢？

A 急性肝炎也會引起黃疸、肝臟損傷，所以膽汁分泌較差。膽汁具有幫助脂肪消化的作用，所以當膽汁分泌不足時脂肪的消化也會變差。

所以，嚴重黃疸、急性肝炎的危險期（發病初期最惡劣的時候）脂肪要限制在30g。

健康的人一天的脂肪攝取量爲50～60g，所以大約是他的一半。在這個時期原本就會沒有食慾，尤其是一聞到或看到油膩的東西就會想吐，吃不下。

慢性肝炎病情穩定時，不用在意脂肪，一天攝取50～60g也沒關係。所以，攝取料理肉類和魚類所需要使用的油也沒關係。

脂肪卡路里高，營養也很高。蛋白質和醣類每一公克可以產生4kcal，脂肪一公克可以產生9kcal，熱量是其他的二倍。所以攝取少量的脂肪就可以獲得足夠的熱量。

脂溶性維他命，也就是維他命A、D、E、K，和脂肪一起攝取時會比較容易吸收。另外，大部分的蔬菜在料理之前體積會較大，油炒過後體積會縮小，比較容易吞食。脂肪的消化以乳狀的較好，例如牛奶、奶油、起司、美奶滋等都是容易消化的脂肪成分。

主食、副食所含的脂肪量

白飯、吐司、蔬菜、肉類和魚都含有脂肪。例如，一天分的白飯三碗、吐司二片、魚一片、肉100g、牛奶二瓶、豆腐1/2塊、雞蛋一顆，總共40～50g。所以就算刻意不吃油膩的東西還是會攝取到油脂，不會不夠。如果再加上攝取油炸、油炒、沾醬等食物的話，就要再加上10～20g，一天的量一共50～60g。

基本的飲食生活 ⑥

醣類的功能是什麼？

不只是熱量來源，也有促進蛋白質功能的作用。

醣類有如汽車的汽油

Q 白飯、甘薯類、麵條、吐司等醣類，具有何種功能？

A 食物中所攝取的澱粉類（醣類）在腸內被消化成葡萄糖由腸道吸收之後，在肝臟轉換成肝醣（glycogen）貯存起來。

人體在需要時再轉換成葡萄糖釋放到血液中。葡萄糖會被用來轉換成熱量，溫暖身體，促進細胞的功能，消除疲勞。

以汽車爲例，葡萄糖就好比是汽油。脂肪也是熱量的來源，但消化吸收較慢，要轉換成熱量耗時較久。運動選手在比賽過程中喝糖水或運動飲料，不吃油脂食物就是這個原因。

以前在東海道有一間「山頂的茶館」，供應旅客紅豆年糕湯和甜米酒。甜食在體內很快就會消化，轉換成熱量，可以消除旅途的疲勞。

另外醣類可以預防蛋白質分解，也有助於蛋白質的作用。只吃蛋白質，完全沒有攝取白飯、麵包等澱粉類的話，蛋白質會被分解成熱量，身體所需的蛋白質就會減少。

而葡萄糖轉換成熱量時，如果沒有攝取含多量維他命B_1的食物的話，維他命B_1缺乏會罹患腳氣病（維他命B_1缺乏症）。

聽說以前吃白米會罹患腳氣病，但並不是白米本身造成腳氣病，而是沒有同時攝取肉或魚或雞蛋等含多量維他命B_1的食物。米糠內富含有維他命B_1，如果不是白米而是糙米或七分米的話就不用擔心罹患腳氣病。

便當的製作方法

便當的配菜要注意下列幾點。

1. 一定要有肉、魚、蛋、牛奶、大豆等優質蛋白質。放入其中一種，除了可以攝取到蛋白質以外，質感也很好，製作便當也很輕鬆。
2. 白飯、吐司、義大利麵等醣類可以先放一些在便當內。只有蛋白質的話，營養就不均衡。用白飯補充熱量，蛋白質用來做為身體可利用的蛋白質。
3. 使用大量的蔬菜。放入萵苣等就完成。
4. 中年人便當的量

不要太多。吃太多不好。

食物中的纖維對肝臟有益

醣類當中有無法消化的東西。那就是纖維素（cellulose），也就是**食物纖維**。

纖維不會被消化，所以纖維經過腸道也可以促進排便，將腸內的代謝廢物排出體外，清潔腸道。

便秘時，腸內所產生的有害物質會被吸收造成肝臟的負擔，但是攝取含有纖維的食物的話，排便就會順暢，對肝臟也有幫助

●醣類攝取過多時，脂肪會囤積在肝臟

醣類和澱粉質雖然是必需的營養素，但是不可以攝取過多。澱粉質攝取超過一天所需的卡路里的話，多餘的澱粉就會轉變成脂肪，囤積在四肢、腹部，而造成肥胖。脂肪也會囤積在肝臟（脂肪肝92頁）。肥胖的人一餐只要鬆鬆的一碗飯，必須減少卡路里的攝取。罹患慢性肝炎時，整體所需卡路里要在2000kcal或2000kcal以下。

●為什麼要打點滴補充葡萄糖？

葡萄糖是細胞活動所需的熱量，平常以肝醣的型態貯存在肝臟。肝醣會在需要時分解成葡萄糖供身體利用。

肝臟狀況非常差，例如急性肝炎或肝硬化非常嚴重時，肝醣的貯存量就會減少。所以，無法在需要的時候立即分解成足夠的葡萄糖到全身。這個時候就要打點滴補充葡萄糖。

如此一來，沒有食慾、全身無力無法站立或坐的狀況就會漸漸改善恢復元氣。

點滴的量一般是500~1000ml，或1000以上。這樣可以補充水分和電解質，也可以增加肝臟的血流量。肝臟不好時打點滴具有重大意義。打點滴時，會在點滴內添加維他命B_1、B_2、C等，讓葡萄糖更好吸收利用。

葡萄糖不足時，體內的蛋白質就一定要被分解成葡萄糖。結果，蛋白質減少，肝臟的功能也會更差，而且四肢肌肉也會無力。

沒有食慾，吃不下肉或雞蛋等蛋白質時，至少要吃葡萄糖來源的澱粉類（米飯、粥、麵等）。無法進食時就要打點滴補充葡萄糖。

基本的飲食生活 7 維他命要如何攝取？

肝臟不好時，維他命的貯存量會大幅減少。

肝臟疾病患者必需攝取二倍到三倍的維他命

Q 聽說肝臟不好時，維他命的攝取量要比一般人還多。為什麼呢？

A 肝臟具有貯存維他命，需要時隨時提供利用的功能。肝臟不好時，維他命的貯存能力也會降低。

例如酒精飲起的肝臟疾病（酒精性肝損傷96頁），其貯存能力降低到1/2~1/3。

另外，維他命必須轉換成活性維他命才能發揮作用，肝臟功能不好時就無法轉換成活性維他命。所以，正常人也要攝取維他命，肝臟不好的人，必須攝取正常人二倍到三倍的量。

●具有分解酒精功能的維他命B_1

分解酒精需要有維他命B_1，喝酒的人特別需要維他命B_1。

常常只喝酒不吃東西時，會缺乏維他命B_1，嚴重時會引起魏尼凱氏腦病變（Wernickes encephalopathy）或柯薩可夫症候群（Korsakoff syndrome），甚至侵犯到腦神經。

在歐美國家這已經成爲問題，目前很愼重的在考慮要在酒精內添加維他命B_1。

而喝酒導致肝臟受損的人，也容易造成維他命B_2不足。維他命B_2缺乏時容易引發口腔兩端潰爛的口角炎、皮膚炎。也就是說，皮膚容易粗糙長粉刺。

大量飲酒很少吃東西的人，會因爲缺乏**維他命B_{12}**和**葉酸**而導致貧血。要治療這種貧血，要補充所缺乏的維他命。

維他命C、**維他命K**是具有止血功能的維他命，缺乏這些維他命時容易造成無法止血的情形。

尤其是長期黃疸缺乏維他命K，會有出血傾向，服用維他命K可以幫助止血。

而演變成肝硬化，持續黃疸時，維他

關於鈣質

聽說日本人的飲食均衡大致上還理想，但還有一項是不夠的。那就是鈣（Calcium）。速食食品和清涼飲料裡面含有很多磷（Phosohorus），體內的磷含量太多時，容易造成鈣質不足。

鈣的必需攝取量為一天600mg，事實上有近半數的家庭都攝取不足。鈣缺乏時，身體成長就會緩慢，容易骨折。

補充鈣質最方便最好的方法就是牛奶。可以的話一天喝1～2瓶（

200~400ml）。其他如大豆、海藻、魚也含有很多鈣質。

命D會不足，骨質會疏鬆，容易骨折。此時補充維他命D可以預防骨質繼續疏鬆。

另外，肝臟損傷時，**維他命A**也會減少。皮膚乾燥也是缺乏維他命A所引起的。

而**維他命C、E**具有排除體內有害的活性氧的抗氧化作用，可以預防酒精引起的肝臟疾病，幫助治療。

●沒有食慾時也可以用維他命劑補充

如果一天吃三十種食物的話，就不會缺乏維他命，沒有食慾時，可以攝取大量的維他命。

患有長期黃疸的特殊肝臟疾病時，有時每個月會在肌肉注射一次補充脂溶性維他命，也就是維他命A、D、E、K。因爲沒有補充的話，可能會有突然出血的情形發生。

富含維他命的食物

基本的飲食生活 8 如何搭配食物？

選擇什麼樣的食品、如何搭配是很重要的

Q 肝臟疾病患者要如何選擇食品，如何搭配才好呢？

A 據說我們平常所吃的食品，有一千種以上。就因爲有這麼多，所以如果不先決定好什麼食物要怎麼吃才好的話，就會不知所措。

我也可以了解「若是可以一直吃美味的食物不是很好嗎？」的心情，但因爲好吃就一直吃點心的話會營養失調。以前沒有食物可吃，在戰爭中及戰後的一段時間曾經連米都沒有，三餐都吃地瓜。在那樣的時代不須要選擇，也無從選擇，可以吃到現有的東西就很慶幸了。

但是，現在東西卻是太多了。到超市也因爲種類繁多令人不知該買什麼好。像調理包和速食食品這類只要加熱就可以、泡開水等三分鐘就可以吃的便利的食品，就不經意的因爲沒時間做料理而選擇了它。

搭配主食類、主菜類、副菜類，一天必須包含三十種食物。

但是，要保護肝臟、維護健康，究竟什麼才是需要的？只要花三十秒就好，請想一想你的營養是否均衡？

● 一天要攝取三十種食品

衆多的食品可大致分爲下類四種。這是基本的觀念。

首先是主食類，米飯等澱粉、醣類食物。第二種是水果類，第三是主菜類的肉蛋等蛋白質、脂肪成分，以及第四類副菜類的蔬菜類。

1. 一定要攝取主食類的米飯或麵包。
2. 肉、魚、蛋、牛奶、大豆等因爲是理想的蛋白質，每天要攝取一種。
3. 副菜的蔬菜一天要攝取300g。不過，有一半要黃綠色蔬菜。

黃綠色蔬菜含有胡蘿蔔素，也就是波

口味的遺傳

我認爲食物的味道的感覺並不是遺傳而來的，但小孩的口味簡直像遺傳似的會和父母親越來越像。

若父母親偏好鹹的、油膩的、營養偏重某一方面的食物的話，他的小孩從小就開始接觸這類食物，小時候所吃的食物的口味，會伴隨著孩子成長永遠忘不了。

我們永遠都會懷念媽媽做的菜。

以後希望從營養層面來思考我們所懷念的料理，會是營養均衡的料理。這方面首先希望母親或做菜的

人、學生餐廳料理的人習慣營養均衡料裡的口味，然後做出這樣的料理。

希望能將好的習慣傳給下一代，再傳給下下一代。

菜、高麗菜、南瓜、紅蘿蔔等有顏色的蔬菜。淺色蔬菜是胡蘿蔔素含量較少，顏色淺的蔬菜，像白蘿蔔、蕪菁等。

海藻類含有維他命、礦物質，所以也要吃。

4. 脂肪只要料理所需的量就好。不需要特地多攝取。

5. 關於食用鹽方面，肝臟病患者自不用說，健康的人也要控制。一天8 g以下最爲理想，頂多10 g。

而日本人喜歡味噌湯、清湯，因鹽分含量高最好不要每天喝。頂多每兩天，在清湯裡面放入大量的蔬菜。如此一來就可以減輕鹽分的危害。

6. 從營養層面來看，水果可以當點心。糕點類的點心也不要吃太多。

7. 整體食品的數量，基本上要一天三十種。

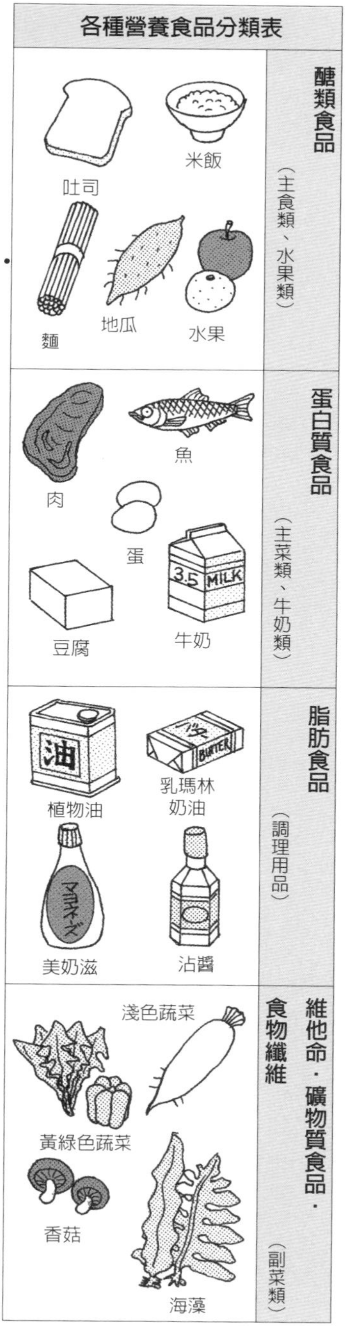

基本的飲食生活 9 理想的肝臟飲食

新的肝臟飲食——低鐵飲食

最近有個新觀念認為肝臟不好，血液中的鐵質偏高時，不要吃含鐵量多的食物，最好吃含鐵量少的食物（低鐵飲食）。

鐵質（Ferritin鐵蛋白）是身體所必需的營養素，太多會造成危害，損害肝臟。也就是說，活性氧會因為鐵質過多而增加，使肝臟惡化。

所以當血液中的鐵質超過基準值的話，讓鐵質恢復到基準值是很重要的。

降低鐵質的方法之一是瀉血（請參考第86頁），另一種方法

以理想的肝臟飲食的六個原則做為參考指標

Q 就算告訴我「這個要吃幾公克、幾卡路里」也摸不著頭緒。實際上也沒辦法在家裡秤重、計算後再煮。可以以什麼爲標準做爲參考呢？

A 問得很好。住院之後，會有針對個人設計的治療飲食，可以將它記下來，或用眼睛看、用感覺去記住，也可以請教營養師。

可是，回到家之後卻怎麼也做不出來。

說到「理想的肝臟飲食」雖然有點誇大，但我覺得「事情盡量簡單易懂，可以用一句話說清楚就好」。看到有關飲食的密密麻麻的數字和表格，連專家都感到頭痛。更何況不是專家的各位，從閱讀艱深的書籍後理解，到實際料理，都需要花費相當多的時間去研究。

理想的肝臟飲食推薦「日式料理」要攝取魚、蛋、牛奶、肉、大豆。

●慢性肝炎患者一天的卡路里標準

關於慢性肝炎患者的居家飲食，請考慮以下幾點。

1. 需要大量有益肝臟的優質蛋白質

含有優質蛋白質的食品有雞蛋、牛奶、牛肉等肉類、魚。所以以這些首選，每一餐一定要攝取其中一種。含有蛋白質的食品這樣就夠了。

可是，從1986年（昭和61）大豆（也包含大豆製品）胺基酸分數也達到100，也就是優質蛋白質。所以，大豆也可以加入理想的蛋白質。

所以，一定要攝取肉、魚、蛋、大豆、牛奶等五種食品，但是膽固醇過高的人，肉和蛋要少吃，一定要吃魚或大豆。

2. 米飯不要吃太多

米飯或麵包等澱粉類吃太多會導致肥胖。

是採低鐵飲食。

一般會在瀉血數次之後採低鐵飲食。

所謂低鐵飲食是指含鐵量少的飲食。含鐵量多的食品有蜆、蛤蠣、肝臟、鰹魚、鰻魚、波菜、羊栖菜等。

到現在蜆一直被認為對肝臟有益，但是鐵蛋白偏高的肝臟疾病患者最好不要吃。

一天的鐵攝取量5～6mg的飲食（低鐵飲食）是什麼樣的飲食，不知道的時候請教營養師，營養師會幫忙設計菜單（菜單範例請參考第212～215頁）。

在家裡，一餐頂多鬆鬆的一碗，麵包的話二小片吐司，其他的部份爲攝取其他營養素的食物。

3. 攝取大量的蔬菜或海藻

黃綠色蔬菜和海藻一定要攝取。如果體積太大，只要川燙或炒過就會縮小，易於呑食。

4. 使用料理所需用油就沒關係

每天不要攝取油膩料理就可以。用油的時候盡量使用植物油。

5. 一定要吃水果

6. 一天所攝取的食品數量至少要三十種

只要遵守1～6項就夠了。維他命和礦物質及食物纖維只要一天攝取三十種食物就足以補充。

●日式料理為理想的肝臟飲食

符合以上六大原則的料理，以家庭料理爲主來看的話就屬日本料理。西餐，尤其是套餐營養也很均衡，但是到了國外，一般的西餐只有肉和馬鈴薯、湯、麵包等3～4種。以麵包爲主食的話，就很難以味噌湯、海藻和豆腐爲副食。而中國料理雖然使用很多種食材，但是幾乎都有用油。

雖然說是日式料理，在這要講的是家庭料理的日式料理。米飯是很不可思議的食物，不管是肉、油膩的食物、魚、豆腐、涼拌青菜、海藻、湯、味噌湯、或榨菜都很搭。也就是說，米飯和西餐、中國料理其他料理都很合適。「日式料理」的意思是不是以米爲主食，每天吃三十種食物的意思。

總而言之，對照肝臟飲食的六項原則，就會發現日式料理是最符合的。

肝臟疾病的治療飲食 ① 慢性肝炎患者的治療飲食

春 菜單範例・1

注意每天三餐營養要均衡

■醣　類

主食的米飯、麵包、麵類等和副菜或點心的薯類、水果、點心糕餅類等含量很多。醣類是速效性的熱量來源，一天所攝取的熱量有50~60%是來自醣類。

■蛋白質

主要是做爲主菜，是維護肝臟功能不可或缺的營養素。尤其是被稱爲完全蛋白質的肉・魚・大豆製品・牛奶，每一餐一定要吃一種。

■脂　肪

雖說肝臟不好的時候，最好是限制脂肪的攝取量，但實際上是除非出現了黃疸症狀，一般來說並不需要特別限制。脂肪熱量高，可以幫助脂溶性維他命A、D、E、K的吸收。油脂類有油、奶油、乳瑪淋、美乃滋等。要記得盡量使用植物油。

■維他命、礦物質

黃綠色蔬菜和海藻，維他命、礦物質含量特別豐富。一定要將各種食物一起混合食用。

飲食生活重點

■從食物中攝取維他命

除非沒辦法好好進食，否則從食物中攝取維他命會比服用維他命製劑還自然。如果一天攝取三十種食物的話，就可以攝取到所有的維他命。食物中還含有微量金屬、所有營養素及對肝臟有益的未知物質等。

■消除疲勞製劑要適量服用

有些消除疲勞製劑含有酒精，飲用時要特別注意。民間療法中聲稱對肝臟有益的健康食品，追根究底也是食物的一種。有的和體質不合，結果把身體搞壞，所以要適度的取用。

◆外食的選擇法①…拉麵店

盡量選擇蔬菜多的

午餐要吃簡單一點的時候，不外乎「小籠蕎麥麵」、「陽春麵」、「油豆腐烏龍麵・油渣麵條」，長期食用容易造成營養失調。因爲這些食物幾乎都是醣質，缺乏優質蛋白質和蔬菜，所以要改吃「荷包蛋蕎麥麵」、「鍋燒麵」、「蔥花雞肉湯麵」。早晚都要吃蔬菜。湯汁裡的鹽分含量很高，所以不要全部喝完。

★**〔烹飪調配〕**

〔花椒葉拌菜〕的土當歸可以換成竹筍，**〔拍鬆鰹魚肉〕**可以換成竹筴魚。

慢性肝炎患者的治療飲食 春天的菜單範例1

※本頁以下所介紹的菜單份量表示爲一人份的份量。

早餐

菜單名稱	材料名稱	分量(g)	基準量	調味料
烤麵包	吐司	90	八片切的二片	
	橘皮果醬	30	$1\frac{1}{2}$大匙	
蛋包飯	雞蛋	50	一顆	鹽0.3g
	洋蔥	20	中$\frac{1}{10}$個	
	油	4	一小匙	
	蕃茄醬	6	一小匙	
嫩煎蘆筍	綠蘆筍	40	二根	鹽0.1g
	奶油	2	$\frac{1}{2}$小匙	胡椒少許
水果	葡萄柚	120	$\frac{1}{2}$顆	砂糖10g
牛奶		200	一瓶	

營養量 熱量667kcal 蛋白質21.6g 脂肪21.3g 醣質97.8g 鹽分1.8g

午餐

菜單名稱	材料名稱	分量(g)	基準量	調味料
飯	白飯	200	$1\frac{1}{2}$碗	
薑燒豬肉	豬里肌肉	80		醬油5ml
	薑	少許		酒2ml
	油	7	$\frac{1}{2}$大匙	
水煮蠶豆	蠶豆	40	中6顆	鹽0.2g
				砂糖1g
花椒葉拌菜★	土當歸	40	10cm	醋3ml
	蛤蠣	30	7個	芥末少許
	味噌	6	一小匙	砂糖1g
	花椒葉	少許		
醃鹹菜	蕪菁	30	小顆二顆	鹽0.9g
水果	蘋果	100	$\frac{1}{2}$顆	

營養量 熱量682kcal 蛋白質31.4g 脂肪19.3g 醣質89.8g 鹽分2.6g

晚餐

菜單名稱	材料名稱	分量(g)	基準量	調味料
飯	白飯	200	$1\frac{1}{2}$碗	
清湯	香菇	10		柴魚高湯150ml
	新鮮海帶芽	5		醬油0.5ml
	花椒芽	少許		鹽1.2g
拍鬆鰹魚肉★	鰹魚	80	一人份	醬油7ml
	薑	少許		
	紫蘇葉	少許		
	細香蔥	5		
	大蒜	少許		
燉物	南瓜	80	二片	砂糖2g
	蒟蒻	40		醬油5ml
				味醂3ml
果汁冰淇淋		100	市售一杯	

營養量 熱量611kcal 蛋白質29.8g 脂肪3.8g 醣質112.4g 鹽分3.2g

總計 熱量1960kcal 蛋白質82.8g 脂肪44.4g 醣質300.0g 鹽分7.6g

★符號的材料，可以更換成其他食材（請參考右頁的★符號）。

均衡飲食習慣評量

要維持飲食均衡須注意下列幾點。

1. 一定要攝取理想蛋白質的肉、魚、蛋、牛奶、大豆及其製品中的任何一種。
2. 米飯不要吃太多。
3. 要大量攝取蔬菜、海藻。
4. 別太在乎油，攝取必須的量。
5. 攝取水果。
6. 一天要攝取三十種食物。

接下來請回想一下自己的飲食習慣，從A、B、C選出答案。

（1）牛奶、乳製品
A・每天喝。B・每週喝2~3次。
C・幾乎不喝。
一定要每天喝。喝牛奶會腹瀉者，要先加熱。若加熱喝還是會腹瀉就改吃優格（答案/A）。

（2）雞蛋
A・每天吃。
B・每週吃2~3次。
C・幾乎不吃。
盡量每天吃一顆。有人會擔心膽固醇過高，很多肝臟損傷的患者大都沒有動脈硬化的問題，所以不用太擔心。（答案/A）。

（3）米飯
A・每天吃三碗。
B・每餐吃一碗。
C・不吃。
米飯吃太多會肥胖。完全不吃的話，體內蛋白質會減少。所以要適量。（答案/中年稍微肥胖的話，B）

（4）油（脂肪）的攝取方法
A・不吃。
B・吃很多。
C・不要在意。
即使肝臟不好，如果沒有出現黃疸就不用太在意油脂的攝取。牛排、油炸食品、沙拉等料理可以使用料理用油，盡量使用植物油。（答案/C）

（5）三餐
A・吃很多喜歡吃的東西。
B・量少，種類繁多。
C・每天吃同樣的東西。
民以食爲天，記得盡量吃得美味。（答案/B）

飲食生活重點

■盡量攝取自然無添加的食品

爲了保存或讓食物看起來美味會使用食品添加物。這些添加物不僅沒有營養，而且要在肝臟被分解解毒。添加物越多，肝臟的工作量就越大。現在有嚴格審核添加物的種類和混合量，所以幾乎對身體無害，但是對於已經損傷的肝臟，食用自然無添加的食品會更好。

慢性肝炎患者的治療飲食 春天的菜單範例2

	菜單名稱	材料名稱	分量(g)	基準量	調味料
早餐	飯	白飯	200	1 1/2碗	
	味噌湯	新鮮海帶芽 蔥 味噌	10 10 10	 1/2大匙	柴魚高湯150ml
	竹筴魚乾	竹筴魚魚乾	50	一小片	
	牛蒡絲	牛蒡 紅蘿蔔 白芝麻 油	40 20 1 5	8cm 1/3小匙 一小匙多	砂糖2g 醬油5ml 味醂1ml
	水果	甘夏橘	100	1/2顆	
	營養量	熱量535kcal 蛋白質19.6g 脂肪10.9g 醣質86.2g 鹽分3.6g			
午餐	三明治	吐司 奶油 火腿片 小黃瓜 雞蛋 美乃滋 萵苣 荷蘭芹	120 10 30 30 35 5 15 少許	12片切4片 不到一大匙 2片 1/3根 2/3顆 一小匙 一片 	
	玉米濃湯	玉米醬罐 麵粉 奶油 牛奶 鮮奶油	60 4 2 120 2	 1/2大匙 1/2小匙 3/5杯 	湯40ml 高湯0.2g 鹽0.6g
	水果沙拉	香蕉 水蜜桃罐 橘子罐頭 奇異果	30 30 30 25	1/3根 1/2片 5瓣 1/4顆	
	營養量	熱量767kcal 蛋白質25.5g 脂肪28.6g 醣質101.0g 鹽分3.6g			
晚餐	飯	白飯	200	1 1/2碗	
	什錦煮	鯡魚乾 烤豆腐 新馬鈴薯(提早收成的馬鈴薯) 紅蘿蔔	50 120 60 20	一條 1/2塊 二小個 	砂糖5g 醬油10ml 鹽0.2g 酒4ml 味醂4ml
	油菜子拌菜	嫩豌豆 竹筍 紅蘿蔔 雞蛋 油	15 30 10 25 2	7個 1/2顆 1/2小匙	砂糖1g 醬油1ml 鹽0.5g
	醃蕪菁	蕪菁	40	中二顆	砂糖1g 鹽0.2g 醋3ml 柴魚高湯1ml
	營養量	熱量785kcal 蛋白質36.6g 脂肪27.5g 醣質90.3g 鹽分2.6g			

總計 熱量2087kcal 蛋白質81.7g 脂肪67.0g 醣質277.5g 鹽分9.8g

享用當季的食物

■當季的魚味道鮮美

由於養殖和冷凍加工技術的進步，一年四季都有各種魚上市。但是魚一年只有一個美味的季節。

此季節稱爲當季，一般和產卵期有關，產卵的幾個月前油脂特別豐富所以較美味。這個時期漁獲量也比較多，因爲大量上市，所以價格也比較便宜。

■新鮮魚的檢查重點

(1)顏色鮮豔有光澤
(2)眼睛很清澈
(3)鰓的內側呈鮮紅色
(4)魚身有彈性沒有異味

《春季魚的料理方法》

方頭魚：鹽烤、乾燒、煮清湯
針魚……生魚片、煮清湯、醋拌涼菜、照燒
鰹魚……生魚片、乾燒、鹽烤
金目鯛：鹽烤、乾燒、蒸煮
銀魚……煮清湯、天婦羅、醋拌涼菜
六線魚：鹽烤、照燒、乾燒、乾炸
鯡魚……鹽烤
鰆魚……照燒、生魚片
飛魚……鹽烤
蠑螺……壺燒、生魚片
文蛤……煮清湯、涼拌

鰆魚

■當季的蔬菜營營價值也高

沐浴在陽光下露天栽種的蔬菜大量上市的時期就是蔬菜的旺季。托溫室栽培等技術的福，一年四季上市的蔬菜種類變得比以前多。但是，當季的蔬菜比較美味，在營養方面，也含有豐富的維他命和礦物質。

■新鮮蔬菜的檢查重點

(1)形狀完整，沒有受損或腐爛
(2)沒有枯萎或變色
(3)沒有發芽（洋蔥、馬鈴薯）、出根（洋蔥）或開花（白菜、綠花椰菜、蔥）

《春天的蔬菜及料理方法》

香菇……煮、拌、炒
鴨兒芹：火鍋、拌、涼菜
土當歸：煮、拌、沙拉
款冬……煮、拌
韭菜……煮、木樨湯、炒
蕪菁……煮、拌、醃漬
蠶豆……甜煮、拌、炒
扁豆……煮、拌、炒
高麗菜：拌、沙拉、炒
蘆筍……炒、沙拉

慢性肝炎患者的治療飲食 春天的菜單範例3

	菜單名稱	材料名稱	分量(g)	基準量	調味料
早餐	飯	白飯	200	$1^{1}/_{2}$碗	
	味噌湯	馬鈴薯 洋蔥 味噌	30 20 10	中$^{1}/_{3}$顆 中$^{1}/_{10}$顆 $^{1}/_{2}$大匙	柴魚高湯150ml
	雷豆腐	豆腐 雞絞肉 蔥 紫蘇葉 油	100 20 20 少許 4	$^{1}/_{3}$塊 一小匙	醬油2ml 鹽0.4g
	蘿蔔泥拌菜	蘿蔔泥 沙丁魚乾	40 10	 二大匙	
	醬菜	醃蘿蔔乾	15	二片	
	牛奶		200	一瓶	
	營養量	熱量660kcal 蛋白質28.1g 脂肪20.6g 醣質85.6g 鹽分3.6g			
午餐	飯	白飯	200	$1^{1}/_{2}$碗	
	新鮮鮭魚佐塔塔醬(tartar sauce) 【註記】塔塔醬是美乃滋添加小黃瓜、蕃茄、切碎的水煮蛋、調味料所作成的調味醬。	新鮮鮭魚 美乃滋 小黃瓜 蕃茄 雞蛋 萵苣 荷蘭芹	100 10 20 20 10 15 少許	一大片 二小匙 小的$^{1}/_{4}$根 中的$^{1}/_{5}$顆 $^{1}/_{5}$顆 一葉	(事先調味鮭魚用)鹽0.3g (塔塔醬用) 鹽0.3g 醋1ml 胡椒少許
	蛤蜊巧達濃湯(clam chowder)	蛤蜊肉 豬腿肉 洋蔥 紅蘿蔔 青豌豆 麵粉 油	30 20 40 10 5 6 6	10個 中$^{1}/_{5}$顆 $^{1}/_{2}$大匙 二大匙 $^{1}/_{2}$大匙	湯120ml 高湯0.5g 鹽1.1g 咖哩粉0.6g
	水果	橘子	100	大顆一顆	
	營養量	熱量744kcal 蛋白質36.8g 脂肪26.0g 醣質85.5g 鹽分2.2g			
晚餐	竹筍飯	米 竹筍 油豆腐 海苔	90 40 8 少許	$^{1}/_{2}$杯 $^{1}/_{3}$塊	日式高湯0.5g 醬油4.5ml 鹽1.0g 酒3ml 味醂3ml
	厚煎蛋	雞蛋 油 蘿蔔泥	75 4 30	$1^{1}/_{2}$顆 一小匙	砂糖6g 鹽0.5g 柴魚高湯20ml(蘿蔔泥用) 醬油5ml
	綠蘆筍的核桃拌菜	綠蘆筍 核桃	40 3	2支 1/2個	砂糖1g 醬油4ml 柴魚高湯1ml
	水果	杏仁	80	2顆	
	營養量	熱量629kcal 蛋白質21.7g 脂肪18.6g 醣質89.0g 鹽分3.7g			

總計 熱量2033kcal 蛋白質86.6g 脂肪65.2g 醣質260.1g 鹽分9.5g

食物的消化及吸收

消化及吸收的程度會依食物的種類、食用方法、及精神狀態而有所不同。記得盡量在好消化・好吸收的狀態下進食。

■醣質吸收快

甜食、砂糖、糖果等一吃下去就會被迅速吸收。這就是爲什麼運動選手要喝糖水補充熱量的原因。此外，以前山頂的茶館會供應紅豆年糕湯也是基於此效果。

■高油脂食物消化、吸收慢

油脂性食物從胃移動到腸道的速度慢，所以存留在胃內的時間長，消化吸收也就比較慢。要注意睡前吃高油脂性食物的話，胃就會消化不良而難以入睡。

■質地硬的食物不好消化

肉類等質地較硬的食物排出胃的速度較慢，在變成半流質之前會一直存留在胃內，造成消化不良。炸豬排、牛排等要細嚼慢嚥。

■稀飯也是依食用方法而有所不同

直接吞下去沒有咀嚼的話，比較難以消化。所以要在口中充份咀嚼，和唾液中的酵素充分混合之後再吞下去。牛奶也要慢慢喝。

■嗜好品也要適度

嗜好品會刺激胃的運動，所以喝少許酒、碳酸飲料、咖啡就會有食慾。但是如果喝太多酒，反而會讓食物無法排出胃部，肚子不舒服想吐。香菸會抑制胃的蠕動，降低食慾。

■精神狀態也會影響食慾

疲累、心情不好的時候，會讓胃的蠕動變差、食慾降低、消化不良。相反的，心情好的時候胃的蠕動變好，食慾就會增加，消化吸收也會變好。

◆外食的選擇方法②…中國料理店

挑選肉和蔬菜均衡的飲食

【中國料理】套餐所含的菜色內容種類繁多，所以才會營養均衡。如果點太多油膩的食物的話，就請其他人幫忙吃吧。

【中華麵】在一般的拉麵店，可以點「湯麵」「豆芽菜麵」「什錦湯麵」等肉和蔬菜都有的麵食。「拉麵・飯」「餃子・拉麵」這類的組合營養比較不均衡。

★〔烹飪調配〕

〔京都風什錦壽司飯〕所使用的材料只要利用冰箱裡剩下的食材就可以。

慢性肝炎患者的治療飲食 夏天的菜單範例1

餐別	菜單名稱	材料名稱	分量(g)	基準量	調味料
早餐	麵包	可頌麵包 奶油麵包 果醬	50 35 20	一個 一個 一大匙	
	蘿蔔嫩葉火腿捲	火腿片 蘿蔔嫩葉 荷蘭芹	40 15 少許	3片	
	蕃茄沙拉	萵苣 蕃茄 西式泡菜 青椒 洋蔥 調味汁	10 70 少許 5 5 15	$^{1}/_{2}$片 中$^{2}/_{3}$顆 一大匙	
	優格		100	市售一杯	
	奶茶	紅茶 牛奶	150 20	一杯份	砂糖2g
	水果	奇異果	100	一顆	
	營養量	熱量612kcal 蛋白質19.3g 脂肪21.1g 醣質87.2g 鹽分2.7g			
午餐	飯	白飯	200	1$^{1}/_{2}$碗	
	照燒鰤魚	鰤魚 蘿蔔泥	100 30	一大片	(醃漬魚用)醬油2.5ml 酒0.6ml 味醂0.6ml (照燒用)砂糖2g 醬油2.5ml 味醂0.6ml (蘿蔔泥用)醬油2ml
	水晶冬瓜	冬瓜 雞腿肉 嫩豌豆 太白粉	100 30 10 少許	三片 5個豆莢	砂糖3g 醬油2ml 鹽0.7g 酒2ml 味醂1ml
	秋葵納豆	秋葵 納豆 柴魚片	30 10 少許	5根	醬油3ml
	營養量	熱量702kcal 蛋白質36.0g 脂肪24.2g 醣質77.7g 鹽分2.5g			
晚餐	京都風什錦壽司飯★	白飯 星鰻 乾香菇 紅蘿蔔 葫蘆乾 雞蛋 嫩豌豆 海苔	200 40 2 10 2 10 10 少許	1$^{1}/_{2}$碗 一片 1/5顆 5個豆莢	(調醋用)砂糖7g 鹽1.5g 醋20ml (星鰻用)醬油2ml 酒1ml 味醂1ml (煎蛋絲用)砂糖0.3g 鹽0.1g ※煎蛋不要用油。(其他食材調味用)砂糖0.7g 醬油4ml 鹽0.2g 酒1ml 味醂1ml
	茶碗蒸	雞蛋 雞胸肉 新鮮香菇 鴨兒芹 沙蝦	35 20 5 2 10	$^{2}/_{3}$顆 $^{1}/_{2}$個 中一尾	(沙蝦、雞胸肉事先調味用)鹽0.1g 酒0.3ml 柴魚高湯100ml 鹽0.8g
	涼拌白菜和菠菜	白菜 菠菜 柴魚片	60 30 少許	一葉 一株	醬油5m
	水果	香蕉	100	一根	
	營養量	熱量622kcal 蛋白質28.5g 脂肪10.6g 醣質101.5g 鹽分4.6g			

總計 熱量1936kcal 蛋白質83.8g 脂肪55.9g 醣質266.4g 鹽分9.8g

★符號的材料，可以更換成其他食材（請參考右頁的★符號）。

肝臟疾病的治療飲食 ⑤ 慢性肝炎患者的治療飲食 夏 菜單範例・2

愉快的外出旅行需注意事項

當慢性肝炎病情緩和，檢查值也穩定，每個月只需定期返診一次即可的時期，也可以安排一次輕鬆悠閒的旅行。不過要遵守下列注意事項。

■不要參加團體旅行

團體旅遊的行程大都非常緊湊。最好和家人或志同道合的朋友一起輕鬆的去旅行。

■溫泉不要泡過太多

一天泡好幾次溫泉反而會因爲消耗體力而感到疲累。一天泡一次就可以。

■日光浴要適度

太陽曬太久容易導致中暑，會搞壞身體。只要在樹陰下乘涼休息，不要直接照射太陽。

■小心生水

要特別注意觀光地區的簡便水管、廁所附近的水。

■出國旅行的注意事項

在東南亞、印度、非洲等地區吃生食或喝生水會罹患A型肝炎。下水道不完善的地方，東西一定要煮熟後再吃。有人曾經喝了添加生水結的冰塊的On the rock飲料而罹患肝炎。如果不和當地的人發生性行爲的話就不會感染B型肝炎。

享用夏季的蔬菜・夏天的魚

《夏天的蔬菜及料理方法》

青豌豆：什錦飯、湯
扁豆……天婦羅、拌、炒
蕃茄……沙拉
萵苣……沙拉

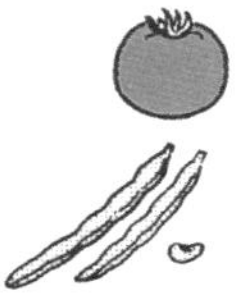

冬瓜……煮、燴
青椒……鑲肉、炒
玉米……加鹽清蒸、湯、醬烤玉米
毛豆……鹽煮、拌
小黃瓜：煮、醋拌、醃漬
茄子……煮、炸、炒、拌、醃漬
南瓜……煮、天婦羅、湯

《夏季的海鮮及調理方法》

香魚……鹽烤、醋拌
鱒魚……鹽烤、照燒、油炸
鱸魚……生魚片、鹽烤、湯的食材、油炸、乾燒
石鱸……生魚片、鹽烤、油炸
星鰻……壽司、天婦羅、烤魚
海鰻……天婦羅、烤魚、照燒
牛舌魚：法式黃油烤魚、乾炸、奶油煮
蜆……味噌湯

慢性肝炎患者的治療飲食 夏天的菜單範例2

	菜單名稱	材料名稱	分量(g)	基準量	調味料
早餐	飯	白飯	200	$1\frac{1}{2}$碗	
	味噌湯	豆腐	30	$\frac{1}{10}$塊	柴魚高湯150ml
		蔥	10		
		味噌	10	$\frac{1}{2}$大匙	
	魚肉山芋餅的海膽燒	魚肉山芋餅	50	$\frac{1}{2}$塊	
		海膽醬	5	$\frac{1}{2}$大匙	
		荷蘭芹	少許		
	烤茄子	茄子	60	一個	醬油3ml
		柴魚片	少許		
	醃菜	醃越瓜	40	1/5個	鹽0.8g
	牛奶		200	一瓶	
	營養量	熱量529kcal 蛋白質21.1g 脂肪9.9g 醣質84.9g 鹽分4.1g			
午餐	素麵 (佐料)	素麵	100	一人份	柴魚高湯80ml 砂糖2g 醬油10ml 酒3ml 味醂3ml 鹽0.3g
		蔥	10		
		薑	少許		
	天婦羅	大正蝦	60	中二尾	※沾素麵的湯汁一起吃。
		新鮮香菇	10	一朵	
		茄子	30	$\frac{1}{2}$個	
		麵粉	15	二大匙	
		雞蛋	5	$\frac{1}{10}$顆	
		油	10		
	涼拌菜	小菜	60		醬油3ml
		柴魚片	少許		
	水果	葡萄	100	中25顆	
	營養量	熱量679kcal 蛋白質27.4g 脂肪13.5g 醣質106.8g 鹽分2.6g			
晚餐	飯	白飯	200	$1\frac{1}{2}$碗	
	醣醋里肌 【註記】肉沾上太白份下鍋油炸。薑切成不規則形狀的蔬菜炒過後，用蕃茄醬和其他調味料調味，加入炸好的肉。也可以用魚代替肉。	豬肉塊	100		(豬肉調味用)
		薑	少許		醬油2ml
		太白粉	10	一大匙	酒1ml
		油(油炸用)	8		
		竹筍罐頭	30		湯50ml
		乾香菇	2	一朵	砂糖3g
		洋蔥	50	中$\frac{1}{4}$顆	醬油5ml
		青椒	20	小1個	鹽0.2g
		紅蘿蔔	20		醋6ml
		油(炒菜用)	5	一小匙多	酒2ml
		蕃茄醬	9	1/2大匙	
	中式沙拉	小黃瓜	40	小$\frac{1}{2}$根	砂糖1g
		冬粉	7		醬油2ml
		雞蛋	15	$\frac{1}{3}$顆	鹽0.3g
		麻油	1		醋3ml
	杏仁豆腐	牛奶	80		水30ml
		洋菜粉	1		砂糖8g
	(糖漿用)	檸檬皮	少許		
		橘子罐頭	20	3瓣	
	營養量	熱量860kcal 蛋白質33.3g 脂肪27.0g 醣質117.1g 鹽分2.2g			

總計 熱量2068kcal 蛋白質81.8g 脂肪50.4g 醣質308.8g 鹽分8.9g

肝臟疾病的治療飲食 ⑥ 慢性肝炎患者的治療飲食

夏 菜單範例・3

促進食慾適合夏季的料理

《扁豆含羞草沙拉》〔材料・一人份〕扁豆60g 雞蛋1/2顆 洋蔥20g 沙拉油一大匙 醋二小匙 鹽、胡椒少許

〔作法〕①將扁豆水煮到色澤變鮮豔，斜切成細條狀。②雞蛋水煮，蛋黃用濾網過篩，蛋白切碎。③洋蔥切碎，用布包起來，在水中搓揉用力擰。④將沙拉油、醋裝進琺瑯鍋或玻璃碗內用打蛋器充分攪拌，用鹽和胡椒調味製作調味汁。將③放進去。將⑤放入①的容器內，依序將②的蛋白、蛋黃裝盛在上面，要吃的時候再淋上④。

《冰鎮刷刷鍋》〔材料・一人份〕薄的肉片或白肉魚的薄切片80~100g 白蘿蔔50g 細香蔥少許 太白粉10g 醋一大匙 醬油1/2大匙 檸檬汁適量

〔作法〕①將太白粉撒在肉或魚上面，用熱水川燙一下，然後放到冷水中冷卻。②用醋、醬油、檸檬汁製作酸橘醋，擺上蘿蔔泥和切碎的細香蔥。〔應用〕也可以在酸橘醋內添加芥末、芝麻粉、芝麻油等。

《乾咖哩》〔材料・一人份〕飯200g 牛瘦肉絞肉80g 洋蔥30g 蕃茄30g 葡萄乾10g 青椒20g 大蒜少許 奶油一大匙 白葡萄酒一大匙 咖哩粉2/3小匙 鹽1.5g 醬油2~3滴 荷蘭芹少許

〔作法〕①將洋蔥切碎，蕃茄、青椒切成粗末。②熱鍋將奶油溶解，將磨好的大蒜和絞肉炒一炒，再加入①及用溫水泡軟的葡萄乾炒一炒。③加入白葡萄酒、咖哩粉充分攪拌，用鹽、胡椒調味，煮7~8分鐘。④將③淋在熱飯上，上面再灑上切碎的荷蘭芹。

◆外食的選擇方法③…壽司店

米飯少一點，也要吃一些帶有蔬菜的壽司

壽司是以魚為主，種類也很多，是容易取得營養均衡的料理。不過，可以請壽司師傅飯捏少一點或不要全部吃完，避免熱量過多。

也要吃一些「納豆壽司」「黃瓜壽司」等包有蔬菜或大豆的壽司。油脂含量高或膽固醇高的鮪魚、鮭魚子、海膽等儘管少吃，醬油不要沾太多。

★〔烹飪調配〕

〔荷包蛋〕可以換成烘蛋。烘蛋裡加入起司、火腿、青豌豆、荷蘭芹的話，種類就更多了。

慢性肝炎患者的治療飲食　夏天的菜單範例3

早餐

菜單名稱	材料名稱	分量(g)	基準量	調味料
吐司	吐司	90	8片切2片	
	奶油	5	一小匙多	
	果醬	30	$^{1}/_{2}$大匙	
荷包蛋★	雞蛋	50	一顆	鹽0.2g
	油	1		胡椒少許
	荷蘭芹	少許		
蔬菜沙拉	萵苣	20	二大葉	
	小黃瓜	20	小$^{1}/_{4}$根	
	青椒	5		
	綠蘆筍	30	1$^{1}/_{2}$根	
	調味醬	15	一大匙	
咖啡歐雷	牛奶	200	1瓶	砂糖3g
	即溶咖啡	少許		
水果	西瓜	150		

營養量 熱量682kcal　蛋白質21.9g　脂肪26.2g　醣質90.1g　鹽分1.9g

午餐

菜單名稱	材料名稱	分量(g)	基準量	調味料
紫蘇飯	白飯	200	1$^{1}/_{2}$碗	
	紫蘇葉	2		
	紅藻	1.5		
涼拌扁豆	扁豆	60	20個豆莢	醬油3ml
	柴魚片	少許		
鄉村煮	豬肩里肌肉	80		砂糖2g
	芋頭	80	中2顆	醬油10ml
	牛蒡	30		鹽0.3g
	紅蘿蔔	20		酒1ml
	蒟蒻	30	$^{1}/_{7}$個	味醂2ml
	青豌豆(冷凍)	10	一大匙	日式高湯1g
	洋蔥	40	中$^{1}/_{5}$個	
	油	5	一小匙多	
昆布片	昆布片	2		柴魚高湯150ml 醬油0.5ml 鹽1.0g

營養量 熱量672kcal　蛋白質26.4g　脂肪19.7g　醣質93.5g　鹽分4.8g

晚餐

菜單名稱	材料名稱	分量(g)	基準量	調味料
飯	白飯	200	1$^{1}/_{2}$碗	
醬烤串香魚	香魚	70	一大尾	砂糖2g
	味噌	6	一小匙	酒1ml
	細香蔥	少許		味醂1ml
嫩煎牛肉	牛腿肉(薄片)	40		醬油5ml
	青椒	30	中一個	酒2ml
	芹菜	10		
	薑	少許		
	油	5	一小匙多	
高湯	新鮮香菇	5	$^{1}/_{2}$個	柴魚高湯150ml
	鵪鶉蛋罐頭	10	1個	醬油0.5ml
	生麵筋	1		鹽1.0g
芥末拌菜	魚糕	20	$^{1}/_{10}$片	醬油2ml
	帶根鴨兒芹	30		柴魚高湯1ml
	芥末	少許		
水果	橘子	100	$^{1}/_{2}$顆	

營養量 熱量621kcal　蛋白質33.3g　脂肪14.3g　醣質84.8g　鹽分3.5g

總計 熱量1975kcal　蛋白質81.6g　脂肪60.2g　醣質268.4g　鹽分10.2g

★符號的材料，可以更換成其他食材（請參考右頁的★符號）。

肝臟疾病的治療飲食 ⑦ 慢性肝炎患者的治療飲食

秋 菜單範例・1

預防肥胖的注意事項

秋高氣爽、食物也很美味讓人食慾旺盛的秋天。為了肝臟在享用美食的同時，也要非常注意營養。

不過，進食過量造成的肥胖是萬病的根源。除了會引起高血壓、心臟病、糖尿病之外，肝臟疾病方面也會引起脂肪肝，降低肝臟的功能。所以為了預防肥胖，平常就要注意下列幾點。

■三餐定時定量、進食八分飽

一天二餐大餐的話反而會胖。不過，點心吃太多也會因整體熱量過多而導致肥胖。一天三餐定量是最理想的。而且每餐吃八分飽也很重要。八分飽可以預防肥胖，調整體質，提高對疾病的抵抗力。

■調味清淡一點

調味太鹹或太重就很容易不小心吃太多。所以調味清淡一點，從平常開始適應清淡的口味。

■在身體可以負荷的狀況下進行適度的運動

預防肥胖需要適度的運動。走路比慢跑運動量更大。不要進行劇烈運動，利用輕度運動讓身體適應。

■不要吃太快

吃太快的話，荷爾蒙也會跟著加速分泌，身體就會失調。這樣也會造成肥胖。

■攝取低熱量食品

將有飽食感，不會營養失調而且熱量又少的脫脂牛奶、蒟蒻、海藻、蔬菜類等低熱量食材積極的用在菜單上。

▼《樵夫式義大利麵》的做法

①將雞腿肉切絲，蕃茄切成2 cm的塊狀，蘑菇去蒂，每2~3根切成一塊。

②將奶油放入鍋中溶化，炒雞腿肉，熟了之後加入蕃茄和蘑菇，再加入蕃茄醬、鹽、胡椒調味，

③水煮義大利實心麵趁熱放入②攪拌。

④盛到容器內，撒上切碎的荷蘭芹。

★烹飪調配

〔炸牡蠣〕牡蠣可以換成魚肉山芋餅的炸起司、或炸白肉魚。魚肉山芋餅切成三角形，切口的一邊刻上花紋，將炸起司夾在中間。

慢性肝炎患者的治療飲食　秋天的菜單範例 1

早餐

菜單名稱	材料名稱	分量(g)	基準量	調味料
飯	白飯	200	$1\frac{1}{2}$碗	
味噌湯	白菜	30		柴魚高湯150ml
	芋頭	30	小一顆	
	味噌	10	$\frac{1}{2}$大匙	
半乾沙丁魚	半乾沙丁魚	50	中一尾	
蘿蔔泥拌菜	蘿蔔泥	60		醬油2ml
	朴蕈	20		
米糠醬菜	小黃瓜	30	$\frac{1}{3}$根	
水果	橘子	100	一大顆	
牛奶		200	一瓶	

營養量　**熱量635kcal**　蛋白質26.2g　脂肪16.2g　醣質93.0g　鹽分3.0g

午餐

菜單名稱	材料名稱	分量(g)	基準量	調味料
樵夫式義大利麵▼	義大利實心麵	70		鹽0.1g
	雞腿肉	50		胡椒少許
	蘑菇	40		※義大利實心麵用0.5%食鹽水水煮。
	蕃茄	40	中$\frac{1}{2}$顆	
	奶油	10	不到一大匙	
	蕃茄醬	15	不到一大匙	
	荷蘭芹	少許		
扁豆沙蝦沙拉	沙蝦	30	小5尾	
	扁豆	50	粗的5根	
	雞蛋	15	1/3顆	
	洋蔥	10	中$\frac{1}{20}$顆	
	調味汁	15	一大匙	
水果	蘋果	100	$\frac{1}{2}$顆	
優格		100	市售一杯	

營養量　**熱量707kcal**　蛋白質30.7g　脂肪24.9g　醣質89.3g　鹽分2.4g

晚餐

菜單名稱	材料名稱	分量(g)	基準量	調味料
飯	白飯	200	$1\frac{1}{2}$碗	
澤煮湯	冬粉	5		柴魚高湯120ml
	雞肉	15		醬油2ml
	扁豆	5	2個豆莢	鹽1.0g
	紅蘿蔔	5		
	新鮮香菇	5	$\frac{1}{2}$朵	
	太白粉	1		
炸牡蠣★	牡蠣	100	大5個	調味汁15ml
	雞蛋	10	$\frac{1}{5}$顆	
	麵粉	10	一大匙多	
	麵包粉	10	三大匙	
	油	15		
	檸檬	10	一片	
	高麗菜	30		
風呂吹大根	白蘿蔔	100		砂糖2g
	味噌	6	一小匙	味醂2ml
	芝麻	1	$\frac{1}{3}$小匙	
醬菜	奈良醬菜	15	3片	

營養量　**熱量737kcal**　蛋白質23.7g　脂肪23.0g　醣質103.5g　鹽分4.0g

總計　**熱量2079kcal　蛋白質80.6g　脂肪64.1g　醣質285.8g　鹽分9.4g**

▼符號的料理的做法請參考右頁(▼符號)。
★符號的材料，可以更換成其他食材（請參考右頁的★符號）。

肝臟疾病的治療飲食 8 慢性肝炎患者的治療飲食 秋 菜單範例・2

享用秋天的蔬菜及魚類

《秋天的蔬菜及料理方法》

〈菇類的料理方法〉

香菇……烤、炒、炸、包起來烤、火鍋、什錦飯

蘑菇……燴菜、火鍋、炒、什錦飯

金針菇：湯料、煮、拌菜、火鍋

朴蕈……拌菜、煮湯

松茸……烤、什錦飯、蒸、湯料、火鍋

〈樹木果實類的料理方法〉

銀杏……烤、湯的主要食材、煮

栗子……什錦飯、甜煮、烤、水煮、糕點

〈薯類的料理方法〉

地瓜……煮、蒸、烤

芋頭……煮、湯料、雜燴、醬烤

山藥……山藥泥、拌菜、煮

〈其他蔬菜類的料理方法〉

菠菜……涼拌、拌菜、炒、湯料

茼蒿……涼拌、火鍋、拌菜

紅蘿蔔：煮、炒、拌菜、沙拉、油炸

花椰菜：煮、炒、沙拉

牛蒡……煮、火鍋、炒、炸、湯料

菊花……拌菜、醋拌涼菜

茗荷……湯料、醋拌涼菜

《秋天的魚類料理方法》

秋刀魚：鹽烤、烤魚串、炸

青花魚：鹽烤、乾燒、味噌煮、壽司、醋拌

沙丁魚：鹽烤、乾燒、壽司、炸油炸、魚丸

鰹魚……鹽烤、乾燒、醋拌

鮭魚……鹽烤、照燒、油炸、法式黃油烤魚

旗魚……生魚片、鹽烤

梭子魚：鹽烤、天婦羅

刺鯧……鹽烤、醃味噌

章魚……生魚片、醋拌、乾燒

秋刀魚

▼《菠菜玉米湯的做法》

①將菠菜水煮後切成3cm長。蔥切碎，生薑磨成泥。

②在鍋內用高湯煮湯，加入醬油、鹽調味。

③將玉米罐頭放入②，倒入蛋汁。最後放入①，滴上芝麻油。

〈註記〉在加入蛋汁之前，先用太白粉水勾芡的話會更煮得更好。可以將菠菜換成鴨兒芹或韭菜。

慢性肝炎患者的治療飲食 秋天的菜單範例2

	菜單名稱	材料名稱	分量(g)	基準量	調味料
早餐	吐司	吐司	90	8片切2片	
		奶油	10	不到一大匙	
	火腿蛋	火腿片	20	$1\frac{1}{2}$片	鹽0.2g
		雞蛋	50	一顆	胡椒少許
		油	1		
		萵苣	10	一大葉	
	地瓜蘋果重疊煮	地瓜	60	中$\frac{1}{3}$根	砂糖7g
		蘋果	40	$\frac{1}{5}$顆	鹽0.1g
		葡萄乾	10	不到一大匙	
	水果	柿子	100	1顆	
	牛奶		200	一瓶	
	營養量	**熱量753kcal** 蛋白質24.4g 脂肪25.7g 醣質106.5g 鹽分2.3g			
午餐	飯	白飯	200	$1\frac{1}{2}$碗	
	菠菜玉米湯▼	菠菜	10	$\frac{1}{3}$株	湯150ml
		雞蛋	20		高湯1g
		玉米	15		醬油1ml
		蔥	10		鹽0.4g
		醬油	少許		
		芝麻油	1		
	水煮豬肉沾芥末醬油	豬里肌肉	80		醬油7ml
		白蘿蔔	40		
		細香蔥	少許		
		蔥	15		
		芥末	少許		
	味噌茄子	茄子	80	$1\frac{1}{2}$顆	砂糖2g
		油	5	一小匙多	味醂2ml
		味噌	6	一小匙	
	營養量	**熱量628kcal** 蛋白質27.2g 脂肪20.6g 醣質77.6g 鹽分2.9g			
晚餐	栗子飯	米	90	$\frac{1}{2}$杯多	鹽1.2g
		栗子	50	5顆	酒2ml
	清湯	豆腐	30	1/10塊	柴魚高湯150ml
		蘑菇	10		醬油0.5ml
					鹽1.0g
	鹽烤秋刀魚	秋刀魚	80	一尾	鹽0.5g
		蘿蔔泥	30		(蘿蔔泥用)醬油5ml
		青柚汁	少許		
	拌菜	菠菜	50	2株	醬油4ml
		茼蒿	20		柴魚高湯2ml
		菊花	5		
	鹹菜	白菜	40		鹽0.8g
	水果	梨子	150	一小顆	
	營養量	**熱量710kcal** 蛋白質30.5g 脂肪16.2g 醣質106.3g 鹽分5.1g			

總計 **熱量2091kcal 蛋白質82.1g 脂肪62.5g 醣質290.4g 鹽分10.3g**

▼符號的料理的做法請參考右頁(▼符號)。

聰明的肉類攝取方法

肉類料理的要領就是選擇適合該部位的料理方法。一天要攝取80~100g。

■各部位的特徵及料理方法

《雞肉》**〔雞翅膀〕**翅小腿可油炸、或炒，二節翅可油炸或熬煮。口味香醇很美味。**〔雞胸肉〕**肌肉部份是白肉且柔軟，味道清淡。帶皮的話會更有味道。可油炸、燉煮。**〔雞腿肉〕**比雞胸肉硬，但味道香醇。可烤、炒、油炸、燉煮。**〔雞里肌肉〕**是白肉且柔軟，口味清淡。可拌菜、作湯料。

《豬肉》**〔肩里肌肉〕**肌肉纖維稍粗且有點硬。可做炸豬排、烤肉、嫩煎、叉燒肉等。**〔里肌肉〕**外側邊緣帶有脂肪。肉質柔軟。可做炸豬排、嫩煎、壽喜燒。**〔豬五花肉〕**脂肪和瘦肉交錯。長時間熬煮的話，味道會很香醇。可燉、煮咖哩等。**〔豬腿・豬後腿肉〕**帶點筋的瘦肉。可做炸豬排、嫩煎、奶油燒、咖哩、燉等。**〔小里肌肉（腰內肉）〕**棒狀柔軟的肉。不太有味道脂肪含量少的瘦肉。可燉、壽喜燒等。

《牛肉》**〔牛肩肉〕**質地稍硬味道也較差的瘦肉。可燉或漢堡等。**〔肩里肌肉〕**脂肪多，也有霜降肉。可做牛排、壽喜燒、烤牛肉等。**〔牛腰肉〕**含有豐富的油脂，質地非常細緻，風味佳。可做牛排、壽喜燒、奶油燒、烤肉、刷刷鍋等。**〔牛五花肉〕**脂肪多，纖維粗且硬。可燉、煮咖哩等。**〔牛腿肉〕**在風味及質地細緻度上稍差的瘦肉。可作壽喜燒、奶油燒、鐵板燒、烤牛肉等。**〔牛臀肉〕**幾乎都是瘦肉，僅次於小里肌肉和里肌肉的上等肉。可做牛排、壽喜燒、奶油燒、烤牛肉等。**〔牛里肌肉〕**質地柔嫩，是牛肉中最柔軟且味道最清淡的瘦肉。可做牛排、壽喜燒、烤肉、奶油燒、刷刷鍋等。

各種肉類各部位的營養量及熱量(每100g)

種類	部位	熱量(kcal)	蛋白質(g)	脂肪(g)
雞肉	雞翅膀	254	18.7	18.6
	雞胸(帶皮)	239	19.7	16.5
	雞腿(帶皮)	182	19.5	10.6
	雞腿(去皮)	111	20.7	2.5
	雞里肌肉	109	24.0	0.7
豬肉	肩里肌肉	233	17.9	16.6
	里肌肉	210	19.7	13.2
	豬五花肉	354	15.0	30.8
	豬腿肉	126	21.5	3.5
	豬後腿肉	137	20.5	5.2
	小里肌肉	134	21.5	4.5
	都是不含脂肪的成分			
牛肉	牛肩肉※※	115	21.1	2.6
	肩里肌肉※※	173	20.6	9.1
	牛腰肉	299	18.4	23.3
	五花肉	167	20.8	8.3
	牛腿肉	143	22.3	4.9
	後腿肉	172	20.2	9.0
	牛臀肉	199	19.3	12.2
	里肌肉	232	19.5	15.7
	都是不含脂肪的成分 ※符號爲和牛。※※符號爲公乳牛			

慢性肝炎患者的治療飲食 秋天的菜單範例3

	菜單名稱	材料名稱	分量(g)	基準量	調味料
早餐	麵包	奶油餐包	70	2個	
		果醬	30	$1\frac{1}{2}$小匙	
	奶油煮	蕪菁	50	中2顆	湯30ml
		馬鈴薯	50	中$\frac{1}{2}$顆	鹽1.2g
		青豌豆(冷凍)	10	一大匙	
		雞胸肉	10		
		麵粉	4	一小匙多	
		奶油	4	一小匙	
		牛乳	150	$\frac{3}{4}$瓶	
	蔬菜沙拉	高麗菜	30		
		青椒	5		
		金槍魚罐頭	20		
		美奶滋	10	二小匙	
	水果	橘子	100	$\frac{1}{2}$顆	
	營養量	熱量663kcal 蛋白質21.7g 脂肪24.4g 醣質89.1g 鹽分2.6g			
午餐	飯	白飯	200	$1\frac{1}{2}$碗	
	什錦蛋湯	雞胸肉	20		柴魚高湯150ml
		太白粉	2	$\frac{2}{3}$小匙	醬油20ml
		豆腐	30	$\frac{1}{10}$塊	鹽1.0g
		木耳	少許		
		嫩豌豆	5	3豆莢	
		雞蛋	10	$\frac{1}{5}$顆	
	照燒烏賊	烏賊	100	$\frac{1}{2}$尾	(事先調味用)醬油2ml 酒2ml (照燒用)醬油3ml 味醂 2ml 砂糖2g
	白蘿蔔梅汁拌菜	白蘿蔔	50		梅子醋2ml
		紫蘇葉	少許		柴魚高湯1ml
		梅子肉	2		味醂1ml
	米糠醬菜	小黃瓜	30		
	水果	香蕉	100	1根	
	營養量	熱量563kcal 蛋白質31.5g 脂肪5.0g 醣質94.8g 鹽分3.3g			
晚餐	飯	白飯	200	$1\frac{1}{2}$碗	
	炸里肌	豬里肌肉	80		(肉類事先調味用)鹽0.3g
		雞蛋	10	$\frac{1}{5}$顆	
		麵粉	12	$1\frac{1}{2}$大匙	豬排醬15ml
		麵包粉	12	二大匙	
		油	15		
		檸檬	10	一片	
		荷蘭芹	少許		
		高麗菜	30		
	醋拌涼菜	茗荷	10		醬油0.5ml 柴魚高湯3ml 鹽0.3g 醋3ml砂糖少許
		小黃瓜	30	$\frac{1}{3}$根	
		小沙丁魚乾	5	不到一大匙	
	醬燒	蒟蒻	30	$\frac{1}{7}$塊	日式高湯1g
		蓮子	40		醬油4ml
		油	3	不到一小匙	酒2ml
		紅辣椒	少許		
	醬菜	野澤菜醬菜	30		
	營養量	熱量757kcal 蛋白質31.0g 脂肪24.9g 醣質96.8g 鹽分4.1g			

總計 熱量1983kcal 蛋白質84.2g 脂肪54.3g 醣質280.7g 鹽分10.0g

肝臟疾病的治療飲食 ⑩ 慢性肝炎患者的治療飲食 冬 菜單範例・1

腹瀉時的飲食

感冒或食物中毒、暴飲暴食時會引起腹瀉。此時的飲食以促進恢復爲重點。

■腹瀉時要先禁食

腹瀉當天要禁食。但是，如果缺少水分容易造成虛脫，所以一點一點的喝冷開水補充水分是很重要的。

■症狀嚴重時要就醫

發高燒、水瀉造成身體虛弱時，要立刻就醫打點滴，補充水分。疑似特殊細菌所引起的時候，要檢查菌種，使用抗生素。

■攝取容易消化的食物

飲食要攝取容易消化有營養的食物，依下列(1)(2)(3)的順序讓身體逐漸恢復。

(1)喝蔬菜湯。蔬菜湯是將馬鈴薯、紅蘿蔔、高麗菜等熬煮到變柔軟，味道要清淡。主食不管是粥或麵，都要煮得非常柔軟。粥的話爲五分粥（用米的十倍量水分煮粥）加一個醃梅子。

(2)稍微恢復之後，吃用牛奶煮的麵包粥、雞蛋菜粥、雞蛋土豆泥。

(3)攝取各種蔬菜、菠菜、紅蘿蔔、高麗菜等煮到柔軟，調味清淡的料理。

◆外食的選擇方法④…咖啡廳

總匯三明治配100%純果汁

早餐沒時間在家吃的時候，有時也會在咖啡廳來一道咖哩飯配咖啡。偶爾一次是無妨，不過這並稱不上是正常的三餐。有些店的咖哩飯裡面所放的肉類量很少，就算有也幾乎都是肥肉。所以平常要了解這家餐廳料理的特色。肉類少醣類的攝取相對的會比較多，所以盡量點雞蛋咖哩或豬排咖哩。

三明治配100%蕃茄汁或柳橙汁營養就比較均衡。三明治以包有雞蛋、蔬菜、火腿、起司等各種種類的三明治爲佳。

義大利麵所含的醣類也比較多，所以要添加含有水煮蛋或火腿的沙拉，營養會比較均衡。

★〔烹飪調配〕

〔炒麵〕也可以換成炒烏龍麵。調味方面除了調味汁以外，可以做成醬油口味、咖哩口味、蕃茄醬口味等。

慢性肝炎患者的治療飲食 冬天的菜單範例 1

	菜單名稱	材料名稱	分量(g)	基準量	調味料
早餐	菜粥	白飯 雞胸肉 蔥 雞蛋	200 30 20 50	$1\frac{1}{2}$碗 一顆	柴魚高湯150ml 醬油20ml 鹽1.2g
	醋拌涼菜	土當歸 小黃瓜 新鮮海帶芽	30 20 10	8cm $\frac{1}{4}$小根	醋4ml 砂糖2g 醬油1.5ml 鹽0.3g 柴魚高湯2ml
	醬菜	奈良醬菜	20	4片	
	水果	香蕉	100	1根	
	營養量	熱量521kcal 蛋白質20.9g 脂肪6.9g 醣質92.0g 鹽分2.7g			
午餐	炒麵★	中華麵 豬腿肉 高麗菜 豆芽菜 青椒 油 紅薑 青海苔	150 40 50 30 10 20 5 少許	一球 小$\frac{1}{2}$顆 $1\frac{2}{3}$大匙	調味汁30ml
	中式風味湯	蘑菇 嫩豌豆 冬粉 芝麻油	10 10 2 少許	 5個豆莢	湯150ml 高湯1g 醬油0.5ml 鹽0.5g
	芥末拌菜	水京菜 蛤蜊肉 芥末	80 20 少許	 7個	醬油4ml 味醂1ml
	熱牛奶	牛奶	200	1瓶	
	營養量	熱量756kcal 蛋白質29.0g 脂肪31.4g 醣質84.8g 鹽分5.0g			
晚餐	飯	白飯	200	$1\frac{1}{2}$碗	
	什錦火鍋	金眼鯛 沙蝦 雞腿肉 蛤蜊 豆腐 白菜 蔥 茼蒿 新鮮香菇 魔芋絲 紅蘿蔔	50 30 30 20 50 80 30 20 10 30 10	$\frac{1}{2}$大片 一尾 $\frac{1}{6}$塊 一朵 $\frac{1}{10}$球	醬油5ml 鹽1.0g 酒4ml 日式高湯1g ※保留湯汁做成1.5倍的調味汁
	醋拌柿子	柿子乾 白蘿蔔	20 40	中$\frac{1}{2}$顆	砂糖3g 鹽0.3g 醋4ml
	水果	葡萄柚	120	$\frac{1}{2}$顆	砂糖10g
	營養量	熱量685kcal 蛋白質35.7g 脂肪10.9g 醣質109.6g 鹽分2.8g			

總計 熱量1962kcal 蛋白質85.6g 脂肪49.2g 醣質286.4g 鹽分10.5g

★符號的材料，可以更換成其他食材（請參考右頁的★符號）。

肝臟疾病的治療飲食 11 慢性肝炎患者的治療飲食

冬 菜單範例・2

冬天的生活備忘錄

冬天一到過年前後，生活就會不規律。規律的生活才是健康之道。要盡量恢復到原本的生活節奏。

■飲食要定時定量

年終因爲尾牙等聚會，在外用餐的機會就比較多。在外面吃怎麼吃就是那幾樣，而起大部份都很油膩。不僅如此，不規則的飲食或暴飲暴食容易造成營養失調，所以盡量不要偏重一種食品，每一種都要攝取。另外，盡量避免重口味的食物。重要的是要選擇攝取類似家庭料理的飲食。

■不要被酒精所誘惑

肝臟不好的人，原則上不應該喝酒。雖然不會因爲只喝一杯，肝臟立刻就變壞，但是如果堅持「醫生說不可以喝酒」或「我已經戒酒了」，就不會一直被勸酒。

嚴格說來，盡量不要參加尾牙、春酒、婚喪喜慶等場合，這才是長生的秘訣。

■洗澡不要洗太久

洗澡會消耗體力。洗澡時間要盡量短，不一定要每天洗，最好每隔一天洗一次澡。

■不要熬夜、睡眠不足

過勞或熬夜等不規律的生活也會影響肝臟的功能，延緩恢復。

而且好不容易才改善的肝炎也會復發。

生活要盡量有規律，保持日常的節奏。

■要考慮到過年期間醫院休診

過年期間也需要多領取藥物。無法消除尾牙的疲累的話，要儘早就診檢查肝臟的狀況。有感冒傾向時，早一點準備好藥物就可以安心過年。

飲食生活的重點

■年菜盡量動手做

防腐劑和色素等食品添加物最近受到嚴格的把關。如此一來就不會傷害肝臟。但是所有沒有營養或有害的物質都要在肝臟解毒，所以如果食品添加物太多的話，就會造成肝臟的負擔。現成的年菜也含有食品添加物。最好是盡量自己動手做年菜，才能減輕肝臟的負擔。

慢性肝炎患者的治療飲食 冬天的菜單範例2

	菜單名稱	材料名稱	分量(g)	基準量	調味料
早餐	吐司	吐司	90	8片切2片	
		果醬	30	1 1/2大匙	
	燜菜	高麗菜芽	40	4個	湯150ml
		培根	5	1/3片	高湯1g
		洋蔥	30	中1/7顆	鹽0.5g
		奶油	5	一小匙多	
	煎香腸	香腸	30	2根	
		油	1		
	水果	草莓	100	6顆	
		煉乳	10	一大匙	
	優格		100	市售一杯	
	營養量	熱量647kcal 蛋白質21.0g 脂肪19.2g 醣質98.8g 鹽分3.2g			
午餐	飯	白飯	200	1 1/2碗	
	法式黃油烤牛舌魚	牛舌魚	100	一尾	(魚事先調味用)
		麵粉	10	一大匙多	鹽0.5g
		奶油	10	不到一大匙	
		檸檬	10	一片	
		荷蘭芹	少許		
	粉吹芋	馬鈴薯	50	中1/2顆	鹽0.2g
	嫩煎紅蘿蔔	紅蘿蔔	20		鹽0.1g
		奶油	1		
	白菜沙拉	白菜	70	一葉	
		小黃瓜	20	小1/4根	
		土當歸	20	5cm	
		蘋果	30	1/7顆	
		調味汁	15	一大匙	
	水果	橘子	100	一大顆	
	營養量	熱量684kcal 蛋白質28.9g 脂肪17.3g 醣質99.5g 鹽分2.0g			
晚餐	飯	白飯	200	1 1/2碗	
	韭菜雞蛋湯	韭菜	30	6根	柴魚高湯150ml
		雞蛋	25	1/2顆	醬油1ml
		新鮮香菇	10	一朵	鹽1.0g
		太白粉	少許		
	烤肉	牛腿肉	50		烤肉的調味汁20ml
		牛五花肉	50		
		茄子	40	2/3顆	
		青椒	20	一小顆	
		洋蔥	40	中1/5顆	
	韓式拌菜	大豆芽	50	不到一碗	醬油2ml
		小黃瓜	15	1/6根	鹽0.3g
		芝麻油	3	不到一小匙	
	醬菜	芥菜	40		鹽0.9g
	營養量	熱量616kcal 蛋白質36.1g 脂肪15.6g 醣質78.4g 鹽分4.1g			

總計 熱量1947kcal 蛋白質86.0g 脂肪52.1g 醣質276.7g 鹽分9.3g

肝臟疾病的治療飲食 ⑫ 慢性肝炎患者的治療飲食 冬 菜單範例・3

享受冬天的蔬菜和海鮮

聖誕節和過年等在家團圓聚餐較多的時期。很多種適合熱呼呼火鍋料理的食材也紛紛上市，所以要混合各種食材均衡攝取。

《冬天的蔬菜及料理方法》

白蘿蔔……蘿蔔泥、煮、拌、醋拌、醃漬
蓮藕……炒、天婦羅、煮
白菜……火鍋、拌、炒、醃漬
油菜……涼拌、炒、拌
蔥……味噌湯、火鍋、醋・醬拌菜、炒
綠花椰菜……沙拉、煮
高麗菜芽……炒、煮
芥菜……涼拌、拌、醃漬
水京菜……涼拌、拌、醃漬
新鮮香菇……火鍋、湯料、炒、煮
慈菇……甜煮、炒

《冬天的海鮮及料理方法》

鰤魚……照燒、鹽烤、生魚片、乾燒、火鍋
鱈魚……鹽烤、火鍋、乾燒
眞鯛……生魚片、鹽烤、火鍋、湯料、乾炸
鯉魚……鯉魚醬湯、鮮魚片、整尾油炸
金線魚……照燒、醃味噌、乾燒
鮭魚……乾燒、火鍋、鹽烤、照燒、味噌湯
鰡魚……鹽烤
遠東多線魚……鹽烤
雷魚……火鍋、乾燒
蝦虎魚……天婦羅、甘露煮
螃蟹……醋拌、沙拉
牡蠣……醋拌、油炸、火鍋

▼《蘇格蘭蛋》的做法

①將洋蔥切碎下鍋炒。
②將絞肉、撕碎的麵包、蛋汁、鹽和①混合攪拌充分揉合。
③水煮一顆雞蛋後剝殼，用②將雞蛋包起來捏成球狀，再裹上麵粉、雞蛋、麵包粉。
④將油炸用油加熱到170度，將③的蛋滑進油鍋內。過程中將爐火轉小讓內部熟透，最後再轉大火把油逼出來，油炸5～6分鐘。
⑤對切成二半，淋上蕃茄醬。

〔註記〕用肉將雞蛋包起來時，在雞蛋灑上太白粉的話肉和雞蛋比較不會散開。如果不喜歡油炸的話，不要裹麵衣在鐵網上烤就會比較清爽。

慢性肝炎患者的治療飲食 冬天的菜單範例3

	菜單名稱	材料名稱	分量(g)	基準量	調味料
早餐	麵包	奶油餐包	70	2個	
		果醬	30	$1\frac{1}{2}$大匙	
	金槍魚沙拉	金槍魚罐頭	30		
		萵苣	20	一片	
		荷蘭芹	10		
		小黃瓜	20	小$\frac{1}{4}$根	
		調味汁	10		
	嫩煎綠花椰菜	綠花椰菜	50		鹽0.3g
		里肌火腿	20	$1\frac{1}{2}$片	
		油	3	不到一小匙	
	水果	橘子	100	一大顆	
	優格		100	市售一杯	
	營養量	**熱量613kcal** 蛋白質24.6g 脂肪19.4g 醣質86.1g 鹽分2.4g			
午餐	山藥泥拌飯	米	80	$\frac{1}{2}$杯	柴魚高湯30ml 醬油1.5ml 鹽0.6g
		麥片	10		
		山藥	70		
		海苔	少許		
	鹽烤甘鯛魚	甘鯛魚	80	一片	(魚事先調味用)鹽0.5g (蘿蔔泥用)醬油5ml
		蘿蔔泥	30		
	柴魚煮	款冬	40		醬油5ml 味醂2ml 日式高湯0.5g
		蒟蒻絲	30		
		油豆腐	8	$\frac{1}{3}$塊	
		柴魚片	少許		
	醬菜	醃蘿蔔	15	2片	
	營養量	**熱量530kcal** 蛋白質27.3g 脂肪6.1g 醣質88.0g 鹽分4.2g			
晚餐	飯	白飯	200	$1\frac{1}{2}$碗	
	蘇格蘭蛋▼	牛絞肉	30		(肉類事先調味用) 鹽0.4g ※雞蛋15g當中的5g拌肉用，10g作麵衣用。
		豬絞肉	30		
		雞蛋	50	一顆(水煮用)	
		洋蔥	15	中$\frac{1}{15}$顆	
		吐司	10	6片切$\frac{1}{6}$片	
		雞蛋	15		
		麵粉	10	一大匙多	
		麵包粉	12	二大匙	
		油	10		
		蕃茄醬	10	$\frac{1}{2}$大匙	
		荷蘭芹	少許		
	沙拉	花椰菜	60		
		萵苣	10	中一葉	
		小黃瓜	10		
		洋蔥	10	中$\frac{1}{20}$顆	
		櫻桃蘿蔔	5	一小顆	
		調味汁	15	一大匙	
	水果	伊予柑	100	$\frac{1}{2}$顆	
	營養量	**熱量908kcal** 蛋白質30.6g 脂肪38.2g 醣質104.4g 鹽分1.5g			

總計 **熱量2051kcal 蛋白質82.5g 脂肪63.7g 醣質278.5g 鹽分8.1g**

▼符號的料理的做法請參考右頁(▼符號)。

肝臟疾病的治療飲食 ⑬ 醫師吩咐須限制蛋白質攝取患者的治療飲食

春 菜單範例

需要限制蛋白質時

也包含肝硬化，一般的肝臟疾病的飲食需要攝取大量的蛋白質，營養要充足。這是爲了促進肝臟盡快恢復。

但是，在肝硬化惡化的時期，反而要限制蛋白質的攝取，這一點必須要注意。

■限制蛋白質攝取的理由

肝硬化惡化，出現肝性腦病變、或肝昏迷時，會出現雙手顫抖、日夜顚倒、性格大變的症狀。有時也會失去定向感。引起這類精神神經症狀的原因之一是氨。

氨是由糞便內的蛋白質所產生的，所以一定要減少飲食中蛋白質的攝取量。

■限制飲食的恢復方式

症狀最嚴重的時候蛋白質量一天的攝取爲20 g，稍微恢復可以出院改門診檢查時改爲40 g。另外，一般肝硬化蛋白質量一天的攝取爲80 g。

飲食生活的重點

■養成飯後躺下休息的習慣

飯後是血液最集中在肝臟的時刻。此時如果站著，流向肝臟的血液量會減少30％。行走或跑步的話，大部份的血液會流向四肢。

以前如果吃飽就躺下來常常被說「會變成牛」。這是教人行爲舉止要端莊，不過爲了肝臟，寧可變成牛。要養成飯後躺下休息的習慣。

▼《奶汁烤菜》的做法

①在鍋內煮多一點的開水，加入鹽將通心粉煮到稍硬。

②雞肉切塊，洋蔥、磨菇切成薄片，稍微炒一下。

③依左圖的順序製作白醬。

④將①和②和白醬混合攪拌。

⑤在焗烤盤內塗上薄薄的奶油，放入④，再撒上麵包粉、起司粉。

⑥用火力強的烤箱烤7～8分鐘。

〔註記〕可以將雞肉20 g換成去殼蝦20 g或雞蛋30 g。

白醬的製作方法

①用奶油炒麵粉，用小火炒避免燒焦。

②加入牛奶稀釋，加鹽調味。

醫師吩咐須限制蛋白質攝取患者的治療飲食 春天的菜單範例

	菜單名稱	材料名稱	分量(g)	基準量	調味料
早餐	法國吐司	吐司	60	6片切一片	砂糖10g
		雞蛋	25	$^{1}/_{2}$顆	
		牛奶	50	$^{1}/_{4}$根	
		奶油	5	一小匙多	
	西式鹹菜	小黃瓜	30	$^{1}/_{3}$根	醋15ml
		芹菜	10		砂糖2g
		白蘿蔔	30		鹽0.1g
		細香蔥	少許		
	檸檬茶	紅茶汁	150	一杯分	砂糖3g
		檸檬	7	一片	
	水果	橘子	100	$^{1}/_{2}$顆	
	營養量	熱量381kcal 蛋白質11.5g 脂肪11.0g 醣質60.3g 鹽分1.0g			
午餐	飯	白飯	200	$1^{1}/_{2}$碗	
	木耳蕃茄湯	雞蛋	10	1/5顆	湯150ml
		木耳	0.5		醬油1ml
		蕃茄	40	中$^{1}/_{2}$顆	鹽1.0g
		蔥	15		胡椒少許
	可樂餅	馬鈴薯	100	中一顆	胡椒少許
		豬絞肉	10		調味汁10ml
		洋蔥	20	中$^{1}/_{10}$顆	
		麵粉	10	一大匙多	
		雞蛋	5	$^{1}/_{10}$顆	
		麵包粉	10	不到二大匙	
		油	7		
		高麗菜	30		
		荷蘭芹	少許		
	涼拌油菜花	油菜花	60		低鹽醬油3ml
		柴魚片	少許		
	營養量	熱量610kcal 蛋白質16.6g 脂肪12.8g 醣質103.6g 鹽分1.6g			
點心	紅豆果凍	水煮小紅豆	30		糖粉20g
		寒天	少許		
	營養量	熱量142kcal 蛋白質1.3g 脂肪0.1g 醣質33.9g 鹽分0.1g			
晚餐	飯	白飯	200	$1^{1}/_{2}$碗	
	奶汁烤菜	通心粉	12		鹽1g
		雞肉	20		
		洋蔥	40	中$^{1}/_{5}$顆	
		磨菇罐頭	10		
		奶油	4	一小匙	
		麵粉	6	二小匙	
		牛奶	50	$^{1}/_{4}$瓶	
		麵包粉	少許		
		起司粉	少許		
	蘿蔔沙拉	白蘿蔔	60		醬油1ml
		櫻桃蘿蔔	10	2小顆	醋7ml
		蘿蔔嫩葉	10		
		新鮮海帶芽	10		
		芝麻油	2		
	水果	蘋果	100	$^{1}/_{2}$顆	
	營養量	熱量564kcal 蛋白質14.2g 脂肪11.4g 醣質98.5g 鹽分1.5g			

總計 熱量1697kcal 蛋白質43.6g 脂肪35.3g 醣質296.3g 鹽分4.2g

▼符號的料理的做法請參考右頁(▼符號)。

肝臟疾病的治療飲食 ⑭

醫師吩咐須限制蛋白質攝取患者的治療飲食　夏　菜單範例

便秘時糞便會堆積在腸道內，產生氨等有害物質，肝臟爲了解氨的毒而工作量加重。

所以平常就要避免便秘。

■生活要有規律

通常排便會固定在早上的某個時間。有的人是固定在吃完早餐之後。時間一到，腸子自然開始蠕動。會如此有規律，據說是受腦內的生物時鐘所支配。所以，就算在完全不知道時間的洞穴內，過了二十四小時就會自然排便。因此，一定要維持就寢、起床的時間，過著有規律的生活。

■早餐一定要吃

早上，尤其是吃過早餐，大腸受到刺激開始蠕動之後就會排便。所以早餐一定要吃。

■養成固定時間排便的習慣

一有便意，就要立刻去上廁所。如果因爲有事耽擱而沒去上的話，那一整天可能都不會排便。

■多攝取蔬菜

食物纖維可以促進排便。所以，要多攝取含食物纖維多的食物。纖維多的食物有蔬菜、海藻、香菇、蒟蒻等。

■要適度的運動

運動可以促進腸蠕動，幫助排便。肝臟不好時不可以從事劇烈運動，所以走路是最適合的運動。走路也可以鍛鍊身體。

■其他

◇早上起床喝二杯水，因爲會刺激腸蠕動，所以會排便。

◇咖啡也會促進排便。早上喝一杯咖啡也有效。

◇不管怎麼做還是嚴重便秘的人，也可以在睡前服用緩瀉劑。

▼《香煎茄盒》的做法

①將茄子縱切成二半，然後平行切口深深劃上一刀，浸到水裡。

②將蔥、乾香菇切碎。

③將雞絞肉、太白粉加入②充分搓揉到沾黏爲止。

④去掉茄子的水分，在切口薄薄撒上太白粉，將③夾起來。

⑤將油倒入平底鍋加熱，放入茄子蓋上鍋蓋，慢慢煮到肉熟透爲止。

⑥裝盛在餐盤內，淋上蕃茄醬。

〔註記〕也可以裹上麵衣油炸。沾芥末醬油會更美味。

醫師吩咐須限制蛋白質攝取患者的治療飲食 夏天的菜單範例

	菜單名稱	材料名稱	分量(g)	基準量	調味料
早餐	飯	白飯	200	1 1/2碗	
	味噌湯	菠菜 生麵筋 味噌	30 1 5	一株 一小匙	柴魚高湯80ml(1/2碗)
	燉烤油豆腐	油豆腐 扁豆 洋蔥	40 30 30	1/3塊 粗豆莢3個 中1/7顆	砂糖2g 醬油3ml 味醂2ml
	涼拌青菜	秋葵 海苔	35 少許	6根	低鹽醬油3ml
	水果	哈蜜瓜	100		※帶皮170g
	營養量	熱量465kcal 蛋白質14.4g 脂肪6.1g 醣質85.9g 鹽分1.3g			
午餐	中華涼麵	油麵 叉燒肉 小黃瓜 豆芽菜 蕃茄 芝麻油 芥末	120 15 30 30 40 2 少許	一球 1/3根 中1/2顆 1/2小匙	砂糖8g 醬油10ml 醋8ml 湯30ml
	拌菜	扁豆 薑	40 少許	粗豆莢4根	低鹽醬油3ml
	水果	葡萄柚	120	1/2顆	砂糖10g
	營養量	熱量532kcal 蛋白質17.5g 脂肪5.2g 醣質101.7g 鹽分2.2g			
點心	水果果凍	寒天 鳳梨罐頭 橘子罐頭	少許 20 20	 1/2片 4瓣	糖粉30g
	營養量	熱量143kcal 蛋白質0.2g 醣質36.1g			
晚餐	飯	白飯	200	1 1/2碗	
	香煎茄盒▼	茄子 雞絞肉 蔥 乾香菇 太白粉 油 蕃茄醬 荷蘭芹	60 15 20 1 3 5 18 少許	1個 1/2朵 一小匙多 一大匙	
	什錦牛蒡絲	牛蒡 紅蘿蔔 魔芋絲 白芝麻 油 紅辣椒	40 10 20 2 3 少許	 1/5球 2/3小匙 不到一小匙	砂糖2g 醬油3ml 味醂2ml
	果汁冰淇淋		100	市售一杯	
	營養量	熱量639kcal 蛋白質12.1g 脂肪13.7g 醣質114.4g 鹽分1.1g			

總計 熱量1779kcal 蛋白質44.2g 脂肪25.0g 醣質338.1g 鹽分4.6g

▼符號的料理的做法請參考右頁(▼符號)。

肝臟疾病的治療飲食 ⑮

醫師吩咐須限制蛋白質攝取患者的治療飲食

秋 菜單範例

採低蛋白飲食攝取熱量①

即使限制蛋白質也一定要攝取身體足夠活動的熱量。於是，要利用醣類和脂肪來補充熱量。

■有效的使用粉飴

攝取大量熱量的輔助食品裡有粉飴。有效的利用粉飴就可以攝取很多醣類。

〔特徵〕

粉飴是只含有醣類的食品。是由澱粉所製造的，所以熱量幾乎相同，甜度不到砂糖的三分之一。

所以，等於使用三倍量的砂糖，因而可以攝取很多熱量。

〔使用方法〕

和砂糖一樣，用於調味、加入紅茶或果汁當中。使用粉飴時，砂糖只要加一點點提味用，就會散發出淡淡的甜味，風味十足。

此外，因為粉飴吸水性強，開封後一定要保存在密閉容器內。

〔購買方法〕

在大型百貨公司的健康食品專櫃可買得到。不知道的時候請詢問醫院的營養師。

〔使用範例〕

◇飲品

利用當季水果或蔬菜製作添加粉飴的果汁當作點心。可以依照個人喜好和身體狀況，享受各種口味。

(1)牛奶+香蕉
(2)牛奶+草莓
(3)牛奶+雞蛋+砂糖
(4)優格+紅蘿蔔
(5)優格+蘋果+蜂蜜
(6)優格+蘋果+蜂蜜+芹菜
(7)蕃茄+芹菜

〔註記〕加入飲品內時，每200ml添加20~30g的粉飴一邊攪拌一邊添加。將飲品稍微加熱，會更容易溶化。

◇果凍

〔材料〕寒天粉或吉利丁（須注意的是吉利丁的成份裡面有蛋白質）1g，水50~60ml（果汁、葡萄酒、咖啡可代替水），粉飴20~30g，砂糖5g。

〔作法〕①適量的水（或是果汁等）加入寒天粉或是吉利丁之後以火加熱，其中加入粉飴使之溶解。②材料溶解之後倒入模型中，待冷卻後定型。

〔應用〕製作杏仁豆腐時，可淋上使用粉飴製作的糖漿。

醫師吩咐須限制蛋白質攝取患者的治療飲食 秋天的菜單範例

	菜單名稱	材料名稱	分量(g)	基準量	調味料
早餐	麵包	奶油餐包 果醬	70 30	2個 $1^1/_2$大匙	
	冬粉沙拉	冬粉 小黃瓜 紅蘿蔔 雞蛋 美奶滋	10 15 5 15 15	 $^1/_6$根 $^1/_3$個 一大匙	
	牛奶咖啡	咖啡 牛奶	150 30	一杯分 二大匙	糖粉10g 砂糖2g
	水果	奇異果	100	1顆	
	營養量	熱量556kcal 蛋白質11.0g 脂肪17.7g 醣質89.4g 鹽分1.2g			
午餐	飯	白飯	200	$1^1/_2$碗	
	昆布湯	昆布薄片 細香蔥	3 少許		柴魚高湯100ml 醬油0.5g 鹽0.6g
	照燒豬肉	豬里肌肉 白蘿蔔 蘑菇 蒟蒻	30 100 30 40	 $^1/_5$片	砂糖4g 醬油7ml 酒5ml 味醂5ml
	芥末醬油拌菜	山藥 秋葵 芥末	40 20 少許	 3根	醬油2ml
	水果	葡萄	100	中25顆	
	營養量	熱量503kcal 蛋白質15.7g 脂肪5.6g 醣質98.5g 鹽分2.2g			
點心	栗子果凍	寒天粉 甜煮栗子 鮮奶油	少許 10 10	 1個	(果凍用)糖粉25g 砂糖5g (奶油用)砂糖2g
	營養量	熱量189kcal 蛋白質0.4g 脂肪4.5g 醣質37.1g			
晚餐	飯	白飯	200	$1\ ^1/_2$碗	
	薑燒青花魚	青花魚 薑 茼苣	30 少許 10	$^1/_2$片 一大葉	酒 3ml 醬油 3ml 沾料醬油(低鹽) 3 ml
	煮地瓜	地瓜	80	中$^1/_2$根	砂糖4g 醬油2ml
	甜醋拌菜	花椰菜 芹菜 櫻桃葡萄	50 10 10	 小2顆	醋7ml 砂糖2g 鹽0.3g
	營養量	熱量517kcal 蛋白質14.7g 脂肪6.2g 醣質96.2g 鹽分1.4g			

總計 熱量1765kcal 蛋白質41.8g 脂肪34.0g 醣質321.2g 鹽分4.8g

肝臟疾病的治療飲食 ⑯

醫師吩咐須限制蛋白質攝取患者的治療飲食 冬 菜單範例

採低蛋白飲食攝取熱量②

在一定要限制蛋白質的時期，除了醣類以外，也可以利用脂肪補充熱量。

■攝取油類料理

油是一種含量少但熱量高的食品，因此可以多加攝取。使用油的料理有下列幾種。

《主食類》

米飯……炒飯、燴飯

麵包……炸麵包、吐司抹上大量奶油

麵類……酥炸麵、炒麵

《菜餚》

雞蛋……炒煎蛋、炸蛋

魚……天婦羅、油炸、乾炸

肉……炸肉排、炒肉

豆腐……炸豆腐、炒豆腐

蔬菜……天婦羅、炒、沙拉（加入美奶滋・調味汁）

地瓜……乾炸、油炸、蜜汁地瓜、日式甘薯點心

《點心類》

水果……水果餡油炸餅、鮮奶油水果酒

甜點……甜甜圈、洋芋片、其他油炸點心

■蛋白質的交換

要讓餐桌上的菜色有變化，勤更換蛋白質食品也是不錯的方法。下列食品可以互相交換。

雞蛋25g……$1/2$顆

魚15g……切片$1/5$片

肉15g……薄肉片一片

豆腐50g……$1/6$塊

納豆20g……一大匙

牛奶100ml……$1/2$杯

優格85g……不到市售一杯

起司15g……起司片一片

▼《青江菜奶油煮》的做法

①將青江菜撥成一葉一葉，充分洗淨之後用熱水川燙。

②去掉沙蝦的腸泥

③切掉新鮮香菇的蒂，然後切成細絲。

④用質地厚的鍋子將奶油溶化後，倒入麵粉下鍋炒，加入湯汁稀釋。

⑤將①~③放入④稍微熬煮。加入牛奶，用鹽和胡椒調味。

〔附註〕加入牛奶之後轉小火，不要讓它沸騰。

★**〔烹飪調配〕**

〔乾炸鰈魚〕也可以換成檸檬煎魚。另外**〔嫩煎綠花椰菜〕**可以不要嫩煎，改用水煮淋上美奶滋，**〔拼盤〕**也可以換成蔬菜天婦羅。

醫師吩咐須限制蛋白質攝取患者的治療飲食 冬天的菜單範例

	菜單名稱	材料名稱	分量(g)	基準量	調味料
早餐	白飯	白飯	200	$1\frac{1}{2}$碗	
	味噌湯	新鮮海帶芽	10		柴魚高湯80ml(1/2碗)
		蔥	10		
		味噌	5	不到一小匙	
	炒魔芋絲	魔芋絲	40	$\frac{1}{7}$球	砂糖1g
		紫萁	40		醬油5ml
		油	2	$\frac{1}{2}$小匙	
	溫泉蛋	雞蛋	50	1顆	低鹽醬油3ml
	拌蘿蔔泥	蘿蔔泥	50		橙汁1ml
		橘子罐頭	20	4瓣	
	水果	草莓	100	6顆	
	營養量	**熱量485kcal** 蛋白質15.0g 脂肪9.2g 醣質83.2g 鹽分1.8g			
午餐	麵包	吐司	60	6片切2片	
		橘皮果醬	30	$1\frac{1}{2}$大匙	
	青江菜奶油煮▼	青江菜	80		湯100ml
		沙蝦	10	小2隻	鹽0.8g
		新鮮香菇	20	2朵	胡椒少許
		麵粉	5	不到2小匙	
		奶油	7	$\frac{1}{2}$大匙	
		牛奶	80		
	沙拉	土當歸	50	12cm	醋7ml
		小黃瓜	10		醬油2ml
		蘿蔔嫩葉	10		
		芝麻油	2	$\frac{1}{2}$小匙	
	檸檬茶	紅茶汁	150	1杯份	糖粉30g
		檸檬	7	1片	
	水果	甘夏橘	100	$\frac{1}{2}$顆	
	營養量	**熱量554kcal** 蛋白質12.8g 脂肪13.2g 醣質99.5g 鹽分2.1g			
點心	咖啡凍	寒天粉	少許		(果凍用)糖粉30g
		即溶咖啡	0.5	$\frac{1}{2}$小匙	(奶油用)砂糖2g
		鮮奶油	10	2小匙	
	營養量	**熱量165kcal** 蛋白質0.3g 脂肪4.5g 醣質31.7g			
晚餐	飯	白飯	200	$1\frac{1}{2}$碗	
	乾炸鰈魚★	鰈魚	30	$\frac{1}{2}$片	低鹽醬油 3ml
		薑	少許		
		太白粉	2		
		油	5		
	嫩煎綠花椰菜★	綠花椰菜	40		胡椒少許
		奶油	3	不到一小匙	
	拼盤★	南瓜	70	2片	砂糖3g
		嫩豌豆	15	7個豆莢	醬油2ml
	涼拌	水芹菜	30		低鹽醬油3ml
		海苔	少許		
	營養量	**熱量497kcal** 蛋白質16.1g 脂肪9.3g 醣質85.5g 鹽分1.0g			

總計 **熱量1701kcal 蛋白質44.2g 脂肪36.2g 醣質299.9g 鹽分4.9g**

▼符號的料理的做法請參考右頁(▼符號)。
★符號的材料，可以更換成其他食材（請參考右頁的★符號）。

肝臟疾病的治療飲食 ⑰ 脂肪肝患者的治療飲食 春 菜單範例・1

脂肪肝的治療飲食

■減少飲食熱量的攝取

因爲主要是要治療肥胖，所以熱量一定要比以前少。

例如，體重60 kg的人，通常一天所須的熱量爲1800~2000kcal。所以如果攝取2500kcal以上就會肥胖。即使一天攝取2000kcal，因爲輸入輸出互相抵銷，所以會維持目前的肥胖狀態。

要消除肥胖，就必須攝取1500~1200kcal。

事實上有個案因爲肥胖罹患脂肪肝而住院，每天攝取的熱量限制在1200kcal之後，2~3週左右體重就恢復到標準，肝功能也恢復正常。

體重恢復標準之後，就可以增加熱量的攝取。只要控制在1800kcal，輸入輸出相抵銷就可以。

■三餐要定時定量

像這樣一餐不吃，下一餐卻又大量進食的暴飲暴食會導致肥胖。這是因爲暴飲暴食導致荷爾蒙失調所造成的。

尤其是吃過晚餐之後又吃其他食物，或是吃太多宵夜等，都容易導致肥胖。

晚上因爲活動量減少，而且會分泌生長荷爾蒙，所以容易肥胖。

■細嚼慢嚥

吃太快的時候，就算吃很多也不會有飽食感。

這是因爲飽食中樞在進食後十五分鐘才會發揮作用，發出可以不要再吃的指令。在此之前就吃完的話，會因此大量進食。

相反的，如果細嚼慢嚥，容易有飽食感，進而控制食物的攝取量。

■盡量不要外食

外食的時候攝取量就會不固定。因爲大碗的麵或飯如果沒吃完就會覺得浪費，所以就會在不知不覺中就全部吃光光。

如果是帶便當的話，因爲份量固定，所以就不會吃太多。

▼《亞利桑納牛排》的做法

①將洋蔥對切成二半，切片，

②將豬腿肉、洋蔥、蕃茄醬、醬油、紅辣椒、蒜泥等一起醃製。

③將油倒入平底鍋加熱，將②煎熟。

脂肪肝患者的治療飲食 春天的菜單範例 1

	菜單名稱	材料名稱	分量(g)	基準量	調味料
早餐	飯	白飯	110	鬆鬆一碗	
	味噌湯	白蘿蔔 油豆腐 味噌	40 4 10	 $^1/_6$塊 $^1/_2$大匙	柴魚高湯150ml
	蛋花湯	韭菜 雞蛋	50 50	 1顆	砂糖1g 醬油5ml 味醂2ml 日式高湯0.5g
	涼拌菠菜	菠菜 柴魚片	60 少許	2株	醬油3ml
	醃鹹菜	蕪菁	30	2小顆	鹽0.8g
	牛奶		200	1瓶	
	營養量 熱量448kcal 蛋白質21.2g 脂肪14.7g 醣質54.3g 鹽分3.4g				
午餐	飯	白飯	110	鬆鬆一碗	
	清湯	雞胸肉 朴蕈 油菜花 太白粉	15 10 10 少許		柴魚高湯150ml 醬油1ml 鹽1.0g
	山椒燒鰆魚	鰆魚 山椒 蘿蔔泥	80 少許 30	1片	(魚預先調味用)醬油5ml 酒2ml (蘿蔔泥用)醬油3ml
	拼 盤	竹筍 款冬 新鮮海帶芽	60 30 10	 $1^1/_2$小根	砂糖2g 醬油3ml 鹽0.6g 味醂3ml
	現醃醬菜	高麗菜 小黃瓜	30 10		鹽0.8g
	水果	香蕉	100	1根	
	營養量 熱量472kcal 蛋白質28.5g 脂肪8.7g 醣質70.0g 鹽分4.5g				
晚餐	飯	白飯	110	鬆鬆一碗	
	亞利桑納牛排▼	豬腿肉(薄片) 洋蔥 蕃茄醬 油 紅辣椒 大蒜	80 40 10 5 少許 少許	 中$^1/_5$顆 $^1/_2$大匙 一小匙多	醬油3ml
	嫩煎花椰菜	花椰菜 磨菇罐頭 油	40 20 3	 一小匙多	鹽0.4g
	沙拉	春季高麗菜 小黃瓜 洋蔥 火腿片 調味汁	50 20 10 10 15	中一葉 小$^1/_4$根 中$^1/_{20}$顆 一片 一大匙	
	水果	奇異果	100	1顆	
	營養量 熱量542kcal 蛋白質25.6g 脂肪21.2g 醣質60.8g 鹽分2.2g				

總計 熱量1462kcal 蛋白質75.3g 脂肪44.6g 醣質185.1g 鹽分10.1g

▼符號的料理的做法請參考右頁(▼符號)。

脂肪肝的誘因及飲食生活

引起脂肪肝的主要原因有肥胖、飲用過多酒精性飲料、糖尿病這三種。

糖尿病引起的脂肪肝主要是要治療疾病本身，其他二種以改善飲食及生活習慣最爲重要。

引起脂肪肝的主要因素有以下的生活習慣。如果有出現下列情形者，要盡量改正。

①喜歡吃甜食
②喜歡吃油膩（脂肪）食物
③經常吃消夜
④吃東西速度很快
⑤喜歡喝酒
⑥容易累積壓力
⑦不運動

預防脂肪肝惡化的生活

利用下列方法預防脂肪肝惡化。

■持續每天進行輕度運動

要消耗熱量就必須要運動。但是，劇烈的運動反而對肝臟不好。不要從事特別的運動，只是走路也可以，重要的是要持之以恆。

每天從事輕度的運動體重一定會減輕。而且血壓也會下降，身體狀況也會跟著改善。

此外，肌肉也會因爲運動而結實。如此一來就可以消耗熱量預防肥胖。

■戒酒

酒精除了會促進食慾，酒精本身所含的熱量也高，所喝下去的酒進入體內之後立刻就會變成脂肪。

酒精對肝臟也不好，所以最好的方法就是戒酒。

據說持續五年以上，平常喝日本酒3合以上，肝臟就會有脂肪囤積。

日本酒一合相當於啤酒一大瓶、雙份威士忌一杯、葡萄酒二杯。

特別是酒精性脂肪肝（97頁）的人必須要戒酒。怎麼戒都戒不掉時，要將飲酒的量盡量降到最少。

■要消除壓力

壓力大的時候，利用吃東西或喝酒來抒解，對脂肪肝而言並不好。

要尋求喝酒以外的興趣或消遣來消除壓力。

脂肪肝患者的治療飲食 春天的菜單範例2

早餐

菜單名稱	材料名稱	分量(g)	基準量	調味料
飯	白飯	110	鬆鬆一碗	
味噌湯	蕪菁 芋頭 味噌	30 30 10	二小顆 一小顆 1/2大匙	柴魚高湯150ml
涼拌帶根鴨兒芹	帶根鴨兒芹 柴魚片	50 少許		醬油3ml
納豆	納豆 蔥	50 5	一小包	醬油5ml
牛奶		200	一瓶	

營養量 熱量438kcal 蛋白質20.8g 脂肪12.7g 醣質57.3g 鹽分2.4g

午餐

菜單名稱	材料名稱	分量(g)	基準量	調味料
山藥麵	乾麵條 山藥 鵪鶉蛋 蔥 海苔	60 60 10 10 少許	 一個 一顆	柴魚高湯80ml 砂糖1g 醬油12ml 酒3ml 味醂4ml
蛋黃煎扇貝	扇貝 蛋黃 檸檬 荷蘭芹	70 10 10 少許	中2個 1/2顆 一片	鹽0.3g 酒1ml
水煮款冬	款冬	60	3小根	味醂1ml 鹽0.5g
水果	草莓	100	6顆	

營養量 熱量456kcal 蛋白質29.2g 脂肪7.0g 醣質66.6g 鹽分2.8g

晚餐

菜單名稱	材料名稱	分量(g)	基準量	調味料
飯	白飯	110	鬆鬆一碗	
漢堡 【註記】用麵粉和奶油製作麵醬，用葡萄酒、高湯、砂糖、醬油、加鹽的調味汁熬煮漢堡	豬絞肉(瘦肉) 洋蔥 麵包 雞蛋 植物油 麵粉 奶油 蕃茄醬	80 20 15 5 5 3 3 9	 中1/10顆 6片切1/4片 1/10顆 一小匙多 一小匙 一小匙多 1/2大匙	(絞肉用)鹽0.3g (熬煮調味汁調味用)砂糖1g 醬油1ml 鹽0.3g 紅葡萄酒3ml 高湯1g
嫩煎嫩豌豆	嫩豌豆 奶油	20 2	10個豆莢 1/2小匙	鹽0.1g 胡椒少許
奶油煮紅蘿蔔	紅蘿蔔 奶油	20 1		砂糖少許 鹽0.1g
花椰菜沙拉	花椰菜 小黃瓜 葡萄乾 調味汁	60 10 10 10	 1/8小根 不到一大匙 二小匙	(調味汁為無油的)
水果	橘子	100	1/2個	

營養量 熱量533kcal 蛋白質27.1g 脂肪15.0g 醣質74.3g 鹽分2.9g

總計 熱量1427kcal 蛋白質77.1g 脂肪34.7g 醣質198.2g 鹽分8.1g

肝臟疾病的治療飲食 ⑲

脂肪肝患者的治療飲食 春 菜單範例・3

攝取春季蔬菜享受春天的芳香

春天是盛產蔬菜的季節，因此只要適度的料理就可以品嚐到季節的風味。讓我們利用日式料理來品嚐春天特有的香氣吧。

不過，如果使用太多會造成刺激太強的反效果。請掌握適當的量，有效的發揮它的芳香。

以下記述著使用春天代表性蔬菜料理的製作方法。

《梅乾肉拌土當歸》

〔材料・一人份〕 土當歸50g 梅乾中一顆 味醂一大匙

〔作法〕 ①將土當歸去皮，切成4cm長，用水沖淨。

②將梅乾過濾，加味醂稀釋。

③將土當歸的水擦乾，裝在容器內用②攪拌。

《芥末醬油拌油菜花》

〔材料・一人份〕 油菜花60g 醬油一小匙 柴魚高湯少許 芥末少許

〔作法〕

①將油菜花水煮到顏色變翠綠，切成4cm長。

②將醬油、柴魚高湯、芥末醬混合在一起，拌上①。

《醋味噌拌嫩竹筍花椒芽》

〔材料・一人份〕 水煮竹筍60g 味噌8g 醋2小匙 砂糖一小匙 味醂1/2小匙 花椒芽少許 芥末少許

〔作法〕

①將水煮竹筍切長方形。

②將味噌、醋、砂糖、味醂放入小鍋內充分攪拌，用小火熬煮。

③用研缽將花椒芽磨碎，加入②煮好的味噌，研磨混合，加入芥末醬。

④用③拌竹筍。

材料量少種類多

肝臟疾病患者的理想飲食的秘訣在於攝取用量少但種類豐富的食材所製作的料理，吃八分飽就可以了。

例如湯裡面放很多料。除了各種蔬菜以外，也可以放海鮮、肉等。沙拉除了蔬菜以外，也可以用海藻、海鮮類、雞蛋等。

麵食類盡量是湯麵或什錦麵等，增加配料的種類。

也可以吃什錦火鍋、雞肉火鍋等。這些都是可以吃到種類豐富當季的海鮮類或蔬菜的代表性料理。

★**烹飪調配**

〔燉菜〕 的雞肉也可以用將雞絞肉、洋蔥、麵包粉、雞蛋拌在一起捏成圓型的肉球。

〔螃蟹沙拉〕 也可以將螃蟹換成鮪魚罐頭、雞蛋、火腿。

脂肪肝患者的治療飲食 春天的菜單範例3

	菜單名稱	材料名稱	分量(g)	基準量	調味料
早餐	麵包	奶油餐包	60	二小個	
		果醬	30	$1\frac{1}{2}$大匙	
	燉菜★	雞腿肉	30		湯150ml
		蕪菁	50	中2顆	高湯2g
		紅蘿蔔	10		鹽0.2g
		洋蔥	20	中$\frac{1}{10}$顆	胡椒少許
		荷蘭芹	20		
		培根	5	$\frac{1}{3}$片	
	螃蟹沙拉★	螃蟹罐頭	20		
		高麗菜	40	中一葉	
		小黃瓜	20	小$\frac{1}{4}$根	
		萵苣	20	一葉	
		調味汁	15	一大匙	(使用無油的調味汁)
	水果	櫻桃	50	10顆	
	牛奶		200	一瓶	

營養量 熱量539kcal　蛋白質22.7g　脂肪16.4g　醣質75.2g　鹽分3.6g

	菜單名稱	材料名稱	分量(g)	基準量	調味料
午餐	青豌豆飯	米	60		鹽1.2g
		青豌豆	30		酒3ml
	海鮮湯	蛤蜊	(淨重)20	7顆	柴魚高湯150ml 酒2ml 鹽0.8g
	旗魚西京燒	旗魚	80	一片	砂糖1g
		味噌	10	$\frac{1}{2}$大匙	酒2ml
		荷蘭芹	少許		味醂2ml
	醋拌涼菜	冬蔥	50	3根	砂糖2g 醬油1ml 鹽0.4g 醋3ml 柴魚高湯2ml
		新鮮海帶芽	10		
	醃鹹菜	白菜	40		鹽0.7g

營養量 熱量419kcal　蛋白質29.6g　脂肪4.2g　醣質60.6g　鹽分4.8g

	菜單名稱	材料名稱	分量(g)	基準量	調味料
晚餐	飯	白飯	110	鬆鬆一碗	
	日式高麗菜捲	高麗菜	150		(絞肉用)鹽0.2g
		豬絞肉(瘦肉)	70		醬油0.5ml 鹽0.8g
		洋蔥	40	中$\frac{2}{5}$顆	高湯0.5g 紅葡萄酒2.5ml
		麵包粉	3	一小匙	
		雞蛋	2		
		雞骨高湯塊	10		
		維也納香腸	30	二小根	
	韓式涼拌蘿蔔	白蘿蔔	60		胡椒少許
		綠蘆筍	30	細3支	鹽0.5g
		紅蘿蔔	10		芝麻油2ml
		白芝麻	0.5		醬油0.5ml
	水果	柳橙	100	$\frac{1}{2}$顆	

營養量 熱量488kcal　蛋白質27.2g　脂肪13.5g　醣質61.9g　鹽分2.7g

總計　熱量1446kcal　蛋白質79.5g　脂肪34.1g　醣質197.7g　鹽分11.1g

★符號的材料，可以更換成其他食材（請參考右頁的★符號）。

肝臟疾病的治療飲食 ⑳ 脂肪肝患者的治療飲食 夏 菜單範例・1

可以享受滿足感的飲食

治療脂肪肝就一定要限制熱量攝取，但是往往吃完了還是沒有滿足感。

該怎麼做才能吃得有滿足感呢？

■增加菜的道數

比起把所有菜肴全部裝在同一個盤子裡看起來更加豐盛。菜單看起來也多樣化，才會產生滿足感。

■體積大的食材直接生食

使用像蔬菜食物纖維多體積大的食材，料裡的份量就會變多。

而即使是同樣的蔬菜，新鮮蔬菜因爲體積大所以分量看起來比較多。裝滿大沙拉碗的新鮮蔬菜的沙拉經過烹煮或快炒之後，就變成一小搓。

■活用海藻・香菇・蒟蒻

這些食物因爲含有豐富的纖維，所以分量也會變多。而海藻因爲含有豐富的維他命・礦物質，對健康有益處。海藻・香菇・蒟蒻也幾乎沒有熱量。是最適合限制熱量攝取的人的食品。

但是，如果光只是吃這些食物會造成營養失調，所以只能當副食品食用。

■攝取低熱量的點心

在米飯或油（脂肪）方面拼命地限制，一旦吃了大塊蛋糕或甜點等點心的話，就前功盡棄了。所以點心要盡量使用涼粉等低熱量，而且口感好、爽口的食物。

▼《拌三絲》的作法

①冬粉用熱水煮約一分鐘，放到冷水中後撈起將水瀝乾，用菜刀切2~3刀。
②海蜇皮泡在水裡去掉鹽分之後放入熱水中，用筷子快速的攪拌後撈起瀝乾。
③將小黃瓜切絲。
④火腿片切成細條狀，澆上開水後放置冷卻。
⑤加入份量的醬油、醋、鹽和加熱過的芝麻油，製作綜合醋。
⑥將①~④的材料漂亮的擺在碗盤內，淋上⑤。

【**註記**】也可以用雞胸肉或豬肉（油脂少的部位）代替海蜇皮。沾芥末也很美味。

★【**烹飪調配**】

【**麻婆豆腐**】的材料也可以用勾芡豆腐。此時可將豬絞肉換成薄肉片。

脂肪肝患者的治療飲食　夏天的菜單範例 1

餐別	菜單名稱	材料名稱	分量(g)	基準量	調味料
早餐	麵包	吐司	60	6片切2片	
		果醬	15	2小匙	
	半熟蛋	雞蛋	50	1顆	鹽0.2g
	鹽撒蔬菜	綠蘆筍	30	2根	鹽0.4g
		蕃茄	40	中1/2顆	
		檸檬	10	一片	
	水果	哈蜜瓜	100	1/2顆	
	優格		100	市售一杯	
	咖啡	咖啡	150	一杯份	砂糖3g
		牛奶	5		
	營養量	熱量434kcal 蛋白質17.0g 脂肪9.4g 醣質71.9g 鹽分1.4g			
午餐	飯	白飯	110	鬆鬆一碗	
	麻婆豆腐★	豆腐	150	1/2塊	湯40ml
		豬絞肉	40		高湯0.7g
		蔥	40		砂糖2g
		青豌豆(冷凍)	10	一大匙	醬油7ml
		油	6	1/2大匙	
		薑	少許		
		紅蘿蔔	少許		
		紅辣椒	少許		
		紅味噌	2		
		豆瓣醬	1		
		太白粉	4	一小匙多	
	拌三絲▼	冬粉	7		醬油3ml
		海蜇皮	30		鹽0.2g
		小黃瓜	30	1/3根	醋5ml
		火腿片	10	1片	
		芝麻油	1		
	中華風味湯	茗荷	10		湯150ml 高湯1g
		新鮮海帶芽	10		鹽0.6g
	牛奶果凍	牛奶	60		砂糖7g
		寒天	少許		
		櫻桃罐頭	5	一個	
	營養量	熱量620kcal 蛋白質28.3g 脂肪25.8g 醣質65.2g 鹽分4.1g			
晚餐	飯	白飯	110	鬆鬆一碗	
	味噌湯	茄子	30	1/2顆	柴魚高湯150ml
		味噌	10	1/2大匙	
	鹽烤梭子魚	梭子魚	80	一片	鹽0.5g(蘿蔔泥用)醬油5ml
		蘿蔔泥	30		
	芝麻拌扁豆	扁豆	60	粗豆莢6豆莢	砂糖1g
		芝麻	3	一小匙	醬油4ml
	暴醃鹹菜	高麗菜	40		鹽0.8g
		小黃瓜	10		
		紫蘇葉	少許		
	水果	西瓜	150		
	營養量	熱量389kcal 蛋白質24.2g 脂肪6.8g 醣質56.7g 鹽分4.2g			

總計　熱量1443kcal　蛋白質69.5g　脂肪42.0g　醣質193.8g　鹽分9.7g

▼符號的料理的做法請參考右頁(▼符號)。
★符號的材料，可以更換成其他食材（請參考右頁的★符號）。

肝臟疾病的治療飲食 21 脂肪肝患者的治療飲食 夏 菜單範例・2

低熱量料理的技巧

即使是同樣的食品，利用料理方法可以降低熱量，而且還可以得到滿足感。

以下依食品種類介紹幾個例子，不妨選擇適合自己的方法試試看。

■蔬菜煮熟後大量攝取

菠菜、萵苣、芹菜、白菜、高麗菜、花椰菜、白蘿蔔、洋蔥等蔬菜熱量少，是低熱量料理不可或缺的食品。

也可以做成沙拉直接生吃，但是覺得體積過大吞嚥不易的人，可以用少量的油稍微炒一下，或醃製之後，看起來份量變少，就可以吃下很多蔬菜。

■肉類可以利用鐵絲網烤、使用鐵氟龍加工的平底鍋

肉類利用鐵絲網烤脫去油脂，就可以變成低脂肪。

而使用鐵氟龍加工的平底鍋就可以無油料理，就算要用也不需用太多。

■油炸食物採不裹粉油炸

油炸食物含在油炸食品和天婦羅的麵衣裡的油脂非常多。不要裹麵衣，直接下鍋油炸就可以減少油脂的攝取。

■油豆腐等食物要去油

油豆腐、輕炸豆腐、油炸豆腐、炸魚丸等用熱開水浸過後食用。浸過熱開水之後達到去除油份的效果，吃起來也比較清爽美味。

■勾芡

白肉魚或雞蛋料理很適合勾芡。白肉魚用蒸的或用鐵絲網烤，雞蛋用鐵氟龍加工的平底鍋炒過勾芡的話，不但低脂肪又美味。

■多利用燙、煮、蒸

油炸或炒都要用油。「燙・煮・蒸」料理上可以不用油，所以一定要多加利用。將加熱後從食物中釋出的油脂去掉的話，脂肪含量就會相當低。

■製作可以直接食用的料理

生魚片不需要料理就可以直接生吃，所以不須用油。

■利用微波爐料理

利用微波爐可以不用油就作出烤牛肉、烤茄子、荷包蛋等。

利用微波爐就可以做出無油料理。

脂肪肝患者的治療飲食 夏天的菜單範例2

	菜單名稱	材料名稱	分量(g)	基準量	調味料
早餐	飯	白飯	110	鬆鬆一碗	
	味噌湯	南瓜	30		柴魚高湯150ml
		扁豆	3	5個豆莢	
		味噌	10	1/2大匙	
	洋栖菜煮	羊栖菜	7	2小匙	砂糖3g
		紅蘿蔔	10		醬油5ml
		地瓜	30	1/2塊	味醂1.5ml
		蒟蒻	20	1/10塊	日式高湯0.5g
		青豌豆	5	1/2大匙	
	薑燒豆腐拌蘿蔔泥	輕炸豆腐	75	1/2塊	（蘿蔔泥用）醬油5ml
		薑	5		
		蘿蔔泥	30		
		檸檬	10	一片	
	水果	鳳梨	100		
	營養量	熱量463kcal 蛋白質19.4g 脂肪11.4g 醣質74.3g 鹽分3.9g			
午餐	飯糰	白飯	110	鬆鬆一碗	
		海苔	1	1/2張	
		鱈魚子	10	中1/8個	
		醃梅子	5	小一個	
	小竹筴魚南蠻漬	竹筴魚	80	小3~4隻	醬油7ml
		油	8		醋7ml
		紅蘿蔔	5		酒3ml
		青椒	10	小1/2個	※醃漬到二倍的調味料中，汁液留下來。
		洋蔥	20	中1/10顆	
		小黃瓜	10	小1/8根	
		薑	少許		
	鹽漬鮭魚子拌山藥和鱷梨	山藥	40		醬油1ml
		鱷梨	30		鹽0.1g
		鹽漬鮭魚子	5	不到一小匙	醋2ml
		檸檬	10	一片	
	營養量	熱量414kcal 蛋白質24.9g 脂肪13.0g 醣質47.4g 鹽分3.9g			
晚餐	飯	白飯	110	鬆鬆一碗	
	冷刷豬肉	豬里肌肉	80		橙汁30ml
		蘿蔔泥	50		
		水芹菜	5		
	牛蒡蛋花湯	牛蒡	60	12cm	砂糖1g
		雞蛋	25	1/2顆	醬油3ml
		鴨兒芹	5		鹽0.3g
					味醂2ml
	毛豆		40	25個豆莢	鹽0.2g
	水果	水蜜桃	150	一大顆	
	營養量	熱量558kcal 蛋白質29.7g 脂肪16.8g 醣質67.3g 鹽分1.0g			

總計 熱量1435kcal 蛋白質74.0g 脂肪41.2g 醣質189.0g 鹽分8.8g

自製醃製食物

酷熱且沒有食慾的夏天，醃製食物可以讓三餐更美味。但是市面上所販售的醃製食品大部分都太鹹，所以盡量要自己醃製。在此向各位介紹製作簡單的現醃醬菜和米糠醬菜的訣竅。

《現醃醬菜》

〔材料〕高麗菜、小黃瓜、越瓜、茄子、蕪菁、芹菜、白蘿蔔、紅蘿蔔等蔬菜。

〔作法〕

①將材料洗乾淨，瀝乾，切成適當大小。

②撒上材料的3~5%食鹽搓揉，輕輕擠掉水分後放上鎮石。

〔註記〕加上切碎的薑、茗荷、檸檬、柚子、紫蘇葉等帶有香氣的蔬菜會更加美味。

如果鹽分沒有滲透進去的話，稍微水洗一下後食用。

《米糠醬菜》

〔材料〕小黃瓜、茄子、越瓜、蕪菁、白蘿蔔、高麗菜等蔥和薯類以外的蔬菜。

〔米糠味噌的作法〕

①米糠以向米店購買加工成精米後剛加工的新的米糠最為理想。要準備木桶、以及琺瑯製桶子二個。

②在0・8L的水中加入270g的食鹽煮開，帶鹽分溶化後放置冷卻。

③將冷卻的鹽水加入1・8L的米糠內，充分攪拌。持續一週，每天二次上下充分攪拌讓空氣進入容器的底部。

也可以添加舊的米糠味噌加速熟成。

〔註記〕添加昆布高湯、辣椒、柚子皮、薑等會更加美味。

〔每日的照料〕

早晚二次充分攪拌，每一次取出醬菜都要補充米糠和食鹽。水分過多時，用瀝水器將米糠味噌往下壓，水分往上跑之後，再用勺子將水舀出。蓋上蓋子之後，將容器放置於陰涼的地方。

〔醃漬方法〕

①將材料洗乾淨，切成適當大小後瀝乾備用。

②撒上鹽巴醃漬。夏天醃漬5~12小時，冬天則需醃漬一天。

〔注意〕

雖然是自製的，但因為鹽分含量高，適量取用比較好。

脂肪肝患者的治療飲食 夏天的菜單範例3

	菜單名稱	材料名稱	分量(g)	基準量	調味料
早餐	飯	白飯	110	鬆鬆一碗	
	味噌湯	扁豆	25		柴魚高湯150ml
		蔥	20		
		味噌	10	$\frac{1}{2}$大匙	
	烤海苔	海苔	1	$\frac{1}{2}$片	醬油2ml
	柳葉魚	柳葉魚	30	2尾	
	燉菜	蕪菁	60	小4顆	砂糖1g 醬油2ml
		油豆腐	8	$\frac{1}{3}$塊	鹽0.3g 味醂2ml
	牛奶		200	一瓶	
	水果	枇杷	80		
	營養量	**熱量452kcal** 蛋白質19.3g 脂肪13.7g 醣質61.4g 鹽分2.4g			
午餐	咖哩什錦飯	米	60		鹽0.8g
		雞腿肉	40		
		洋蔥	40	中$\frac{1}{5}$個	
		葡萄乾	10	不到一大匙	
		青豌豆(冷凍)	10		
		咖哩粉	0.6	不到一小匙	
	海帶芽湯	新鮮海帶芽	10		湯150ml 高湯1g
		蔥	10		鹽0.7g 胡椒少許
	蝦泥燒賣	燒賣皮	25	8張	沾醬醬油5ml
		蝦泥	60		
		蔥	20		
		太白粉	5	$\frac{1}{2}$大匙	
		青豌豆	5		
		芥末	少許		
	水果	李子	100	3顆	
	營養量	**熱量559kcal** 蛋白質28.5g 脂肪8.7g 醣質90.2g 鹽分3.1g			
晚餐	飯	白飯	110	鬆鬆一碗	
	日式雜燴湯	烤豆腐	30	$\frac{1}{8}$塊	醬油1.5ml
		紅蘿蔔	5		鹽1.0g
		白蘿蔔	10		柴魚高湯150ml
		芋頭	20	一小顆	
		蔥	5		
		蒟蒻	10	$\frac{1}{20}$塊	
		芝麻油	0.5		
	乾燒鰈魚	鰈魚	80	1片	砂糖6g 醬油10ml
		海帶芽梗	20		味醂2ml 酒3ml
	醋拌涼菜	茗荷	15		砂糖2g 醬油1ml
		小黃瓜	35	$\frac{1}{3}$根	鹽0.3g 醋3ml
	玉米		80	$\frac{1}{2}$根	
	營養量	**熱量426kcal** 蛋白質25.4g 脂肪5.8g 醣質65.4g 鹽分3.6g			

總計 熱量1437kcal 蛋白質73.2g 脂肪28.2g 醣質217.0g 鹽分9.1g

肝臟疾病的治療飲食 23 脂肪肝患者的治療飲食 秋 菜單範例・1

容易消化的食品及料理

盡量選擇好消化的食品。如果下功夫準備方便食用的料理，三餐會更加美味可口。

《主食》粥、較軟的飯、吐司、麵。

《配菜類》

雞蛋

〔料理〕半熟蛋、煎蛋捲、炒蛋、蒸蛋、茶碗蒸

〔註記〕半熟就可以。不要生吃。

魚…脂肪含量少的魚。鯛魚、比目魚、鰈魚等。

〔料理〕煮、蒸、生魚片、烤

肉…脂肪含量少的肉。雞胸肉、牛豬的里肌肉、絞肉（瘦肉）。

〔料理〕燉、烤肉餅、奶汁烤菜、煎肉丸子

大豆製品…豆腐、凍豆腐、磨碎納豆

〔料理〕豆腐料理、醬烤串豆腐、白芝麻豆腐拌菜、炒豆腐

〔註記〕不要煮太久。

牛奶

〔料理〕奶汁烤菜、奶油煮、奶昔、牛奶果凍

乳製品…優格、乳酸飲料、起司

蔬菜類

〔料理〕煮、醃、拌

〔註記〕用菜刀將纖維切斷切成小塊，煮軟一點。

薯類

〔料理〕煮、水煮、馬鈴薯泥、粉吹馬鈴薯、烤地瓜

《點心類》

水果…完全成熟的水果、罐頭、果汁

糕點…蛋糕、小圓餅、薄餅乾、冰淇淋、果凍

■細嚼慢嚥也很重要

要幫助消化的第一步就是要細嚼慢嚥。不管是多麼好消化的食物都要充分咀嚼後再吞下去。

吃太快對消化也不好。至少要吃十五分鐘以上。牙齒不好無法充分咀嚼的人，切小塊一點再吃。

▼《菇蒸魚》的做法

①在比目魚上面灑上一些鹽巴，事先調味。

②將洋蔥切片，紅蘿蔔切絲。將蘑菇去蒂，朴蕈的整個根切掉。

③在有蓋子的容器內放上奶油，上面擺上比目魚及②的材料、鹽、酒，用中火蒸8~10分鐘。

④撒上切碎的細香蔥，沾醬油吃。

〔註記〕魚只要是白肉魚都可以。可以用鋁箔包起來用烤箱烤代替有蓋子的容器。

脂肪肝患者的治療飲食 秋天的菜單範例 1

早餐

菜單名稱	材料名稱	分量(g)	基準量	調味料
飯	白飯	110	鬆鬆一碗	
味噌湯	馬鈴薯	30	中1/3顆	柴魚高湯150ml
	扁豆	20	粗豆莢2個	
	味噌	10	1/2大匙	
烤海苔包魚肉山芋餅	魚肉山芋餅	50	1/2塊	
	青海苔	少許		
烤茄子沾生薑醬油	茄子	60	1個	醬油3ml
	薑	少許		
曝醃蘿蔔乾	白蘿蔔	40	4片	
水果	葡萄	100	中25顆	

營養量 熱量347kcal 蛋白質11.4g 脂肪1.6g 醣質70.9g 鹽分3.7g

午餐

菜單名稱	材料名稱	分量(g)	基準量	調味料
麵包	奶油餐包	70	2個	
	橘皮果醬	15	2大匙	
夏威夷豬排	豬腿肉	80		(豬肉事先調味用) 鹽0.3g 醬油4ml 鳳梨罐頭的汁10ml 紅葡萄酒5ml
	鳳梨罐頭	40	一片	
	油	3	不到一小匙	
	小蕃茄	30		
	荷蘭芹	少許		
沙拉	萵苣	30	2葉	胡椒少許
	新鮮香菇	10	一朵	
	新鮮海帶芽	10		
	洋蔥	20	中1/10顆	
	調味汁	10	2小匙	
牛奶		200	1瓶	

營養量 熱量596kcal 蛋白質29.9g 脂肪22.8g 醣質66.9g 鹽分2.2g

晚餐

菜單名稱	材料名稱	分量(g)	基準量	調味料
飯	白飯	110	鬆鬆一碗	
清湯	鵪鶉蛋	10	1顆	柴魚高湯150ml 醬油0.5ml 鹽0.1g
	生麵筋	1		
	鴨兒芹	2		
姑蒸魚▼	比目魚	100	一大片	(魚事先調味用) 鹽0.3g 鹽0.3g 酒3ml 沾醬醬油5ml
	洋蔥	30	中1/7顆	
	蘑菇	20		
	朴蕈	20		
	紅蘿蔔	10		
	細香蔥	少許		
	奶油	7	1/2大匙	
柚汁拌白菜	白菜	80	1 1/2葉	醬油3ml
	柚子	少許		
燉芋頭	芋頭	60	小2顆	砂糖1g 醬油4ml 味醂2ml 日式高湯0.5g
	海帶芽梗	30		
水果	梨子	150	小1顆	

營養量 熱量468kcal 蛋白質29.4g 脂肪9.3g 醣質68.5g 鹽分4.2g

總計 熱量1411kcal 蛋白質70.7g 脂肪33.7g 醣質206.3g 鹽分10.1g

▼符號的料理的做法請參考右頁(▼符號)。

重新認識大豆、大豆製品

大豆和大豆製品含有豐富的植物性蛋白質和維他命E。其中大豆含有豐富的食物纖維，是很受歡迎的健康食品。大豆有國產、美國產、中國產，黑豆和毛豆及豆芽菜也是大豆的一種。大豆製品有豆腐、輕炸豆腐、油炸豆腐、凍豆腐、納豆、味噌、豆腐渣、豆漿、豆腐皮、黃豆粉等數量繁多，可以做出各式各樣的料理。

據說煮過的豆子的消化率爲65%，味噌、納豆爲80%以上，豆腐則高達95%，經過加工會更好消化。不妨在每天的菜單裡多利用大豆製品。

豆類的熱量及營養量(每100g)

熱量及營養量 (kcal) (g)	花生 (炒)	紅豆 (水煮)	扁豆 (水煮)	蠶豆 (水煮)
熱量	587	143	143	117
蛋白質	26.6	8.9	8.5	11.0
脂肪	49.5	1.0	1.0	0.2
纖維	3.0	1.9	1.6	0.8
鈣質	50	30	60	23
磷	390	100	150	240
鐵	1.7	1.7	2.0	2.2

■牛奶和豆漿的比較

蛋白質、脂肪、醣類都一樣。而鈣質、維他命A以牛奶較多，鐵則以豆漿含量較多。牛奶含有膽固醇，豆漿則幾乎沒有。

■其他豆類的熱量及營養

花生、紅豆、扁豆、蠶豆的比較從上表可以知道，花生在熱量、蛋白質、脂肪方面比其他豆類高出許多。雖然很有營養，但容易熱量過多。其他營養幾乎相同。

◆外食的選擇方法⑤…日式餐點

理想的肝臟飲食料理

不只是患有肝臟疾病的患者，對於一般人也是最理想的飲食爲日式餐點。

肝臟疾病的飲食要特別攝取蛋白質食品，然後就是攝取多種類的飲食，所以在料理內容和所使用的食品種類繁多的日式餐點可以說是營養最均衡的。也因爲如此，目前全世界都對日本飲食重新改觀。

即使是小間的料理店，午餐也會供應各種定食料理，有白飯配上魚、蔬菜、豆腐、湯等的套餐。魚可以選擇鹽烤或燉魚等無油料理。

脂肪肝患者的治療飲食 秋天的菜單範例2

	菜單名稱	材料名稱	分量(g)	基準量	調味料
早餐	飯	白飯	110	鬆鬆一碗	
	味噌湯	茄子 油豆腐 味噌	30 4 10	1/2個 1/6塊 1/2大匙	柴魚高湯150ml
	煮豆腐	豆腐	100	1/3塊	醬油5ml 味醂1ml
	脆蘿蔔乾絲醬菜	蘿蔔乾絲 紅蘿蔔	6 10		醬油3ml 醋3ml 砂糖少許 ※用3倍的量醃漬，將汁擠乾。
	烤魚板		30	1/7片	
	水果	柿子	70		
	營養量	熱量403kcal 蛋白質18.6g 脂肪7.9g 醣質62.9g 鹽分3.2g			
午餐	味噌麵	乾麵條 豬腿肉 白蘿蔔 紅蘿蔔 南瓜 嫩豌豆 味噌	70 60 40 20 40 10 20	 1片 5個豆莢 一大匙多	柴魚高湯 250ml 砂糖 6g 酒3ml 味醂 3ml
	中式涼拌茄子	茄子 芝麻油	60 1	1個	醬油4ml 醋3ml
	蒸地瓜	地瓜	70		
	營養量	熱量553kcal 蛋白質25.0g 脂肪5.9g 醣質94.7g 鹽分4.0g			
晚餐	飯	白飯	110	鬆鬆一碗	
	鋁箔烤真鯛	真鯛 新鮮香菇 洋蔥 紅蘿蔔 銀杏 青柚	100 10 30 10 10 少許	 1片 中1/7個 5顆 	(魚事先調味用) 鹽0.4g (蔬菜事先調味用) 鹽0.2g 酒2ml 沾醬醬油5ml
	榨菜拌菜	高麗菜 醃榨菜 小黃瓜	50 15 20	 小1/4根	鹽0.3g 醬油2ml 醋1ml 芝麻油0.5ml
	醃蘿蔔乾	醃蘿蔔乾	20		
	水果	葡萄柚	120	1/2顆	
	優格		100	市售一杯	
	營養量	熱量472kcal 蛋白質29.8g 脂肪5.1g 醣質75.4g 鹽分4.3g			

總計 熱量1428kcal 蛋白質73.4g 脂肪18.9g 醣質233.0g 鹽分11.5g

減重的話，只要之後維持正確的飲食方法，就幾乎不會復胖。

減重Q&A

Q 關於標準體重從以前就有很多種說法，真不知該聽哪一種。請告訴我正確的標準體重的算法。

A 標準體重的算法有很多種，是指最不容易罹患疾病的體重，這是統計很多人所得到的結果，算法如下：

首先身高以公尺爲單位，先平方之後再乘以22，所得到的數字就是標準體重（kg）。

例如身高165公分的人，其算法如下：

1·65×1·65×22≒60·0

以此算法身高165公分的人的標準體重大約爲60·0kg。正負10％視爲正常，介於54～66kg之間均爲標準。

不過，每個人有自己最理想的標準體重，並不一定和此計算結果一樣，此時的標準爲「自己20歲時的體重」。接近20歲時的體重也是一種方法。

Q 可以不吃飯·麵包改吃配菜嗎？

A 這是不行的。如果不吃主食，光只是吃大量的配菜的話，蛋白質和脂肪、鹽分就會攝取過多，而且也會造成營養不均衡。

確實攝取定量的主食才是健康之道。

Q 一旦肥胖之後，就算減重變瘦也會復胖，對不對？

A 即使是容易肥胖的體質，如果利用正確的方法成功

「減重成功！可以安心享受美食」是錯誤的觀念。

脂肪肝患者的治療飲食 冬天的菜單範例1

早餐

菜單名稱	材料名稱	分量(g)	基準量	調味料
烤麵包	吐司	60	6片切1片	
	果醬	5	一小匙	
火腿蛋	火腿片	15	1片	鹽0.2g
	雞蛋	50	1顆	胡椒少許
	油	1		
嫩煎青椒	青椒	30	1個	鹽0.5g
	洋蔥	40	中1/5顆	胡椒少許
	油	3	一大匙	
水果	橘子	100	1大顆	
優格		100	市售一杯	

營養量 **熱量446kcal** 蛋白質18.5g 脂肪12.8g 醣質63.9g 鹽分2.0g

午餐

菜單名稱	材料名稱	分量(g)	基準量	調味料
飯	白飯	110	鬆鬆一碗	
紅味噌湯	豆腐	30	1/10塊	柴魚高湯150ml
	朴蕈	10		
	紅味噌	10	1/2大匙	
乾燒金目鯛	金目鯛	80	1片	砂糖3g 醬油8ml 酒3ml 味醂3ml
甘煮	花椰菜	60		砂糖1g
	磨菇罐頭	10		醬油2ml
	沙蝦	20	3小尾	鹽0.4g
	嫩豌豆	10	5豆莢	味醂2ml
	油	3	不到一小匙	日式高湯0.5g
	太白粉	1		
醃鹹菜	白菜	40		鹽0.8g
水果	蘋果	100	1/2顆	

營養量 **熱量454kcal** 蛋白質27.7g 脂肪9.5g 醣質62.5g 鹽分4.7g

晚餐

菜單名稱	材料名稱	分量(g)	基準量	調味料
飯	白飯	110	鬆鬆一碗	
雞肉火鍋	雞腿肉	60		昆布少許
	豆腐	150	1/2塊	
	茼蒿	30		
橙汁	柚子	少許		(橙汁用)醬油
	橙汁	15		15ml
(佐料)	蔥	10		
	蘿蔔泥	40		
醋拌涼菜	冬蔥	50	3根	砂糖1g
	章魚	20		醋5ml
	薑	少許		鹽0.3g
醃鹹菜	芥菜	40		鹽0.9g

營養量 **熱量484kcal** 蛋白質32.4g 脂肪17.1g 醣質46.3g 鹽分3.6g

總計 熱量1384kcal 蛋白質78.6g 脂肪39.4g 醣質172.7g 鹽分10.3g

和酒精和平共處

■肝臟不好的人以不喝酒為原則

想要愉快的喝酒必須要用點心。這也是維護健康的喝酒方法。

不用說肝臟功能原本就不好的人以「不喝酒爲原則」。

那麼健康人的適量究竟是多少呢？

■遵守安全的量的基準量

人類的肝臟半天頂多可以分解日本酒540ml。工作結束、晚餐前喝一杯是很常見的。隔天早上開始工作，所以酒精必須要在半天內消除。

所以說最多也只能喝540ml，如果可以少於540ml會更好。就醫學上是越少越好。因此，360ml以內是安全的，180ml會更好。

■一週二天肝臟休息日

即使是在安全範圍內，如果每天持續喝酒肝臟也會不堪負荷。肝臟是復原力強的器官，只要讓它休息1、2天，其復原會令人難以置信。所以每週要讓肝臟休息二天。

而空腹時飲酒，酒精的吸收速度快，會造成醉後難受。飲酒前喝杯牛奶，或喝酒時吃點小菜，酒精的吸收速度就會減慢，就不會醉得很難受。不過，要注意不要攝取過多熱量。酒精本身也是含有卡路里的。

◆外食的選擇方法⑥…車站的商店

三明治和牛奶等之搭配組合

上班途中或旅途中爲了趕時間跑到車站的商店買東西吃的時候，要注意蛋白質和營養的均衡。

首先建議牛奶和三明治等的組合搭配。

如果有人喝冰牛奶會拉肚子，可以先在口中含少量的牛奶，再像咀嚼般地慢慢喝下去。咖啡牛奶或草莓牛奶等的營養價值相當於清涼飲料，容易導致肥胖。所以最好是選擇純鮮奶。

如果覺得吃三明治很麻煩，水煮蛋也可以。因爲網袋內裝有2~3顆，工作空檔也可以吃。

如果只在車站的蕎麥麵店或麵館吃，在營養上不太理想。

另外，因爲沒有時間而吃很快也會造成肥胖。

脂肪肝患者的治療飲食　冬天的菜單範例2

	菜單名稱	材料名稱	分量(g)	基準量	調味料
早餐	燴年糕	年糕 雞胸肉 紅蘿蔔 油菜 芋頭	70 30 10 20 20	2小片	柴魚高湯180ml 醬油2ml 鹽1.5g
	柚子醃蘿蔔	白蘿蔔 蘿蔔葉 柚子 昆布	50 少許 少許 少許		鹽0.7g
	燉菜	凍豆腐 新鮮香菇 嫩豌豆 蒟蒻	10 10 10 30	1/2個 1朵 5個豆莢 1/7塊	砂糖4g 醬油4ml 鹽0.3g 味醂3ml
	水果	八朔橘	100	1/2顆	
	營養量	熱量354kcal　蛋白質18.6g　脂肪4.4g　醣質60.1g　鹽分3.4g			
午餐	燴年糕	白飯 洋蔥 里肌火腿 雞蛋 蕃茄醬 植物油 荷蘭芹	110 40 30 75 20 7 少許	鬆鬆一碗 中1/5顆 2片 1 1/2顆 一大匙多 不到1/2大匙	鹽0.6g
	柚子醃蘿蔔	雞胸肉 秋葵 新鮮香菇	20 10 10	 2根 1朵	湯 150ml 高湯 0.5g 鹽0.8g 醬油 0.5ml
	燉菜	優格 奇異果 水蜜桃罐頭 橘子罐頭	50 30 30 30	1/2個 1/3顆 1/2片 5瓣	
	營養量	熱量573kcal　蛋白質25.3g　脂肪20.6g　醣質68.2g　鹽分3.3g			
晚餐	飯	白飯	110	鬆鬆一碗	
	蜆湯	蜆 味噌	(淨重)15 10	1/3杯 1/2大匙	※基準量為帶殼 柴魚高湯150ml
	幽庵烤鯧魚	鯧魚 柚子	100 少許	一大片	醬油7ml 酒3ml
	豆腐渣煮物	豆腐渣 豬腿肉 蔥 紅蘿蔔 植物油	60 20 20 10 3	1/2杯多 不到一小匙	柴魚高湯40ml 日式高湯0.5g 砂糖3g 醬油3ml 鹽0.5g 味醂1ml
	菊花蕪菁醋拌涼菜	蕪菁 紅辣椒	50 少許	中2顆	醋5ml 砂糖3g 鹽0.3g
	營養量	熱量483kcal　蛋白質30.9g　脂肪13.5g　醣質52.7g　鹽分4.0g			

總計　熱量1410kcal　蛋白質74.8g　脂肪38.5g　醣質181.0g　鹽分10.7g

低鐵飲食

菜單範例．1~3

為何要採低鐵飲食？

所謂低鐵飲食是指鐵質含量少的飲食（請參照的158頁）。肝臟功能不好的時候，血液中的鐵質（Ferritin鐵蛋白）有時會過高，當Ferritin維持在基準值的時候，肝臟的AST．ALT就會改善，整個肝臟會獲得改善。

減少鐵質的最佳方法是每次採取200ml血液的瀉血，一個月1~2次，進行數次。除了瀉血以外，攝取含鐵量少的飲食也可以幫助減少血液中的鐵含量。

■低鐵飲食的範例

自下頁起為低鐵飲食的菜單範例。一般的飲食每天約含10mg的鐵，目標為減少到5~6mg。

■將飲食拍攝下來

一般人通常被告知要採取低鐵飲食時，總是摸不著頭緒，不知道到底該攝取什麼樣的飲食才好。最好的方法就是將飲食拍照下來。早上將所有的早餐排在一起，全部拍起來。將早．中．晚一天三餐的照片交給營養師。營養師根據照片來計算一天的卡路里、營養成分、以及含鐵量。如此一來就可以估計各種食物的攝取量。在醫院都是請患者這麼做來採取低鐵飲食。

每100g的鐵的含量(蔬菜．山菜)

含鐵量/100g中	非常多		多	稍多	少
	2mg以上	低於2mg 1mg以上	低於1mg 0.5mg以上	低於0.5mg 0.3mg以上	低於0.3mg
黃綠色蔬菜	國王菜 菠菜 油菜花 蘿蔔葉 油菜 蕪菁葉 明日葉 帶根鴨兒芹	木芽 野生蘇鐵 蕨菜 款冬的花莖 水芹 小卷心菜 陸鹿尾菜	水芹菜 秋葵 韭菜 青江菜 綠花椰菜 山當歸	青椒 綠蘆筍 扁豆	南瓜 紅蘿蔔 蕃茄
淺色蔬菜		皺葉萵苣		花椰菜 蓮藕	白菜 高麗菜 款冬 蔥 茄子 豆芽菜 小黃瓜 冬瓜 萵苣

每100g的鐵的含量（肉．魚）

含鐵量/100g中	非常多	多	稍多	少
	2mg以上	低於2mg 1mg以上	低於1mg 0.5mg以上	低於0.5mg
魚	蜆 蛤蜊 沙丁魚	牡蠣 鰹魚 秋刀魚 青花魚 鮪魚 鰤魚	竹筴魚 鮭魚 鰆魚 蒲燒鰻魚	鰈魚 白帶魚 鯛魚 鯧魚 銀鱈魚 蝦子 螃蟹 花枝 章魚
肉	牛肩瘦肉 牛里肌 牛腿瘦肉 肝臟	牛肩帶肥肉 豬里肌	豬腿瘦肉 雞腿去皮 豬肩里肌	雞里肌肉 雞胸肉 雞腿肉

●每一道菜的鐵含量

○荷包蛋(一顆)1mg
○涼拌豆腐(1/3塊)1mg
○納豆(一包)1.7mg
○輕炸豆腐(1/2塊)1.3mg
○油炸豆腐(一塊)0.6mg
※雞蛋每週1~2顆，大豆製品每週二次。

※蔬菜從「少」到「稍多」中挑選。偶爾從「多」中挑選也可以。肉．魚類從「少」到「稍多」中挑選。

低鐵飲食 （1日鐵份量6.0mg）　菜單範例 1

早餐

菜單名稱	材料名稱	分量(g)	基準量	調味料
飯	白飯	75	$^1/_2$碗	
清湯	烤麩	2	2cm	柴魚高湯180ml
	鴨兒芹段	3		鹽1.2g
				醬油2ml
煮物	白蘿蔔	80	$^1/_9$根	砂糖1g
	紅蘿蔔	20	2cm	味醂2ml
				醬油5ml
涼拌花椰菜	花椰菜	60	3個	醬油3ml
	柴魚片	0.1		
	白芝麻(炒乾)	1	$^1/_3$小匙	
牛奶		200	1瓶	

營養量 熱量490kcal　蛋白質16.0g　脂肪9.1g　醣質86.0g　鹽分3.7g

午餐

菜單名稱	材料名稱	分量(g)	基準量	調味料
荷蘭芹飯	乳瑪琳	3	$^3/_4$小匙	鹽0.4g
	白飯	75	$^1/_2$碗	
	高湯	0.6		
	脫水荷蘭芹	0.05		
香草煎鮭魚	新鮮鮭魚(新鮮的)	70		鹽0.5g
	低筋麵粉	7	2小匙	胡椒少許
	茴芹	2		奶油少許
	植物油	2.5	$^3/_5$小匙	
燙青菜	馬鈴薯	30	2顆	鹽0.2g
	紅蘿蔔	30	3cm	砂糖0.1g
	高湯	0.2		
法式沙拉	萵苣	30	2個	醋(米醋)3ml
	小黃瓜	20	$^1/_5$根	醬油5ml
	紅蘿蔔	10	1cm	沙拉油5ml
	蘆筍罐頭	20	4根	

營養量 熱量699.5kcal　蛋白質21.9g　脂肪25.1g　醣質96.5g　鹽分3.9g

晚餐

菜單名稱	材料名稱	分量(g)	基準量	調味料
飯	白飯	75	$^1/_2$碗	
蛋黃燒	雞里肌肉	50		
	植物油	3		
	雞蛋	10	$^1/_5$顆	
嫩煎蔬菜	扁豆	50	8根	
	玉米	15		
	植物油	3		
雜煮	芋頭	5	$^1/_6$顆	味醂2ml
	紅蘿蔔	10	1cm	醬油4ml
	嫩豌豆	3	2個	砂糖1g
	鵪鶉蛋	9	1顆	
涼蕃茄	蕃茄	4	$^1/_5$顆	鹽0.2g
	萵苣	5	一葉	
蔬菜湯	紅蘿蔔	5	0.5cm	鹽1.2g
	白菜	20	$^1/_3$葉	醬油2ml
	薑	1		
	蔥	10	5cm	
水果	哈蜜瓜	5		

營養量 熱量546.5kcal　蛋白質23.3g　脂肪9.9g　醣質91.2g　鹽分3.3g

總計 熱量1736kcal　蛋白質61.2g　脂肪44.1g　醣質273.7g　鹽分10.9g

低鐵飲食（1日鐵份量6.0mg） 菜單範例2

	菜單名稱	材料名稱	分量(g)	基準量	調味料
早餐	飯	白飯	180	1碗	
	清湯	白玉麵筋 蔥	2 3		柴魚高湯180ml 鹽1.2g 醬油2.4ml
	煮物	烤竹輪 蕪菁	15 70	 中3顆	砂糖1g 味醂2ml 醬油4ml
	涼拌牛蒡絲	牛蒡	50		砂糖1g 味醂2ml 醬油3.5ml
	海苔	調味海苔	1		
	牛奶	低脂牛奶	200	1瓶	
	營養量	熱量512kcal 蛋白質17.6g 脂肪5.2g 醣質95.9g 鹽分3.7g			
午餐	三明治	吐司 蕃茄 小黃瓜 里肌火腿 萵苣 荷蘭芹	70 40 20 40 5 1	12片切2片 中$^{1}/_{3}$顆 小$^{1}/_{4}$根 3片	乳瑪琳15g 芥末粉0.3g
	法式沙拉	小黃瓜 萵苣 蘋果 葡萄乾	30 20 20 5	 $^{1}/_{8}$顆	醋(米醋)5ml 鹽0.3g 胡椒少許 植物油2.4ml
	蔬菜凍	花椰菜 芋頭 扁豆 紅蘿蔔 地瓜 月桂葉	12 15 6 4 4 少許	 $^{1}/_{2}$顆	雞骨湯40ml 寒天粉0.7g 高湯1.3g 鹽0.1g 橄欖油少許 咖哩粉少許
	紅蘿蔔濃湯	奶油濃湯 紅蘿蔔泥(冷凍)	12 10		水120ml
	咖啡	咖啡 咖啡奶油	5 5		水120ml 咖啡糖3g
	優格	無糖優格	140	市售一中杯	蜂蜜10g
	營養量	熱量720kcal 蛋白質24.4g 脂肪32.4g 醣質90.8g 鹽分3.9g			
晚餐	粗捲壽司	白飯 高湯蛋捲 肉鬆 小黃瓜 瓢瓜乾 乾香菇 烤海苔	180 30 1.5 16.6 2.5 2.5 1.7	1碗	(醋飯用) 醋(米醋)17ml 砂糖4.2g 鹽1.3g (食材用) 砂糖2.5g 醬油2.5ml
	涼拌豆腐	木棉豆腐 萬能蔥	60 3	$^{1}/_{4}$塊	醬油3.5ml 薑2g
	芝麻芥末拌菜	萵苣 白芝麻（炒）	60 3	4葉	低鹽醬油3ml 芥末粉0.2g
	烤茄子	茄子 柴魚片	80 0.1	1$^{1}/_{2}$顆	低鹽醬油3.5ml 薑2g
	橘子果凍	洋菜 柳橙 蜂蜜	1.6 30 7	 $^{1}/_{5}$顆	砂糖0.1g 鮮奶油1g 水70ml
	營養量	熱量535kcal 蛋白質18.6g 脂肪8.2g 醣質98.0g 鹽分3.3g			

總計 熱量1767kcal 蛋白質60.6g 脂肪45.8g 醣質284.7g 鹽分10.9g

低鐵飲食 （1日鐵份量5.0mg） 菜單範例3

餐別	菜單名稱	材料名稱	分量(g)	基準量	調味料
早餐	麵包	吐司 果醬	90 15	8片切2片	
	南瓜沙拉	南瓜 小黃瓜 培根 萵苣	60 10 5 3	2片 小1/5根	美奶滋10g 醋(米醋)1ml 鹽0.3g
	湯	高麗菜 脫水荷蘭芹	30 0.01		水180ml 高湯2g
	牛奶	低脂牛奶	200	1瓶	

營養量 熱量519kcal 蛋白質19.7g 脂肪14.6g 醣質78.6g 鹽分3.2g

餐別	菜單名稱	材料名稱	分量(g)	基準量	調味料
午餐	麵	麵條 蔥 白芝麻(炒)	137 3 0.5	佐料用	水123ml (麵條醬汁用)柴魚高湯150ml 醬油22ml 味醂9ml 砂糖2g 鹽0.2g
	天婦羅	帶尾蝦子 白丁魚 茄子 乾香菇	20 15 40 10	1尾	植物油22ml (油炸用) 低筋麵粉15g 雞蛋5g 鹽0.2g 水20ml
	芝麻醬拌菜	切段海帶芽 洋蔥 芝麻醬	3 20 8	中1/8顆	醋(米醋)2ml
	蘿蔔泥拌菜	白蘿蔔 毛豆 蕃茄	60 10 30		醋(米醋)4ml 砂糖2g 鹽0.4g
	水果	葡萄柚	50		

營養量 熱量770kcal 蛋白質21.7g 脂肪22.2g 醣質114.6g 鹽分4.2g

餐別	菜單名稱	材料名稱	分量(g)	基準量	調味料
晚餐	飯	白飯	180	1碗	
	日式漢堡	豬絞肉 豆腐 洋蔥 紅蘿蔔 乾香菇 雞蛋 白蘿蔔 紫蘇 薑	60 20 20 5 0.3 5 50 0.5 3	1/10顆	植物油4ml(煎肉用) 鹽0.2g 薑汁少許 麵包粉5g 砂糖1g 味醂1.5ml 醬油7ml
	燙青菜	扁豆(冷凍)	30		植物油0.5ml 鹽0.2g
	法式沙拉	小黃瓜 綠色蔬菜 綠蘆筍 調味汁(和風)	30 10 20 10	無油	
	蛋花湯	蕃茄 蠶豆(冷凍) 雞蛋	20 10 5	中1/6顆	高湯2g 太白粉1g

營養量 熱量578kcal 蛋白質24.2g 脂肪12.4g 醣質87.3g 鹽分3.1g

總計 熱量1867kcal 蛋白質65.6g 脂肪49.2g 醣質280.5g 鹽分10.5g

飲酒與肝臟

肝臟疾病患者不宜飲酒

病例

●戒酒後肝臟疾病好轉的案例

Y先生從年輕的時候習慣每天喝摻水的酒連續5~6杯，導致罹患肝硬化，血液檢查數值很差，下肢也出現水腫。

於是他毅然決然決定戒酒。Y先生終於覺悟，決定從此之後不再喝酒。戒酒之後身體狀況逐漸好轉，食慾也變好，晚上也比較睡得著。

不僅如此，下肢水腫也消除，AST、ALT、γ-GTP的數值也恢復正常。TTT和ZTT的數值在罹患慢性肝臟病

肝臟不好的人永遠不能喝酒嗎？

Q 我被診斷出患有慢性肝炎，目前狀況穩定。因為工作需求有時一定要喝酒。少量的話有沒有關係？

A 一天2合以下是沒關係，或是每週至少休息二天這種說法是對於一般健康的人。這是肝臟正常健康的人，如何不損傷肝臟的安全飲酒參考準則。

肝臟如果不好，絕對不能再增加肝臟的負擔。酒精會增加肝臟的負擔，所以要有不能喝酒的決心。要治療疾病一定要有所犧牲，就像許「願」，不喝酒不危害肝臟也是一種「願」。

經常聽到患者說「我因爲工作一定要喝酒。喝少一點應該沒關係。」「晚上睡不著，喝一點睡前酒可以嗎？總比吃安眠藥好不是嗎？」。

這時候我會這麼回答。「我了解。確實喝一杯啤酒並不會立刻傷害肝臟。但是，這是心態上的問題。」

我不會再多說。接下來全都要看當事者的人生觀。

●身為醫師不建議喝酒

飲酒裡面含有微妙的問題，是無法切割的。

或許有的醫師認爲「只是一合而已又沒有關係」「生活沒有樂趣，人生不是很乏味嗎」，我認爲身爲醫師不能這麼說。尤其是對喜歡喝酒的人說只喝一杯就不可以再喝，或只喝一杯然後就要戒酒等說法不表贊同。

我認爲身爲醫師不應該同意肝臟不好的人可以喝酒。明知不行就一定要說「不行」。

不喝酒也不至於無法工作、或無法應酬。喝酒充其量只是一種手段，目的是愉快的交際應酬。準備愉快的話題，聊聊對

時一直降不下來，但TTT從10降到5，ZTT從20降到10，恢復到基準值。

酒精性肝臟損傷戒酒是最佳的治本療法。酒精引起的肝硬化也可以快速恢復。

即使罹患肝硬化，只要確實戒酒，很多患者十年後還是精神充沛的生活著。相對的，沒有戒酒的人，六年內全部死亡。以上是三井紀念醫院的統計結果。

方自豪的事情、有興趣的話題，做個好的聽衆等，交際應酬的訣竅不勝枚舉。

而且，人生除了喝酒以外，還有很多樂趣。試著積極開創喝酒以外的興趣。

為什麼喝酒對肝臟不好？

Q 聽說喝酒傷肝。酒精為什麼會傷害肝臟呢？

A 說到爲什麼喝酒會傷肝，首先是因爲酒精主要是在肝臟分解。因爲肝臟是將像酒精這類對身體而言的異物分解成無害的物質，也就是進行解毒作用的器官。

此解毒作用的90%是在肝臟進行，不借助其它的器官。

所以，不管喝多少肝臟都會將酒精分解。喝一合分解一合，喝五合就分解五合，肝臟被迫一直工作。我們樂得輕鬆，但肝臟卻無法偷懶。即使犧牲其他工作，還是以分解酒精爲最優先。所以，喝越多酒，對肝臟而言是苦修行。

即使分解掉酒精，對身體也沒有任何好處。酒精沒有營養，只有卡路里而已。所以喝了酒身體會暖和起來。寒冷的冬天即使喝冰啤酒身體也會溫熱，就是這個緣故。

喝酒不僅沒有好處，酒精本身對肝臟也有害處。不僅如此，酒精分解後所產生的乙醛比酒精更會傷害肝臟。

●飲酒容易營養失調

還有一項就是會造成營養失調。愛喝酒的人，很多都不太吃東西。

不管多美味的料理擺在眼前也沒有食慾、看著營養滿分的山珍海味也沒有胃口。如此一來和沒有東西吃的人一樣會造成營養失調。實際上很多愛喝酒的人有營養失調的問題。

營養失調的話，肝臟就無法獲得營養而惡化。如果又大量喝酒的話，更會加速肝臟惡化。

那麼，喝酒的時候只要攝取足夠的營養就沒問題了嗎？喝酒且營養攝取足夠的人，和沒有攝取營養的人相較之下，肝臟損傷的人比較少，但是就算有攝取營養，喝太多酒的話，還是會傷害肝臟這一點是不會變的。

●喝酒會危害全身

喝酒只會損害肝臟嗎？其實不然。喝酒又吃高脂肪食物的人，有人胰臟受損。

胰臟受損時，特別是左側腹或背部會疼痛、腹瀉。

心臟也會受損。心臟會因爲喝酒而變大，戒酒之後心臟又會恢復成原本的大小。變大縮小的現象就像拉手風琴一樣，所以又稱爲**手風琴（accordion）心臟**。

另外，喝酒血壓也會升高。

其他在男性方面男性荷爾蒙會減少，女性荷爾蒙會增加。所以乳房會隆起。另外也有出現神經麻痺、精神障礙症狀之案例。

所以，酒精會引起全身各方面的疾病，其中最容易受損的就是肝臟。

Kitching Drinker 廚房裡的飲酒者

在做家事的空檔有飲酒的習慣，出現酒精成癮的主婦越來越多。

這類的主婦稱為 Kitching Drinker（廚房裡的飲酒者）。這是酒精成癮的一種病態，罹患酒精性肝損傷的人也不少。

為了消除對小孩子的教育、夫妻關係等家裡的煩惱和不安，隨手可得的酒是最大的誘因。

經常需要接受精神科醫師的治療。

●酒量好・不好是分解酵素的量的差異

Q 為什麼有的人酒量好，有的人酒量不好？我不會喝酒，每次參加宴會都感到很困擾。

A 有人很會喝酒，喝5合也面不改色，也有人喝一杯就滿臉通紅。就像相聲說的，有人只吃一片奈良醃菜就醉了。爲什麼會有這樣的差異？

事情是這樣的。酒醉因爲心情會很舒暢，所以是好的酒醉。但是，酒精在體內分解所產生的乙醛（acetaldehyde）也會讓人酒醉。這種酒醉，臉色會變紅、心跳加速、噁心、頭痛，所以醉後會很難受。

醉後難受的原因在於乙醛。所以，乙醛大量堆積就會醉後難受，乙醛量少的話就比較不會醉後難受。

但是，人體內有分解乙醛的酵素，有人天生有很多這種酵素，有人天生就很少。具有很多分解酵素的人，因爲乙醛會立刻被分解，不會堆積在體內，所以不會醉後難受，因爲不會醉後難受所以不管再怎麼喝都不會醉。

而天生分解酵素就很少的人，乙醛很難被分解而大量堆積，大量堆積之後就造成醉後難受，也因爲醉後難受所以不能再喝，所以酒量就差。

此酵素的多與寡和遺傳有關，所以父母親很會喝酒的話，小孩酒量也會不錯。很多父母親連一滴酒都不能喝的人，其小孩也幾乎都不能喝酒。

●東方人和歐美人相較之下，體質上比較不耐酒精

包含日本人在內的東方人，在遺傳上乙醛的分解酵素就比歐美人少。相較之下不會喝酒的人比較多。10個人當中有5位酒量較差。

明明不太能喝，在宴會上被迫喝酒之後醉倒。身體不舒服、想吐、全身無力、然後被送上救護車。

相反的，歐美人很多人天生分解酵素就比較多，所以不會酒醉，也因爲不會酒醉所以喝再多都沒關係，酒量很好。因爲這

樣，所以歐美人參加派對喝了酒也不會亂性。喝了酒臉會變紅是因爲分解酵素少，常見於東方人所以被稱爲**Oriental Flush**（東方潮紅）。

●酒量不好的話，肝臟也不好嗎？

酒量好不好和會不會醉有關，因爲是與生俱來的，所以對酒量不好不太會喝酒的人，請不要說出「很不夠朋友」「你不給我面子嗎」強迫人的話逼人喝酒。不會喝酒的人，不管再怎麼努力還是不會喝，只要能了解這一點就好。能喝的人就喝，不能喝的人淺嚐即止，愉快和樂的在一起是最好不過的。

酒量不好的人，因爲天生就容易醉後難受，所以肝臟的負擔和會喝酒的人是一樣的。並不是身體不好，也不是短命。應該可以說，酒量不好的人因爲不會喝太多酒，所以可以活得較久。不太會喝酒的人，每天小酌一下的話，慢慢的酒量就會比較好。這是因爲其中一種叫做MEOS（microsomal ethanol-oxidizing system微粒體乙醇氧化系統）的分解酒精酵素慢慢增加的緣故。

長時間大量飲酒會造成肝臟損傷

Q 很會喝酒的人，很自豪自己的肝臟和別人不一樣。酒量好的人的肝臟真的比較好嗎？

A 有人會羨慕酒量好的人，覺得看起來很有精神、很有朝氣。自古一提到「千杯不醉」，就等於是英雄豪傑的代名詞。戰國時代的英雄，如果只吃一片奈良醃菜臉就紅通通的話，豈不是很丟臉。

但是，酒量好或不好，和會不會醉後難受有關，這是體質上的遺傳，和肝臟的功能和強度完全無關。不管是酒量好或不好的人，肝臟的強度都一樣。

所以，結果喝很多酒的人會損壞肝臟。採血或注射時，會用消毒酒精擦拭皮膚。那是爲了殺死皮膚上的細菌。並不是因爲皮膚上的細菌死掉了所以對身體很好。

因爲很會喝酒而大量喝酒的話，會損壞肝臟。看起來酒量好，很有男子氣概，

紅葡萄酒對身體有益？

紅葡萄酒曾經因為盛傳對身體有益而流行過一陣子。真的對身體有益嗎？

紅葡萄酒裡面含有**多酚**（polyphenol），而白葡萄酒沒有。多酚存在於葡萄的皮和種子裡，會抑制活性氧，抑制引起動脈硬化的壞的膽固醇的氧化。此作用被認為有助於預防動脈硬化而形成風潮。

茶和蔬菜裡面也含有多酚。喝太多紅葡萄酒會產生酒精造成的損害，所以要適量飲用。

精神氣勢旺盛，很令人羨慕的人，結果罹患肝臟病。絕不要認爲因爲酒量好，不管喝多少都沒問題而自己的肝臟與衆不同。

相反的，酒量不好的人，因爲不太能喝所以不會損壞肝臟，比較能長命百歲。

●罹患脂肪肝或肝硬化和飲酒方式有關

大量飲酒、只喝2~3天也會影響肝臟。脂肪肝（92頁）此疾病嚴重時肝臟會變成鮮黃色，平常一天喝3合以上的酒，持續喝五年以上會造成脂肪堆積。

日本酒1合以同樣的酒精含量來比較的話，相當於啤酒一大瓶、雙份威士忌一杯、葡萄酒二杯。雞尾酒則爲一杯、燒酒、白蘭地等和威士忌一樣。

會罹患肝硬化（104頁）一般是一天喝5合以上的酒，持續喝十年以上。日本酒5合等於是半瓶威士忌。即使是5合以下，如果一天喝3~5合之間，15年或20年以後也會罹患肝硬化。

如以上所述，會罹患脂肪肝或肝硬化，和肝臟強不強無關，而是在於當事者所喝的酒精的總量。

或許有人會認爲十年還早得很，但是從三十歲就開始喝十年後是四十歲。

在我們醫院也有很多才四十歲就罹患肝硬化因爲腹水、雙手撲動而住院治療的人。

四十歲左右住院，前來探病的小孩還小，不過小學或幼稚園而已。很多人罹患肝硬化住院之後才後悔「早知道不要那麼喝就好了」。

酒的作用

酒和藥物一樣。適量的話為百藥之長，過量則有害。

酒的最佳作用就是消除壓力。因為高級神經中樞的大腦皮質被麻醉，所以不會悶悶不樂。第二是為促進食慾。飯前喝點Dry sherry或水果酒等餐前酒就是為了開胃。第三是小酌（1合左右）的話，不喝的人死亡率比喝多的人低。這是統計結果，少量飲酒的人，和其他人相較之下死於心臟疾病的個案較少。一般認為喝酒會讓好的膽固醇增加，可以預防動脈硬化。

●一天2合以下，營養充足、每週二天肝臟休息日

Q 我有親人罹患肝臟疾病，就算喜歡喝酒現在也不敢喝了。有沒有讓人能夠快樂喝酒，但卻不會損害肝臟的聰明方法呢？

A 肝臟不好的人，說真的可以不喝酒是最好不過的。斬釘截鐵的說，酒對肝臟是有害的（身體的異物）。

就像藥物和毒害猶如一線之隔，喝酒有消除壓力，食慾大增等好處，但是飲酒過度的話，當然也會危害身體。喝酒只能感覺一時的快樂罷了，反而使肝臟受苦。

●安全的飲酒量為多少？

那麼健康的人喝多少才安全呢？酒精會在肝臟分解，其分解方法每個人都一樣嗎？

一般肝臟分解酒精的能力爲每一公斤體重、每一小時分解純酒精0．1g。以體重60公斤的人爲例，每一小時0．1g×60＝6g，24小時則6g×24＝144g。

這等於是幾合的酒呢？一合約含25g的酒精，所以144÷25約6合。此量爲體重60kg的人一天酒精分解能力的最大量。

但是，通常晚上喝酒，隔天非上班不可。爲了在12小時內將酒精完全分解，6合的一半的3合爲極限。

此3合爲最大限量，最好少於此量。所以，2合以下爲安全，盡可能喝一合就好。

常被叮嚀要適量飲酒或安全飲酒，但是一般認爲身爲醫師不應該贊成喝酒才是正確的態度。計算上或統計上顯示一合左右的話沒關係，所以可以說如果只喝一合左右的話，就「不會危害身體」。

●肝臟只要休息就會恢復

即使是安全範圍，如果，如果每天喝肝臟也會受不了。因爲肝臟獨自負責分解酒精，所以每天工作的話就會疲乏。但

越來越多的酒精性肝損傷

日本人的酒精性肝損傷的發生機率比起歐美人還算少。歐美人有吃飯的時候喝啤酒或威士忌不喝水的習慣，以及喝酒精濃度高的酒是歐美人罹患酒精性肝損傷較多的原因。

相對的，日本人民族性上飲酒量似乎不像歐美人那麼多。

不過，近年來隨著日本人的酒精消費量大增（尤其是年輕女性飲酒機會增加），罹患酒精性肝損傷的人越來越多。

希望各位要確實執行不會增加肝臟負擔的飲酒方式。

是，肝臟是復原能力很強的器官，只要休息個一兩天，復原的狀況令人難以置信。

所以不妨至少訂定每週休息二天不喝酒，稱爲休肝二日。

有人會問每週一天不行嗎？如果喝很少的話可以不休息嗎？總而言之訂定無酒日是很重要的。也是具有很重要的確認自己沒有沉湎於酒的意義存在。否則很容易酒精中毒也就是酒精成癮⋯。

此週休二日是「至少」，當然休肝日越久越好。

●遵守有益肝臟的飲食方法

其次重要的是攝取有營養的食物。很多人喝酒不吃東西。甚至有人營養失調。

喝酒的人比起不喝酒的人更需要攝取營養。要攝取何種營養，請詳讀本書中的理想的肝臟飲食（158頁）。

遵守以上事項，就能夠不危害肝臟，開心的喝酒。

致本書讀者

本版新增訂了肝臟疾病檢查和治療的最新訊息。可說是內含最先進醫學知識的最新版。

我於昭和31年（1956年）畢業於醫學院之後，就開始擔任醫師從事診療工作，至今已經五十年以上了。

到院治療的患者們都盡最大的努力希望能治癒疾病，恢復健康。

我是抱持著儘可能在生病之前治療疾病，以防範未然的態度進行診療。

其中有猛爆性肝炎的治療（73頁）、干擾素治療（80．83頁）、肝癌的治療（114頁）。如果有可能性的話，趁還未確實演變成肝癌之前，進行治療。

除了治療外，更重要的是提高患者本身對疾病的抵抗力。

藥物也很重要，營養也很重要，但是要知道肝臟不是獨立的器官，是身體的一部分，是受到遍佈全身的神經所控制。

精神不安的話免疫力會降低，抵抗力會變差（91頁）。精神安定，生活有規律的話，免疫力會提升，抵抗力也會增加。

與其對將來感到隱隱不安，不如去做現在該做的事，詳細的檢查自己的身體，如果有勇氣和實踐力盡早進行治療，會得到好的結果。

一路勇敢克服疾病的各位患者就是這樣的人。

最後祝各位讀者身體健康。

鵜沼 直雄

維他命A.. 155
維他命B1 152,153,154,155
維他命B12 154
維他命B1缺乏(症) 152,154
維他命B2 153,154,155
維他命C 50,153,155
維他命D.. 155
維他命E 155
維他命K....................................... 50,155
維他命製劑 50,79,160
蜜月肝炎(傳染) 64
蜘蛛狀血管瘤 4,5,41
酵素... 24,142

【15劃】

影像檢查 21,33
撲翅狀震顫(肝性撲動Lapping tremor) 105

【16劃】

凝血酶原prothrombin 26
凝血酶原時間prothrombin time ....
.... 26,36
糖尿病的合併 144
靜脈瘤→食道靜脈瘤
蕁痲疹 43

【18劃】

總蛋白 25,36
總膽固醇... 26,36
總膽紅素 27,36
膽汁...3
膽汁合成...3
膽汁鬱積..39
膽固醇(cholesterol)..............................26
膽紅素(bilirubin) 21,27,30,39
膽結石 23
膽道系酵素(檢查) 24,25
膽管細胞癌 112
醣類...................... 140,143,152,160,166
醣類代謝 2
點滴.................................48,50,70,153
瀉血 86,159
轉移性肝癌 112,113
醬菜...202
雞蛋.. 140,149
魏尼凱氏腦病變(Wernickes
encephalopathy) 154
證據...52
類固醇荷爾蒙→副腎皮質荷爾蒙................
....50

【21劃】

麝香草酚濁度試驗(TTT).......................25

【23劃】

纖維化標記 26
纖維蛋白原(fibrinogen).........................3
體質性黃疸 39

脂肪的攝取方法..................................151
脂溶性維他命....................................151
胸脇苦滿...52
酒精成癮...223
酒精性肝炎....................................96.99
酒精性肝硬化...........................96,99,101
酒精性肝損傷..........23,44,47,96,100,223
酒精性肝纖維化....................................98
酒精性脂肪肝............................96,97,101
針扎意外...67
針刺...53,67
高感度PIVKA-II............................33,37
胺基酸(amino acid)..........................142
胺基酸分數(amino acid score)..................
....148,158

【11劃】

副腎皮質荷爾蒙製劑......................50,117
動脈硬化...150
帶原者(carrier)→病毒帶原者
採血...6
淺色蔬菜................140.141,146~150,160
猛爆性肝炎(亞急性)..............................74
猛爆性肝炎(急性)................................74
猛爆性肝炎...............................22,68,73
球蛋白(globulin)............................25,28
異構酶(Isozyme)..................................24
眼結膜下出血..42
組織切片檢查→肝臟組織切片檢查............
....21
蛋白質..................140,142,146~150,160
蛋白質代謝...3
蛋白質交換..190
蛋白酶抑制劑(protease inhibitors)........85

【12劃】

期門穴..54
減重...208
硬化劑注射治療.............................51,107
超音波診斷裝置......................................7
超音波檢查.........................7,21,34,37,93
鈣質...154
間接膽紅素...................................27,39
黃疸...................................4,5,27,38,48
黃疸出血性鉤端螺旋體(Leptospira)......45

【13劃】

嗜好品...136,166
搔癢..43
新生兒肝炎...120
經口傳染...58
經皮穿刺腫瘤內酒精注射(PEIT)..............
....115
經皮微波凝固療法(PMCT)..................115
經絡..53
腳氣病...152
腫瘤標記..................................32,,37,113
腹水.....................................4,5,105,108
腹腔鏡(檢查)..35
腹瀉時的飲食..178
腦死肝臟移植....................................50,74
葡萄糖.......................................50,70,153
解毒...3,124
過敏症...102
預防肥胖...172

【14劃】

綜合維他命製劑.................................50,79
維他命.....................................143,154,160

肝臟再生..146
肝臟的位置・大小・重量.......................1
肝臟核子醫學攝影..............................34
肝臟疾病的治療藥物................50,79,116
肝臟疾病的症狀..........................4,38~43
肝臟疾病的檢查..........................6,18~37
肝臟移植................................50,74,118
肝臟組織切片檢查................21,35,37,82
肝臟飲食..158
肝臟類澱粉沉著症(Hepatic Amyloidosis)
....45,120
辛香料..136

【8劃】

乳酸脫氫酶....................................24,36
亞急性(猛爆性肝炎)..............................74
抽菸..136
服藥方法..124
治療費補助..138
直接膽紅素....................................27,39
阿米巴性肝膿瘍...........................44,120
阻塞性黃疸..38
非代償性(肝硬化).......................107,111
非酒精性脂肪性肝炎............................93

【9劃】

威爾森氏症(Wilson’s disease)................
....45,46,120
急性(猛爆性肝炎)..................................74
急性肝炎........................22,57,70,76,141
急性病毒性肝炎→急性肝炎
急性期..76
恢復期..77
指壓..53
柯薩可夫症候群(Korsakoff syndrome)154
柑皮症..39
活性氧..155
活體肝臟移植................................51,74
胃・大腸反射......................................126
胡蘿蔔素血症(carotenemia)..................39
胞蟲症(Echinococcosis)....................120
重大疾病申請......................................138
重大疾病醫療費公費負擔..................138
限制蛋白質.................................184~191
食物纖維...................................143,153
食品添加物................................136,180
食道球(Sengstaken-Blakemore tube；SB tube)..109
食道靜脈結紮術...........................51,107
食道靜脈瘤................................100,107
食道靜脈瘤破裂..........................100.106
食道斷離手術......................................107

【10劃】

原發性肝癌..112
原發性膽汁性肝硬化.....................45,119
核子醫學攝影(Scintigraphy)→肝臟核子醫學攝影(Scintigraphy)..........................34
核磁共振攝影→MRI..........................35
桂枝茯苓丸..53
柴胡桂枝湯..53
特發性門靜脈高壓症..........................120
病毒肝炎..................................44,56,58
病毒帶原者(virus carrier)...............58,64
病毒標記(virus marker).............21,28,37
脂肪.......................141,143,150,151,160
脂肪代謝..3
脂肪肝.............19,23,45,92~95,192~211
脂肪肝患者的治療飲食..........94,192~211

白蛋白/球蛋白比值 25,36
白蛋白albumin.................................... 25
穴道.. 53

【6劃】

休肝日 223
先天性膽道閉鎖症 120
全自動生化分析儀 6
吉伯特氏症候群(Gilbert’s syndrome .. 46
吐血.. 109
各種營養食品分類表.......................... 157
自體免疫.. 118
自體免疫肝炎 45,47,118
血小板數 82,113
血中氨 28,36
血液生化檢查 6,20,36
血液檢查... 20
血清.. 20
血清膠質反應 25,36
血清學檢查 21
血清總蛋白 25,36
血清總膽固醇 26,36
血清膽紅素 27,36
血管攝影(檢查) 8,21,35,37
血漿.. 20
血漿置換術 72,73

【7劃】

低白蛋白血症的改善藥物 117
低蛋白飲食 188,190
低鐵飲食......................158~159,212~215
均衡飲食習慣評量 162
完全食品.. 149
尿液檢查................................... 21,30,36
尿膽紅素(bilirubin)........................ 30,36
尿膽素原(urobilinogen)................... 21,31
尿膽素原(urobilinogen).................. 30,36
抗原.. 28
抗原抗體反應 28
抗體.. 28
杜賓-強森症候群(Dubin-Johnson
syndrome) 47
灸灼.. 53
男性女乳症 4,5,41
肝內膽汁鬱積性黃疸............................ 39
肝水解物(製劑) 79,116
肝功能 18
肝功能檢查 18,20
肝吸蟲症... 45
肝性腦病變 104,109,111,126
肝性腦病變治療藥物.......................... 117
肝昏迷 109,126
肝炎.. 56
肝炎病毒... 28
肝炎病毒標記→病毒標記
肝炎病毒檢查 6
肝兪穴 54
肝動脈栓塞術 51,115
肝細胞 56
肝細胞性黃疸 38
肝斑.. 43
肝硬化 ....23,104~111,221
肝癌.. 112
肝膿瘍 44
肝醣(glycogen) 2,153
肝臟用藥→肝臟疾病治療藥物
肝臟和血管系統..................................... 2
肝臟的功能 2

Proheparum............................ 50,79,116
PT 26,36
PTO 109

【S】

SNMC(Stronger Neo-Minophagen C複方甘草甜素...
....50,71,79,116

【T】

Tathion.. 116
TTT.. 25,36

【U】

Urso 79,116,119
Ursodesoxycholic acid熊去氧膽酸製劑 ....
.... 50,116
Ursosan... 116

【X】

X光CT攝影→CT

【Z】

Zefix 117
ZTT.. 25,36

【γ】

γ-GTP(gama-glutamiltranspeptidase 伽瑪麩氨酸轉移酶)........................... 20,23,36

【δ】

δ抗原 72
δ抗體→HDV抗體
δ病毒(delta virus) 72

【1劃】

乙醛(Acetaldehyde).................. 136,219

【2劃】

住院.. 48
十全大補湯 50,53,79,116

【3劃】

大豆................................140,149,206
大柴胡湯... 53
小柴胡湯...........................50,52,79,116
小腿抽筋... 42
干擾素(Interferon)(B型肝炎)....................
.... 51,80
干擾素(Interferon)(C型肝炎)....................
.... 51,83~86

【4劃】

不飽和脂肪酸..................................... 150
中藥(製劑) 52,116
內視鏡靜脈瘤結紮術.......................... 107
內臟脂肪型肥胖.................................... 93
化膿性肝膿瘍....................................... 44
手風琴(accordion)心臟...................... 218
手術(肝癌) 115
手掌紅斑...................................... 4,5,40
支鏈胺基酸製劑................................ 117
日本住血吸蟲症(Schistosoma Japonicum)
.... 120
牛奶................................140,148,206

【5劃】

主食.. 151
代償性(肝硬化) 106,111
代謝... 2,3,24
出血傾向... 42
外科手術... 51
必需胺基酸 142,148
甘草酸(glycyrrhizin)......................... 116

E型急性肝炎 73

【G】

Glutachione.................................. 79,116

Glycyron 50

GOT(AST) 18,19,20,22,36

GPT(ALT)......................18~20,22,36,48

【H】

HAV-RNA 28

HAV的檢查.................................... 28,37

HA抗體 28

HBc抗原 28

HBe抗原 28,29,59,78

HBe抗體 29,58,78

HBIG 62,64

HBs抗原 28,62

HBs抗體 30,64

HBV-DNA.. 30

HBV的檢查 28,37

HB肝炎→B型肝炎

HB病毒→B型肝炎病毒

HCV 基因分型(Grouping).................... 31

HCV-RNA定量法 31

HCV抗體... 30

HCV的檢查 30,37

HCV基因... 31

HDV-RNA.. 32

HDV抗體... 32

HDV的檢查 32,37

HEV-RNA.. 32

HEV抗體... 32

HEV的檢查..................................... 32,37

【I】

ICG 27,36

IgA... 28

IgD... 28

IgE 28

IgG... 28

IgG型HA抗體 28

IgM 28

IgM型HA抗體 28

Immunoglobulin............................ 28

Indocyanine green test靛氰綠排除試驗.....
.... 27,36

【K】

Kitching Drinker廚房裡的飲酒者 219

【L】

LAP 24,36

LDH..................................... 20,24,36

【M】

MDCT.. 34

MRI 8,21,35,37

【N】

NASH 93

【O】

Oriental Flush(東方潮紅) 220

【P】

PCR法 28

Peginterferon.......................... 83~85

PEIT.. 115

PIVKA-II 32,33,37

PMCT 115

Prednisolone 117

Predonine 117,118

索 引

【5】

5-FU 114

【A】

A/G比值 25,36

AFP 32,37

AFPL3 33

alkaline phosphatase鹼性磷酸酶 23,36

allergen過敏原 102

alpha fetal protein甲型胎兒蛋白 32,37

ALT(GPT) .... 18~20,22,36,48,49

Aminoleban EN 117

Aminoleban 117

amonia氨 28

amplicor定性檢驗 31

AST(GOT) 18,19,20,22,36

A型(病毒)肝炎 28,44,58,60,70

A型肝炎疫苗 61

A型肝炎病毒 60,70

A型肝炎病毒的檢查 28,37

A型肝炎病毒基因RNA 28

【B】

Baraclude 117

B型肝炎 28,44,58,62,71,78

B型肝炎疫苗 62

B型肝炎病毒 6,28,44,62,71

B型肝炎病毒DNA基因 30

B型肝炎病毒帶原者 57,58,62,78

B型肝炎病毒的檢查 28,37

B型急性肝炎 71

B型病毒肝炎→B型肝炎

B型慢性肝炎 78

【C】

Caloryl 117

ChE(Cholinesterase 膽素脂酵素) 24,36

Cholinesterase 膽素脂酵素 24,36

CT 8,21,34,37

C型肝炎 30,44,59,66,71,82

C型肝炎病毒 30,44,66

C型肝炎病毒的檢查 30,37

C型急性肝炎 71

C型慢性肝炎 82

C型慢性肝炎的干擾素治療 83

【D】

Delta肝炎 59

DNA聚合酶(DNA polymerase) 30,78

D型(病毒)肝炎 32,44,59,72

D型肝炎病毒檢查 32,37

D型急性肝炎 72

【E】

ECHO→檢查→超音波檢查

Entecavir 81,117

EPL(essential phospholipids 必需磷脂) 50,79,116

E型肝炎 32,44,59,73

E型肝炎病毒的檢查 32,37

PROFILE

鵜沼直雄

1932年東京都出生，1956年從東京大學醫學部畢業，經歷東京大學第二內科後至美國留學，1974年擔任三井紀念醫院消化器官中心內科部長、東京大學醫學部講師，1993年擔任三井紀念醫院副院長2002年起，擔任杏雲堂醫院肝臟科顧問、日本肝臟學會專門醫生、日本消化器官病學會專門醫生。另外也參加過NHK等多數電視台的節目。

著書有

『ウイルス肝炎』（暫譯《病毒肝炎》）『酒飲みの肝臓学』（暫譯《飲酒肝臟學》）等。

TITLE

安心面對肝病

STAFF

出版	瑞昇文化事業股份有限公司
作者	鵜沼直雄
譯者	林麗紅
總編輯	郭湘齡
責任編輯	王瓊苹
文字編輯	林修敏、黃雅琳
美術編輯	李宜靜
排版	果實文化
製版	明宏彩色照相製版股份有限公司
印刷	桂林彩色印刷股份有限公司
戶名	瑞昇文化事業股份有限公司
劃撥帳號	19598343
地址	新北市中和區景平路464巷2弄1-4號
電話	(02)2945-3191
傳真	(02)2945-3190
網址	www.rising-books.com.tw
Mail	resing@ms34.hinet.net
初版日期	2011年12月
定價	280元

ORIGINAL JAPANESE EDITION STAFF

指導	榎本真理〈佐佐木研究所附屬杏雲堂醫院榮養科科長〉
內文設計	Shiba牧子(mioliblo)
開頭彩圖設計	村田忠夫(MED)
內文插圖	Ted高橋
攝影	馬渕基之
編輯	中山博邦(小学館)
	石内康夫
編輯協力	工藤綾子
	小川益雄(誠幸社)
	本城美智子
	冨澤千賀子

國家圖書館出版品預行編目資料

安心面對肝病／鵜沼直雄作；林麗紅譯.
-- 初版. -- 新北市：瑞昇文化，2011.08
232面；14.8×21公分

ISBN 978-986-6185-68-7（平裝）

1.肝病

415.53　　100016430